PRISONNIERS
DU CIEL

Titre original : *Heaven's Prisoners*
(Henry Holt and Co)

106, bd Saint-Germain - 75006 Paris
ISBN 2-86930-564-8
ISSN 0764-7786

James Lee Burke

Prisonniers du ciel

Traduit de l'américain
par Freddy Michalski

*Collection dirigée
par François Guérif*

Rivages/noir

Du même auteur
dans la collection Rivages/Thriller
Black Cherry Blues

A mon agent, Philip Spitzer,
grand combattant devant l'Eternel,
qui a tenu les quinze rounds
jusqu'à la limite, et à ces
merveilleux amis de Louisiane
auxquels je suis redevable d'une
.énorme dette de gratitude,
John Easterly, Martha Lacy Hall
et Michael Pinkston.

1

Je me trouvais au large de Southwest Pass, entre les îles Pecan et Marsh, avec, au sud, les eaux vertes crénelées d'écume blanche du Gulf Stream et, derrière moi, la longue côte toute plate de la Louisiane – qui n'a en réalité de côte que le nom : ce n'est qu'une énorme étendue de marais couverts de cladions[1], de cyprès morts aux guirlandes vaporeuses de barbe espagnole[2], véritable labyrinthe de canaux et de bayous qui étouffent sous les jacinthes d'eau, celles-là mêmes dont on entend les fleurs mauves s'ouvrir au matin en claquant comme bouteille qu'on débouche et dont le système racinaire est capable de s'enrouler autour de l'arbre d'une hélice comme un câble d'acier. Nous étions en mai et la brise chaude avait l'odeur des embruns salés et des colonies de truites blanches en plein festin ; haut dans le ciel, au-dessus de moi, les pélicans flottaient, portés par les courants d'air chaud, leurs ailes déployées brillant d'or sous le soleil, jusqu'à ce que l'un d'eux, soudain, tombât du ciel telle

1. Plante robuste des marais à grosse tige, à feuilles raides et coriaces, d'un mètre de hauteur.

2. Littéralement, mousse espagnole : nom donné par les Français à une plante – et non une mousse – qui s'accroche aux arbres et dont les longs filaments grisâtres pendent jusqu'à terre ou jusqu'à l'eau. Les Espagnols, de leur côté, lui avaient donné le nom de perruque française.

une bombe qu'on aurait larguée, les ailes repliées contre les flancs, avant de venir exploser à la surface de l'eau pour reprendre son essor, tout dégoulinant, un hareng ou un mulet battant l'air, prisonnier du bec à poche.

Mais le ciel s'était strié de rouge à l'aurore et je savais qu'avant la fin de l'après-midi, le tonnerre se mettrait à rouler venant du sud, la température dégringolerait de cinq degrés, à croire que tout l'air venait soudain de se faire aspirer sous une énorme coupe de ténèbres, et le ciel noirci se mettrait à trembler sous des ramures d'éclairs.

J'avais toujours adoré le golfe, qu'il fût déchiré de tempêtes ou ses rouleaux couverts de crêtes vertes de glace. Même à l'époque où j'étais officier de police à La Nouvelle-Orléans, je vivais déjà sur une péniche sur le lac Ponchartrain et je passais mes journées à pêcher dans la paroisse[1] de Lafourche ou dans la baie Barataria. Et même lorsque j'étais à la Criminelle, il m'arrivait de temps à autre de monter un coup grâce aux gars des Mœurs et j'accompagnais les gardes-côtes à bord de leur vedette armée lorsqu'ils étaient de sortie sur la grande salée, à courser les trafiquants de came.

Aujourd'hui, j'étais propriétaire d'une petite affaire de location de bateaux et d'appâts de pêche sur le bayou, au sud de New Iberia, et deux fois par semaine, Annie, ma femme, et moi sortions par Southwest Pass dans ma barge reconvertie pêcher la crevette au chalut. On l'appelait "barge" parce que, des années auparavant, elle avait été conçue par une compagnie pétrolière afin de récupérer les longueurs de gros câbles gainés de caoutchouc et les instruments de sismographie qu'elle utilisait pour ses recherches pétrolifères sous-marines ; le bateau était long, étroit et plat, avec un gros moteur Chrysler, deux hélices, et une cabine de pilotage collée au ras du gaillard d'arrière. Annie et moi l'avions aménagé : comparti-

1. Nom donné en Louisiane à une unité administrative équivalant au comté dans les autres Etats.

ments à glace, vivier à appâts, treuils pour les filets, petite cambuse, caisses d'équipement de pêche et de plongée soudées au plat-bord, et même un grand parasol en toile de marque Cinzano que je pouvais déployer au-dessus d'une table de bridge et de fauteuils pliants.

Les matinées comme celle d'aujourd'hui, nous les passions à traîner le filet en grand cercle à travers la Pass, la proue presque tout entière hors de l'eau à cause du poids du chalut plein à craquer. Nous chargions ensuite les glacières de crevettes roses, avant d'installer les cannes pour les poissons-chats et de préparer le déjeuner dans la cambuse pendant que le bateau dérivait amarré à son ancre dans le vent chaud. Ce matin-là, Annie avait fait bouillir une marmite de crevettes et d'étrilles ; elle décortiquait les crevettes dans un saladier pour les mélanger à une poêlée de gros riz brun[1] que nous avions emporté. Il me fallut sourire en la voyant à l'œuvre ; c'était elle, ma fille du Kansas, mennonite[2] dont les boucles dorées au bas de la nuque flottaient à la brise, elle dont les yeux étaient du bleu le plus électrique que j'eusse jamais vu. Elle était vêtue d'une chemise d'homme en toile bleue délavée, les pans flottant par-dessus son bermuda blanc, et portait des chaussures de toile sans chaussettes ; elle avait appris à nettoyer le poisson et les crevetttes et à manier un bateau par fort coup de vent aussi bien qu'une petite du pays des bayous, mais elle resterait toujours ma fille des campagnes du Kansas, grandie entre lupins et tournesols, la démarche maladroite, toujours de guingois sur des hauts talons, toujours impressionnée par les différences de culture et par ce qu'elle qualifiait de "bizarrerie" chez les autres, bien qu'elle fût issue d'un milieu de fermiers céréaliers pacifistes dont la vie quotidienne baignait tel-

1. Littéralement : riz sale, riz sauvage mêlé de légumes et très assaisonné.

2. Secte protestante dérivée du mouvement anabaptiste, attachée à l'agriculture et manifestant un pacifisme pouvant aller jusqu'à l'objection de conscience.

lement dans l'excentricité qu'elle-même s'avérait incapable de reconnaître la normalité lorsqu'elle la voyait.

Elle avait le teint hâlé même en hiver, et la peau la plus douce que j'eusse jamais touchée. Ses yeux brillaient de petites lumières lorsqu'on s'y plongeait. Elle me vit qui lui souriais et reposa le saladier de crevettes avant de s'avancer jusque derrière moi comme pour aller vérifier les cannes. Puis je la sentis dans mon dos, je sentis ses seins venir toucher l'arrière de ma tête, ses mains me rabattre les cheveux dans les yeux comme un nœud de serpents noirs, ses doigts retracer mon visage, ma moustache en brosse, mes épaules, la cicatrice du bambou pungi[1] que j'avais sur l'estomac pareille à un ver grisâtre aplati, jusqu'à ce que l'innocence de son amour me donnât la sensation que toutes mes années, mes poignées d'amour, mon foie en piteux état, n'avaient pas vraiment tant d'importance après tout. J'étais peut-être devenu stupide avec l'âge ; affectueux serait peut-être plus exact, à la manière d'un animal vieillissant qui ne vient plus confronter sa séduction à l'épreuve de la jeunesse. Mais l'amour d'Annie n'était pas séduction ; il était constance et présence permanente, même après une année de mariage, et elle en faisait don avec ardeur et sans condition. Au-dessus du sein droit, elle portait une marque de naissance, une fraise qui, lorsqu'elle faisait l'amour, se gorgeait de sang jusqu'à en devenir rouge sombre. Elle fit le tour du fauteuil, s'installa sur mes genoux, frotta de la main le mince film de sueur sur ma poitrine, et posa les boucles de sa chevelure contre ma joue. Elle remua au creux de mes cuisses, sentit ma présence sous son poids et me regarda dans les yeux d'un air entendu avant de murmurer comme si quelqu'un pouvait entendre :

— Viens, on sort le matelas pneumatique du casier.

— Que feras-tu si l'avion des gardes-côtes passe ?

1. Tige de bambou appointée et maculée de déjections animales, utilisée par les Viêt-cong pour piéger les soldats américains.

— Je leur ferai signe.

— Et si l'un des moulinets se met à dévider ?

— J'essaierai de t'obliger à penser à autre chose.

Je me détournai d'elle pour diriger mes regards vers la ligne d'horizon au sud.

— Dave ?

— C'est un avion.

— Il t'arrive souvent de voir ta propre épouse te faire des avances ? ne laisse pas passer l'occasion, patron.

Ses yeux brillaient de joie et de lumière.

— Non, regarde. Il a des ennuis.

C'était un petit bimoteur jaune vif, et une longue traînée d'épaisse fumée noire s'échappait de l'arrière du poste de pilotage, barrant le ciel jusqu'à la ligne d'horizon. Le pilote s'efforçait de gagner de l'altitude en ouvrant les gaz sur les deux moteurs, mais les bouts d'aile en déséquilibre battaient l'air de babord à tribord en refusant de se stabiliser, et l'eau approchait à toute vitesse. L'avion passa devant nous, et je réussis à voir des visages derrière les vitres. La fumée tourbillonnait au sortir d'un trou déchiqueté à l'avant de la queue.

— Oh ! Dave, je crois que j'ai vu un enfant, dit Annie.

Le pilote devait s'efforcer d'arriver jusqu'à Pecan Island de manière à atterrir sur le ventre dans les prés salés, mais soudain, le gouvernail de profondeur se déchira en petits morceaux comme des bandelettes de carton mouillé et l'avion bascula violemment à babord et tourna en demi-cercle, moteurs calés, la fumée s'échappant en volutes aussi épaisses et noires qu'un incendie de puits de pétrole. L'avion tomba durement, heurtant la surface de l'eau d'une aile, avant de ricocher en se retournant en l'air comme une marionnette pour atterrir sur le toit dans une explosion de gerbes, eau verte et blanche et algues flottantes mêlées.

L'eau dansa en bouillons au-dessus des carters moteurs surchauffés, et le trou à l'arrière donna véritablement l'impression que venait de naître une rivière dont il aspirait les flots dans les profondeurs de l'avion. En quelques secondes, le ventre jaune vif de l'appareil perdit de son éclat sous les vaguelettes qui venaient le recouvrir. Je ne voyais plus les portes mais je restais là à attendre que quelqu'un vînt percer la surface des flots, vêtu de son gilet de sauvetage. Au lieu de cela, d'énormes ballons d'air s'élevèrent de la cabine, et une coulée sale d'huile et d'essence mêlées obscurcissait déjà le clignotement des reflets du soleil sur les ailes de l'appareil.

Annie était en communication avec les gardes-côtes sur la radio ondes courtes. Je libérai l'ancre de la boue, la balançai avec fracas sur la proue, démarrai le gros moteur Chrysler, entendis les échappements tousser sous la ligne de flottaison, et mis plein gaz en direction du naufrage. Mais je ne voyais déjà plus de l'avion que de petites lueurs dorées dans la flaque bleu-vert en surface, un mélange d'huile et de carburant échappé des durits d'alimentation rompues.

— Prends la barre, dis-je.

Je vis à l'expression de son visage toutes les pensées qui lui traversaient l'esprit.

— Nous n'avons pas fait le plein des bouteilles la dernière fois, dit-elle.

— Il reste encore un peu d'air. De toute manière, il n'y a pas plus de huit mètres dans le coin. Si l'appareil n'est pas bloqué par la vase, je peux ouvrir les portes.

— Dave, les fonds sont à plus de huit mètres. Tu le sais. Il y a une crevasse qui traverse la Pass.

Je sortis les deux bouteilles d'air comprimé de la caisse à matériel et inspectai les jauges. Toutes les deux indiquaient qu'elles étaient presque vides. Je me déshabillai, ne gardant que slip et maillot de corps, bouclai une ceinture plombée autour de la taille et enfilai une des bouteilles et un masque avant de passer les sangles de la seconde bouteille autour du bras. Je sortis une pince-monseigneur de la caisse à matériel.

— Mets-toi à l'ancre assez loin pour qu'ils ne remontent pas directement sous le bateau, dis-je.

— Laisse-moi la seconde bouteille, je descends aussi.

Elle avait coupé les gaz, et le bateau tanguait sur son erre. Ses cheveux étaient plaqués sur un côté de son visage hâlé mouillé d'embruns.

— On a besoin de toi ici, en surface, dis-je avant de passer par-dessus bord.

— Nom de Dieu ! Dave, l'entendis-je s'exclamer à l'instant où je transperçais la surface de l'eau comme un boulet, accompagné par le bruit des bouteilles qui s'entrechoquaient.

Les fonds du golfe étaient un musée d'histoire maritime. Au fil de mes années de plongée, libre ou avec bouteille, j'avais découvert des agglomérats de boulets de canons espagnols soudés par le corail et des torpilles d'entraînement de l'U.S. Navy, la coque écrasée d'un sous-marin nazi expédié par le fond par des grenades sous-marines, une vedette rapide dont les trafiquants de drogue avaient ouvert les écoutilles avant que les gardes-côtes n'arrivent pour les épingler, et même les poutrelles tordues, restes du naufrage de la plate-forme pétrolière sur laquelle mon père s'était noyé vingt ans auparavant. La plate-forme de forage gisait sur le flanc dans la vase par vingt-cinq mètres de fond, et le jour où j'étais descendu jusqu'à elle, les câbles d'acier fouettaient l'eau, résonnant contre les étançons, pareils à des marteaux qui viendraient cogner une lame de scie énorme.

L'avion s'était stabilisé à l'envers au bord de la crevasse, les hélices enfoncées profondément dans le sable gris. Des chapelets de bulles s'échappaient des ailes et des fenêtres. Je sentis l'eau se faire plus froide au fur et à mesure que je descendais, et je voyais maintenant crabes et serrans[1] qui filaient rapidement sur le fond et les bouffées de sable que faisaient jaillir les ailes des pastenagues[2], ondoyant et planant comme des ombres qui s'enfonceraient dans les profondeurs de la faille.

1. Autre nom des perches de mer.
2. Poisson plat à la queue munie d'un dard venimeux.

J'arrivai à la porte du pilote, fis glisser la bouteille de réserve de mon bras et regardai par la vitre. Le pilote me dévisagea, tête à l'envers, cheveux blonds flottant sous l'effet du courant, les yeux verts comme des billes dures et aqueuses qui ne voyaient plus rien. Sur le siège voisin était sanglé le corps lourd d'une femme de petite taille aux longs cheveux noirs ; ses bras flottaient en aller et retour devant son visage comme si elle essayait toujours de rejeter la conscience terrible du fait que sa vie allait arriver à son terme. J'avais déjà vu dans ma vie des victimes de noyade, et leurs visages pochés avaient tous eu la même expression de surprise que ceux des victimes tuées par des éclats d'obus au Viêt-nam. J'eus simplement l'espoir que ces deux-là n'avaient pas souffert trop longtemps.

Mes coups de pied faisaient remonter des nuages de sable du fond et dans la lumière limoneuse d'un vert jaunâtre, je réussissais à peine à distinguer à travers la vitre de la porte arrière. Je m'allongeai bien à plat en me retenant à la poignée de la porte pour un meilleur équilibre et pressai mon masque contre la vitre une fois encore. Je réussis à distinguer un gros homme à la peau sombre en chemise rose à poches, toute garnie d'épaulettes et de rabats en tissu, avec, à côté de lui, une femme qui s'était libérée de sa ceinture et qui flottait entre deux eaux. Le corps était trapu, le visage carré à la peau tannée comme cuir comme la femme sur le siège avant, et sa robe fleurie était remontée, flottant en corolle autour de la tête. Puis, à l'instant précis où je me trouvai à court d'air, je me rendis compte sous les battements précipités de mon cœur qu'il y avait quelqu'un qui vivait encore dans la cabine.

Je voyais ses petites jambes nues qui battaient comme des ciseaux, la tête et la bouche tournées vers le haut comme celles d'un guppy[1] à l'intérieur d'une poche d'air à l'arrière de la cabine. Je larguai la bouteille vide et

1. Petit poisson d'aquarium.

secouai la poignée de la porte, mais le chant de la porte était enfoncé en coin dans la vase. Je tirai à nouveau vers moi, suffisamment pour dégager la porte d'un centimètre de son chambranle, je glissai la pince-monseigneur à l'intérieur et forçai l'huisserie métallique jusqu'à ce qu'une charnière lâche et que la porte s'ouvre vers moi en raclant le sable. Mais j'avais les poumons sur le point d'exploser, les dents qui grinçaient à retenir ma propre respiration, les côtes comme des poignards à l'intérieur de la poitrine.

Je laissai tomber la pince, ramassai la bouteille de réserve, ouvris la valve d'un coup sec et mis le tuyau à la bouche. L'air descendit dans ma poitrine, frais comme un vent qui soufflerait sur les neiges fondantes. Je pris une demi-douzaine d'inspirations profondes, refermai la valve, soufflai pour éclaircir mon masque et pénétrai dans l'appareil pour la sortir de là.

Mais le mort en chemise rose me bloquait le passage. Je dégageai la boucle de sa ceinture et essayai de le sortir du siège en le tirant par la chemise. Il avait dû se briser le cou car sa tête tournait sur le pivot des épaules comme si on l'avait attachée à une tige de fleur. Puis sa chemise céda prise, se déchirant entre mes mains, et j'aperçus un serpent vert et rouge tatoué au-dessus du téton droit, et un point dans ma mémoire, pareil au déclic d'obturateur d'un appareil photographique, me ramena au Viêt-nam. J'agrippai sa ceinture, poussai sous son bras et le fourrai vers l'avant, en direction du cockpit. Il atterrit en roulade lente, sur une trajectoire courbe, et se stabilisa entre pilote et siège passager, la bouche ouverte, la tête posée sur les genoux du pilote, pareil à un bouffon en prières.

Il fallait que je la sorte de là, et vite. Je voyais tanguer le ballon d'air d'où elle tirait son oxygène, et il n'y avait pas l'espace suffisant pour que je vienne la rejoindre afin de lui expliquer ce que nous allions faire. En outre, elle ne pouvait guère avoir plus de cinq ans, et je doutais qu'elle sût parler anglais. J'enserrai sa toute petite taille de mains légères, sans bouger, en priant le ciel qu'elle comprît ce qu'il me fallait faire, avant de l'entraîner avec moi sous l'eau, les jambes battant en ciseaux, en direction du fond et de la porte.

L'espace d'un bref instant, je vis son visage. Elle se noyait. Elle avait la bouche ouverte et avalait l'eau ; les yeux étaient remplis d'une terreur hystérique. Les cheveux coupés courts flottaient sur son crâne comme un duvet de caneton, et sur les joues hâlées, la peau se marquait de taches pâles et exsangues. Je songeai à essayer de lui placer le tuyau d'air dans la bouche, mais je savais que je serais incapable de franchir le bloquage de la gorge, elle s'étranglerait avant même que je puisse la ramener en surface. Je dégageai ma ceinture des plombs que je sentis sombrer dans le tourbillon de sable sous mes pieds. Je verrouillai les bras sous la poitrine de la petite et d'une détente violente des jambes, je nous expédiai tous deux vers la surface.

Je voyais la silhouette sombre aux lueurs changeantes de la barge au-dessus de moi. Annie avait coupé le moteur, et le bateau se balançait dans le courant contre le cordage d'ancre. Il y avait plus de deux minutes que je n'avais pas pris d'air frais, et j'avais l'impression que mes poumons s'étaient remplis d'acide. Je gardai les pieds tendus, battant l'eau avec force, les bulles d'air filant au travers de mes dents serrées, le verrou de ma gorge sur le point de céder pour aspirer un torrent d'eau qui me remplirait la poitrine comme une coulée de béton. Puis je vis la lumière du soleil se faire plus brillante en surface, pareille à la flamme jaune qui danse sur une côtelette et vient glacer la tranche de chair, je sentis les courants en strates tiédir au fur et à mesure, frôlai les guirlandes ocre-rouge des algues qui tournoyaient sous les vagues, et finalement, nous vînmes exploser dans les airs, au cœur du vent chaud, sous un dôme de ciel bleu et de nuages blancs où voguaient les pélicans marron comme autant de sentinelles venues nous souhaiter la bienvenue.

J'agrippai la première barre de rambarde d'une main et soulevai la petite fille jusque dans les bras d'Annie. On aurait dit qu'elle avait les os aussi creux que ceux d'un oiseau. Annie la tira sur le pont et lui caressa la tête et le visage pendant que la fillette sanglotait en lui vomissant sur les genoux. J'étais trop faible pour sortir de l'eau immédiatement. Je me contentais simplement de porter mes regards vers les marques rouges sur les cuisses tremblantes de la petite, là où les mains de sa mère l'avaient maintenue dans la poche d'air pendant qu'elle-même perdait la vie, et j'émis le vœu que tous ceux qui distribuaient des médailles pour actes d'héroïsme en temps de guerre aient une vision plus vaste de la nature de la vraie valeur.

* * *

Je savais qu'une absorption d'eau dans les poumons pouvait dégénérer en pneumonie, aussi Annie et moi conduisîmes la fillette à l'hôpital catholique de New Iberia, petite ville sucrière sur Bayou Teche où j'avais grandi. L'hôpital était un bâtiment de pierre grise sur le bayou, à l'écart au milieu des chênes espagnols ; une glycine mauve grimpait le long des palissades au-dessus des allées piétonnières, et la pelouse était pleine d'hibiscus jaunes et rouges et d'azalées flamboyantes. Nous entrâmes, et Annie emporta la fillette dans les bras jusqu'à la salle des urgences pendant que je m'installais devant le bureau des entrées, face à une nonne au corps lourd, vêtue d'une aube blanche, qui remplissait la fiche d'admission de la fillette.

Le visage de la nonne était gros et rond, pareil à une tourtière, et sa coiffe ajustée lui serrait le front comme la visière d'un casque de chevalier moyenâgeux.

— Comment s'appelle-t-elle ? dit-elle.

Je la regardai.

— Savez-vous comment elle s'appelle ? dit-elle.

— Alafair.

— Quel est son nom de famille ?

— Robicheaux.

— Est-ce votre fille ?

— Naturellement.

— C'est votre fille ?

— Bien entendu.

— Hum ! dit-elle en continuant à écrire sur sa fiche, avant d'ajouter : je veillerai sur elle pour vous. Entre-temps, pourquoi ne pas reprendre cette fiche de renseignements et vous assurer que je n'ai pas commis d'erreur en la remplissant ?

— J'ai confiance en vous, ma sœur.

Elle s'engagea dans le couloir, le pas lourd, le chapelet noir battant à la taille. Elle avait le physique d'un poids lourd sur le déclin. Elle fut de retour quelques minutes plus tard alors que je me sentais de moins en moins à mon aise.

— Eh bien, quelle famille intéressante vous avez là, dit-elle. Saviez-vous que votre fille ne parle que l'espagnol ?

— Nous sommes très Berlitz.

— Et intelligent avec ça, dit-elle.

— Comment va-t-elle, ma sœur ?

— Elle va bien. Un peu effrayée, mais il semblerait qu'elle soit avec la famille qui convienne.

Elle me sourit de tout son visage rond et massif.

Les nuages de pluie d'après-midi avaient commencé à se rassembler lorsque nous traversâmes le pont mobile qui enjambait le bayou pour quitter East Main en direction des faubourgs de la ville. D'énormes chênes encadraient la route ; leurs racines épaisses avaient fissuré le revêtement du trottoir et l'éventail de leurs branches arquées faisait une marquise rainurée de soleil au-dessus de nos têtes. Les maisons le long d'East Main dataient d'avant la guerre de Sécession, bâtisses en style victorien, avec galeries de toits, vérandas au premier étage, porches de marbre, colonnades grecques, grilles en volutes, et parfois, belvédères d'un blanc étincelant couverts de jasmin et de bugle pourpre grimpant. La fillette, que j'avais cavalièrement surnommée Alafair – du nom de ma mère – était assise entre nous deux dans le pick-up. Les nonnes avaient conservé ses affaires mouillées et l'avaient habillée d'un jean d'enfant à la couleur passée et d'un sweat-shirt de balle douce[1] sur lequel on lisait *New Iberia Pelicans*. Le visage était marqué d'épuisement, le regard terne ne voyait rien. Nous franchîmes en grondant une autre passerelle avant de nous arrêter devant un étal de marchand de fruits tenu par un Noir installé sous un cyprès en bordure du bayou. J'achetai trois gros morceaux de *boudin* chaud enveloppés de papier huilé, des cornets de sorbets et une barquette de fraises que nous mangerions plus tard accompagnée de crème glacée. Annie déposa la glace dans la bouche de la fillette à l'aide de la petite cuillère en bois.

— On mange petit quand on est petite, dit-elle.

Alafair ouvrait la bouche comme un oisillon, battant des cils d'un air ensommeillé.

— Pourquoi as-tu menti là-bas ? dit Annie.

— Je n'en suis pas sûr.

— Dave...

— C'est probablement une clandestine. Pourquoi créer des problèmes aux nonnes ?

— Qu'est-ce que ça fait si c'est une clandestine ?

— Ça fait que je n'ai pas confiance dans les gratte-papiers et les scribouillards du gouvernement, voilà pourquoi.

— Je crois entendre la voix des services de police de La Nouvelle-Orléans.

— Annie, les services de l'Immigration les renvoient d'où ils viennent.

— Ils ne feraient pas ça à un enfant, quand même ?

Je n'avais pas de réponse à lui fournir. Mais mon père, qui avait été pêcheur, trappeur et ouvrier du pétrole toute sa vie, qui ne savait ni lire ni écrire, qui parlait le français cajun et une forme d'anglais qu'on pouvait à peine qualifier de langue, avait une maxime pour presque toute

1. Variante du base-ball, moins musclée, qui se joue sur un terrain plus petit avec une balle plus grosse lancée sous l'épaule.

situation. L'une d'elles pourrait se traduire par “Dans le doute, ne fais rien”. Dans la réalité, il aurait dit quelque chose du genre (dans ce cas précis, à un riche planteur de canne à sucre dont la propriété jouxtait notre terrain) : “Vous m'avez point rien dit de vot' cochon dins mes cannes, alors mi j'ai pas pensé à mal quand j'a passé l' tracteur sur sa tête et que j'as dû l' manger, mi.”

Je roulais sur le chemin de terre qui conduisait à ma petite entreprise – bateau et appâts de pêche – sur le bayou. Une pluie fine commença à transpercer le feuillage des chênes, creusant la surface de l'eau de cratères minuscules comme chair de poule, cliquetant sur les grandes feuilles des nénuphars qui poussaient de la rive. Je voyais les brèmes partir en chasse le long des nénuphars et des cannes à sucre noyées. Loin devant, les pêcheurs ramenaient leurs bateaux à quai, contre mon ponton, et les deux Noirs qui travaillaient pour moi tiraient l'auvent de toile au-dessus de la terrasse latérale de la boutique à appâts et ramassaient bouteilles de bière et assiettes de barbecue en carton sur les dévidoirs de câble téléphonique en bois qui me servaient de table.

Ma maison était en retrait du bayou, à une centaine de mètres, au milieu d'un bouquet de pacaniers. Elle était bâtie en chêne et cyprès brut, avec, sur le devant, une galerie au toit de zinc, une cour de terre et des clapiers, et, derrière, une grange en piteux état et un potager de pastèques au-delà des pacaniers. Parfois, les jours de grand vent, les pacanes tintaient comme des chevrotines sur le toit de zinc de la galerie.

Alafair s'était endormie en travers des genoux d'Annie. Lorsque je la transportai dans la maison, elle leva les yeux vers moi, une seule fois, comme si elle s'éveillait brièvement au milieu d'un rêve, avant de refermer à nouveau les paupières. Je la mis au lit dans la chambre latérale, mis l'aérateur de la fenêtre en marche et fermai doucement la porte. Je m'assis sous la galerie et regardai la pluie tomber sur le bayou. L'air avait une odeur d'arbres, de mousse humide, de fleurs et de terre mouillée.

— Tu veux manger quelque chose ? dit Annie derrière moi.
— Pas maintenant, merci.
— Que fais-tu là dehors ?
— Rien.
— Je pense que c'est pour ça que tu ne quittes pas la route des yeux, dit-elle.
— Les gens dans cet avion ne cadrent pas.
Je sentis ses doigts sur mes épaules.
— Monsieur l'agent, j'ai un problème, dit-elle. Mon mari se prend toujours pour un inspecteur de la Criminelle. Pas moyen de l'en empêcher. Lorsque j'essaie de lui faire du gringue, son attention est toujours rivée ailleurs. Qu'est-ce qu'une fille peut faire ?
— Te mettre avec un mec comme moi. Je suis toujours prêt à donner un coup de main.
— Je ne sais pas. Tu as l'air tellement occupé à regarder la pluie.
— C'est l'une des rares choses que je fais bien.
— T'es sûr que tu as le temps, m'sieur l'agent ? dit-elle en faisant glisser ses mains sur ma poitrine en pressant les seins et le ventre contre mon dos.
Je n'avais jamais beaucoup de chance lorsque j'essayais de lui résister. Elle était sincèrement belle à regarder. Nous allâmes dans notre chambre, où l'aérateur de la fenêtre bourdonnait dans une lumière humide, et elle me sourit tout en se déshabillant, avant de se mettre à chanter : “Baby love, my baby love, oh how I need you, my baby love...”
Elle s'assit sur moi, ses seins lourds tout contre ma figure, passa les doigts dans mes cheveux et me regarda dans les yeux, le visage tendre et plein d'amour. A chaque pression de mes paumes contre ses épaules, elle embrassait ma bouche et resserrait les cuisses, et je vis la marque de naissance qu'elle portait au sein s'assombrir jusqu'au carmin foncé, je sentis mon cœur qui commençait à se tordre, mes reins se faire plus durs et douloureux, je vis son visage s'adoucir et rapetisser devant mes

yeux, jusqu'à ce que, soudain, je sente quelque chose se déchirer en moi avant de fondre, pareil à un gros roc que les flots de la rivière auraient arraché et qui roulerait vers l'aval, emporté par le courant.

Puis elle s'étendit tout contre moi et me ferma les yeux de ses doigts ; je sentis le ventilateur balayer les draps d'air froid, pareil à un vent du large sur le golfe, dans la lumière brumeuse d'un lever de soleil.

* * *

L'après-midi tirait à sa fin et il pleuvait toujours lorsque je m'éveillai au son des sanglots de l'enfant. On aurait dit qu'un ange venait de déranger mon sommeil du bout de son aile. Je pénétrai pieds nus dans la chambre où Annie se trouvait déjà, assise sur le rebord du lit, Alafair serrée contre sa poitrine.

— Tout va bien maintenant, dit Annie. Ce n'était qu'un mauvais rêve, pas vrai ? et les rêves ne peuvent pas te faire de mal. On les chasse d'un petit geste, on se lave la figure et puis on se mange quelques fraises avec de la glace en compagnie de Dave et d'Annie.

La petite fille serrait la poitrine d'Annie de toutes ses forces en me regardant de ses yeux ronds et effrayés. Annie la serra contre elle et posa un baiser sur ses cheveux.

— Dave, il faut qu'on la garde, dit-elle.

A nouveau, je ne répondis pas. Je m'installai sous la galerie toute la soirée et regardai la lumière virer au pourpre sur le bayou en écoutant les cigales et le bruit de la pluie qui gouttait des arbres. A une époque de ma vie, la pluie avait toujours eu pour moi la couleur du néon humide ou du whisky Jim Beam. Aujourd'hui, elle ne ressemblait qu'à la pluie. Elle avait l'odeur des cannes à sucre, des cyprès le long du bayou, des belles-de-nuit or et carmin qui s'ouvraient dans les fraîcheurs de l'obscurité. Mais tout en observant les lucioles s'éclairer dans le verger de pacaniers, je ne pouvais nier le fait qu'un léger trémolo commençait à vibrer au fond de moi, de ces trémolos qui jadis me laissaient dans les bars jusqu'aux petites heures du matin devant les filets de pluie glissant sur les vitres éclairées de néon.

Je ne quittais pas le chemin de terre des yeux, mais il était vide. Vers neuf heures, je vis quelques gamins sortir en pirogue sur le bayou, en route pour la pêche à la grenouille. La lumière de leurs frontales dansait à travers les typhas[1] et les roseaux, et j'entendais leurs pagaies s'enfoncer avec force et fracas dans l'eau. Une heure plus tard, je mis le loquet à la porte moustiquaire, éteignis les lumières et retournai au lit aux côtés d'Annie. La petite fille dormait près d'elle, de l'autre côté. Aux lueurs de la lune à travers la fenêtre, je vis Annie sourire sans qu'elle ouvrît les yeux, puis son bras vint se poser au travers de ma poitrine.

* * *

Il arriva tôt le lendemain matin, alors que le soleil était encore brumeux, sa lumière douce dans les arbres, avant même que les flaques de pluie n'eussent séché sur le chemin, de sorte que sa voiture de fonction éclaboussa de boue une famille de Nègres qui se dirigeait, canne à la main, vers mon ponton de pêche. J'entrai dans la cuisine où Annie et Alafair terminaient tout juste leur petit déjeuner.

— Pourquoi ne l'emmènerais-tu pas jusqu'à la mare pour nourrir les canards ? dis-je.

— Je croyais qu'on allait aller en ville pour lui acheter quelques vêtements.

— On peut faire ça plus tard. Tiens, voici du pain dur. Sors par la porte de derrière et passe par les arbres.

— Qu'est-ce qu'il y a, Dave ?

1. Plante herbacée vivace poussant sur les berges des pièces d'eau, dont les épis sont utilisés en décoration.

— Rien. Une connerie sans grande importance. Je t'en parlerai plus tard. Allez, sortez toutes les deux.

— J'aimerais bien savoir à quel moment l'idée t'est venue que tu pouvais me parler sur ce ton.

— Annie, je suis sérieux, dis-je.

Un éclair de son regard passa sans me voir en direction du bruit d'une voiture en train de rouler sur les feuilles des pacaniers devant la maison. Elle ramassa le pain rassis sous son sachet de cellophane, prit Alafair par la main et sortit par la porte moustiquaire sur l'arrière, avant de se diriger à travers les arbres vers la mare au bout de notre propriété. Elle se retourna une seule fois et je lus la crainte sur son visage.

L'homme sortit de la voiture grise, un véhicule de fonction des services du gouvernement, la veste de coton sur l'épaule. Il était entre deux âges, la taille épaisse, et arborait un nœud papillon. Les cheveux noirs étaient coiffés en arrière sur un crâne à moitié chauve.

Je le retrouvai sur la galerie couverte. Il déclara s'appeler Monroe, des Services d'Immigration et de Naturalisation de La Nouvelle-Orléans. Tout en parlant, son regard se dirigea vers la pénombre de la maison.

— Je vous ferais bien entrer, mais je descends au ponton, dis-je.

— Ça n'a pas d'importance. J'ai simplement besoin de vous poser une ou deux questions, dit-il. Pourquoi n'avez-vous pas attendu sur place tous ensemble l'arrivée des gardes-côtes après votre appel radio d'urgence ?

— Pour quoi faire ?

— La plupart des gens seraient restés dans les environs. Au moins par simple curiosité. Cela vous arrive souvent de voir un avion s'écraser ?

— Ma femme leur a donné la position. Ils pouvaient voir l'huile et l'essence à la surface de l'eau. Ils n'avaient pas besoin de nous.

— Hum ! dit-il avant de sortir une cigarette de sa poche de chemise.

Il la fit rouler entre les doigts, d'avant en arrière, sans l'allumer, en détournant les yeux en direction des pacaniers. Les brins de tabac craquèrent d'un bruit sec sous le papier.

— J'ai quand même un problème. Un plongeur a trouvé à l'intérieur de l'épave une valise contenant un paquet de vêtements d'enfant. Des vêtements de petite fille, pour être plus précis. Mais il n'y avait pas de gamine dans l'avion. Qu'est-ce que cela vous suggère ?

— Je suis en retard pour mon travail, monsieur Monroe. Aimeriez-vous m'accompagner jusqu'au ponton ?

— Vous n'aimez pas vraiment les représentants de l'administration fédérale, n'est-ce pas ?

— Je n'en ai pas connu tant que ça. Certains sont de bons gars, d'autres non. Je suppose que vous avez consulté mon dossier.

Il haussa les épaules.

— A votre avis, pourquoi des clandestins iraient-ils se charger de vêtements d'enfant s'ils n'avaient pas d'enfant avec eux ? Je parle de ces gens qui abandonnent leur bananeraie juste avant que la Garde Nationale ne les transforme en chair à pâté, bonne à donner aux chiens. C'est du moins ce qu'ils racontent à la presse.

— Je ne sais pas.

— Votre femme a dit aux gardes-côtes que vous alliez plonger jusqu'à l'épave. Allez-vous me dire que vous n'avez vu que trois personnes ?

Je le regardai à nouveau.

— Que voulez-vous dire, trois ?

— Le pilote était un prêtre du nom de Melancon, de Lafayette. Il y a un moment que nous le surveillons. Nous pensons que les deux femmes venaient du Salvador. Tout au moins, c'est de là que le prêtre avait déjà fait sortir des gens auparavant.

— Et le mec en chemise rose ?

Le visage se fit perplexe, le regard voilé par le trouble qui s'y était installé.

— De quoi parlez-vous ? dit-il.

— Nom de Dieu ! je lui ai presque arraché la chemise. Il était à l'arrière. Il avait le cou brisé et portait un tatouage au-dessus d'un téton.

Il secouait la tête. Il alluma sa cigarette et souffla sa fumée dans les mouchetis du soleil levant.

— Ou vous êtes un excellent conteur d'histoires, ou bien vous voyez des choses dont personne n'est au courant.

— Me traiteriez-vous de menteur ? demandai-je paisiblement.

— Je ne jouerai pas sur les mots avec vous, M. Robicheaux.

— Il me semble pourtant que c'est exactement ce que vous êtes en train de faire.

— Vous avez raison, j'ai pris mes renseignements sur vous en consultant votre dossier avant de descendre jusqu'ici. Vos antécédents sont étonnants.

— Comment cela ?

— Vous avez descendu trois ou quatre personnes, dont l'une était un témoin du gouvernement. C'est du vrai travail de dur, il n'y a pas à dire. Vous voulez que je revienne avec un mandat ?

— Je ne crois pas que je vous reverrai avant un moment. Vous filez le mauvais coton, podna. Vos gens sont plongés jusqu'au cou dans une affaire et ils ne vous ont pas encore mis au parfum.

Je vis ses yeux s'assombrir.

— Si j'étais vous, je m'occuperais de mes propres affaires, dit-il.

— Il y a une chose que je ne vous ai pas dite. L'UPI[1] de La Nouvelle-Orléans m'a appelé la nuit dernière. Je leur ai répondu qu'il y avait quatre morts dans l'avion. J'espère que vous et vos mecs n'allez pas vous mettre à raconter partout que je ne sais pas compter.

— Vous n'avez pas besoin de vous en faire pour nos faits et gestes. Contentez-vous de garder le nez propre, et nous nous entendrons bien.

1. United Press International : agence de presse.

— Je crois que vous avez trop pris l'habitude de vous adresser à des dos mouillés. Je crois que vous devriez réfléchir par deux fois à vos paroles avant de dire quelque chose à quelqu'un.

Il laissa tomber sa cigarette au sol, l'écrasa de sa chaussure et se sourit à lui-même en remontant en voiture. Il démarra. Un rayon de soleil vint barrer son visage.

— Eh bien, je n'ai pas perdu ma journée avec vous, dit-il. C'est toujours rassurant d'apprendre qu'on se trouve bien du bon côté de la barrière.

— Autre chose, encore. Lorsque vous êtes arrivé, vous avez éclaboussé des gens. Essayez de faire plus attention en repartant.

— Ce sera comme vous voulez, dit-il en m'adressant un sourire avant d'accélérer lentement sur mon chemin d'accès.

Très maître de lui, le Robicheaux, songeai-je. Rien de tel que de secouer les barreaux de la cage pour faire démarrer les choses. Mais que faudrait-il faire dans une telle situation ? La plupart des employés du gouvernement ne sont pas de mauvais mecs ; simplement, ils n'ont aucune imagination, ils se sentent à l'aise, bien à l'abri, dans un monde de règles prévisibles, et il est rare qu'il leur arrive de mettre l'autorité en doute. Mais si vous tombez sur des vicieux, s'ils sentent que vous avez peur, ils essaieront de vous démanteler pièce par pièce.

Je descendis jusqu'au ponton, remis de la glace fraîche dans les glacières de bière et de soda, triai la blanchaille morte des réservoirs à vif, démarrai le feu dans les demi-barils à pétrole qui me servaient de barbecues sous la véranda latérale, huilai et assaisonnai les vingt-cinq livres de poulets et de côtes de porc que j'allais griller pour les vendre à déjeuner, avant de me préparer un grand verre de Dr Pepper[1] rempli de glace pilée, de feuilles de menthe et de cerises et d'aller m'installer sous

1. Marque de boisson non alcoolisée.

l'auvent de la véranda pour observer des Nègres qui pêchaient sous un cyprès sur l'autre rive du bayou. Ils portaient des chapeaux de paille et s'étaient installés sur des tabourets de bois, côte à côte, leur canne de bambou immobile au-dessus des feuilles de nénuphar. Je n'avais jamais bien compris la raison qui poussait les Noirs à toujours pêcher en groupe, les uns collés aux autres, ou à refuser de quitter un endroit donné pour un autre, même lorsque le poisson ne mordait pas ; mais je savais également que lorsqu'ils ne prenaient rien, personne d'autre ne pourrait rien prendre non plus. L'un des bouchons de liège commença à frémir à la surface de l'eau avant de glisser le long du bord des feuilles de nénuphars pour plonger finalement vers le fond ; un petit garçon tira d'un coup sec sur sa canne, et un gros poisson-lune explosa à la surface, les ouïes et le ventre couleur de feu. Le garçon le saisit d'une main, dégagea l'hameçon de la gueule, puis plongea l'autre main dans l'eau et en sortit une branche de saule écorcée dégoulinante de moles[1] et de perches. Je l'observai qui enfilait la pointe effilée de la branche par la gueule et les ouïes du poisson-lune avant de la replacer dans l'eau.

Mais malgré cette scène sortie tout droit de ma jeunesse, cet instant que je vivais avec des gens d'hier, des images d'atrocités refusaient de me quitter l'esprit : la cicatrice de fumée à travers le ciel de Southwest Pass, le souvenir d'une femme soutenant une enfant dans une poche d'air pendant que ses propres poumons se remplissaient d'eau et d'essence.

* * *

L'après-midi, j'allai jusqu'à New Iberia et achetai un numéro du *Times – Picayune*. Le compte rendu de l'agence de presse déclarait que les corps de trois personnes, dont celui d'un prêtre catholique, avaient été

1. Autre nom du poisson-lune.

dégagés de l'appareil. L'information venait des bureaux du shérif – paroisse de St Mary. Ce qui impliquait qu'on avait déclaré aux bureaux du shérif que trois corps avaient été récupérés, ou que seuls trois cadavres avaient été amenés chez le coroner de la paroisse.

Il faisait chaud, le soleil brillait le lendemain matin lorsque je coupai le moteur au large de Southwest Pass, avant de jeter l'ancre par-dessus bord dans une gerbe d'eau. Les vagues clapotaient sous la proue pendant que j'enfilais palmes et bouteilles, bouteilles dont j'avais refait le plein, tôt dans la matinée. Je passai une ceinture plombée, sautai par-dessus bord et descendis dans une rivière de bulles jusqu'à l'épave qui gisait toujours, cul par-dessus tête, sur le versant en pente douce de la faille. L'eau était d'un vert brumeux du fait de la pluie, mais je voyais très distinctement à trente centimètres de mon masque. Je descendis en direction de la queue de l'appareil et me frayai un chemin vers la cabine à l'avant. Le trou qui avait craché sa fumée noire en rafales dans le ciel avait son pourtour déchiqueté, le métal acéré sous mes mains. Le fuselage était tordu, vrillé vers l'extérieur, semblable à l'orifice de sortie d'un obus d'artillerie dans une plaque de blindage.

Toutes les portes étaient ouvertes vers l'avant et la cabine avait été complètement nettoyée. Presque complètement, à vrai dire. La chemise rose déchirée de l'homme au tatouage ondulait doucement contre la porte fichée dans le sable. L'une des boucles de tissu s'était prise au sol dans l'attache du harnais de sécurité. Je libérai la chemise d'une secousse, la roulai en boule serrée et remontai vers la lumière d'un vert jaunâtre en surface.

J'avais appris depuis bien longtemps à être reconnaissant au destin pour ses petits cadeaux. J'avais également appris à ne pas me montrer impétueux ou imprudent en en faisant usage. J'étendis la chemise sur le pont et posai sur les manches, le col et les pans, des plombs de pêche. Il fallut peu de temps pour que la chemise sèche au vent, étalée contre le planchage chaud du pont ; le tissu était raidi de sel au toucher.

Je trouvai dans ma boîte à leurres un sachet en plastique, ramenai la chemise dans la cabine de pilotage à l'abri du vent, et commençai à en découper les poches à l'aide de mon poignard Puma, au tranchant affilé comme un rasoir de barbier. Je sortis un bout de crayon, des brins de tabac, des allumettes de cuisine détrempées, un petit peigne, des filaments de peluche, et finalement un bâtonnet mélangeur.

Un bâtonnet mélangeur en bois dans son minuscule emballage hygiénique. Un bâtonnet dont je savais qu'il portait des lettres imprimées, car l'encre violette s'était étalée sur le papier de l'étui comme un barbouillis de baiser.

2

C'était le milieu de l'après-midi du lendemain, lorsque je rangeai ma camionnette pick-up dans Decatur Street près du parc de Jackson Square à La Nouvelle-Orléans. Je pris café et beignets au Café du Monde avant d'aller dans le parc m'asseoir sur un banc de fer sous les bananiers, non loin de la cathédrale St Louis. Il était encore un peu tôt pour rencontrer la fille que j'espérais retrouver chez Smiling Jack ; aussi je m'installai dans la tiédeur des ombrages d'où j'observais les musiciens nègres des rues jouer de leur guitare bottleneck à l'ombre de l'église et les artistes de trottoir croquer les portraits des touristes dans Pirates Alley. J'avais toujours adoré le Vieux Carré, le quartier français. Nombre de gens à La Nouvelle-Orléans se plaignaient qu'il fût toujours plein de poivrots, camés irrécupérables, racoleuses, rabatteurs noirs et dégénérés sexuels. C'était vrai, ce qu'ils en disaient, mais je m'en fichais. Le Vieux Carré avait toujours été comme cela. Jean Lafitte et sa bande de coupe-gorge avaient opéré à partir de La Nouvelle-Orléans, de même que James Bowie, qui faisait la contrebande d'esclaves lorsqu'il ne tranchait pas les gens en morceaux avec son poignard meurtrier. En fait, j'avais la conviction que les racoleuses et les poivrots, les voleurs et les maquereaux avaient historiquement plus de droits sur le Carré que le reste d'entre nous.

Les vieux immeubles créoles et les rues étroites n'avaient jamais changé. Les branchages de palmiers et de bananiers retombaient par-dessus les murs de pierre et les grilles de fer des avant-cours ; les trottoirs étaient toujours ombragés sous les colonnades à volutes qui s'étendaient jusqu'à la rue, et les petites boutiques d'épicerie avec leurs ventilateurs à pales de bois sentaient toujours le fromage, la saucisse, le café moulu, les pêches et les prunes dans leurs cageots. La brique des immeubles était usée par le temps, fraîche et lisse au toucher, les dalles des allées ravinées et creusées par les eaux de pluie qui coulaient à flots des toits et des balcons en surplomb. Parfois, il suffisait de regarder à travers les volutes d'un portail de fer qui ouvrait sur une allée en briques pour apercevoir une cour à l'intérieur d'un immeuble, flamboyant sous la lumière, les glycines mauves et les rosiers jaunes grimpants. Et lorsque le vent soufflait dans la bonne direction, vous parvenaient des effluves de rivière et de murs de briques humides, l'odeur de mare stagnante née du goutte-à-goutte d'une fontaine, le parfum âcre du vin renversé, le lierre qui s'enracinait dans le ciment comme griffes de lézard, les belles-de-nuit qui s'épanouissaient sous les ombrages, et un jardin de menthe poivrée qui éclatait de vert contre un mur de stuc éclaboussé de soleil.

Les ombres portées s'allongeaient dans Jackson Square. Je regardai à nouveau le fouet à cocktail que j'avais trouvé dans la poche de chemise du mort. Le barbouillis de teinte violette ne ressemblait plus à grand-chose, mais ce matin-là, un de mes amis de l'université de Lafayette l'avait placé sous un microscope à infrarouge, un petit miracle de technologie. L'appareil était capable d'éclairer et d'obscurcir à la fois et le bois et l'encre, et lorsque mon ami eut réglé sa mollette de mise au point sur le grain du cliché, nous avions réussi à identifier huit des douze lettres imprimées sur le bâtonnet : SM LI G J KS.

Pourquoi certaines personnes, qui s'étaient donné le mal de dégager un corps de la carcasse d'un avion naufragé pour ensuite mentir à la presse (avec succès, d'ailleurs), seraient-elles assez imprudentes pour laisser derrière elles la chemise du cadavre afin qu'un marchand d'appâts pour la pêche mît la main dessus ? Réponse facile. Menteurs, escrocs-joueurs, manipulateurs et voleurs sont habituellement ce qu'ils sont, simplement parce qu'ils n'ont pas assez de cervelle et de capacité à prévoir pour réussir dans leurs entreprises d'une autre manière. Les cambrioleurs du Watergate n'étaient pas des petits tarés de demi-sel de seconde main. C'étaient des mecs qui avaient travaillé pour la CIA et le FBI. Ils se sont fait épingler parce qu'ils avaient placé un adhésif sur le pêne du verrou d'une porte de bureau horizontalement autour de la serrure plutôt que verticalement. Un garde de la sécurité, au salaire de smicard, a aperçu le morceau d'adhésif et l'a ôté sans le signaler. L'un des cambrioleurs est repassé et a replacé une seconde fois un nouvel adhésif sur la porte pour la maintenir ouverte. Le garde de sécurité, en faisant une nouvelle ronde, a aperçu l'adhésif tout frais replacé, et appelé la police de Washington. Les cambrioleurs se trouvaient toujours à l'intérieur de l'immeuble lorsque la police est arrivée.

J'empruntai les rues fraîchissantes en direction de Bourbon, qui commençait à faire son plein de touristes. Venus en famille de Grand Rapids, ils regardaient à travers les portes à demi ouvertes des rades à strip-tease et des bars qui annonçaient combats de lutte féminins et orgies à la française, tout sourire, le visage toiletté de frais, iridescent sous la lumière de fin d'après-midi. Dans leur fascination timide et détournée de la chose lascive, ils avaient l'innocence de ces foules d'étudiants, gobelet de bière à la main, qui riaient au nez des fêlés de la rue et des rabatteurs faisant l'article à l'entrée des beuglants avec la conscience aiguë que le temps et la mort ne sauraient être jamais d'aucun effet sur eux – peut-être même partageaient-ils l'innocence de ces hommes d'affaires de Meridian qui arpentaient les rues, le visage barré d'un sourire, l'air détaché et plein d'aisance, devant les cuisses et les seins entrevus un instant par ces portes ouvertes, ces mêmes hommes d'affaire qui se réveilleraient le lendemain, malades et tremblants, dans quelque motel du côté de l'ancienne autoroute de l'aéroport, le portefeuille vide flottant dans la cuvette des toilettes, la tête pleine d'un fouillis de souvenirs nocturnes aussi emmêlés qu'un nœud de vipères qui leur feraient perler la sueur au front.

Smiling Jack faisait le coin de Bourbon et Toulouse. Si Robin Gaddis y poursuivait encore ses séances de strip, si elle continuait toujours à nourrir tous les dragons qui vivaient en elle depuis qu'elle était petite fille, elle serait au bar devant sa première vodka collins[1] avant six heures, commencerait par un peu de blanche pour un demi-strip sur le coup de six heures trente et, une heure plus tard, passerait aux choses sérieuses avec un peu de speed avant d'attaquer son numéro en intégral. Je l'avais emmenée une ou deux fois à des réunions des AA[2], mais elle m'avait déclaré que ce n'était pas pour elle. Je m'étais dit qu'elle faisait partie de ces gens qui étaient comme des trous sans fond. Depuis des années que je la connaissais, les Mœurs l'avait expédiée en prison à des dizaines d'occasions, un micheton lui avait transpercé la cuisse d'un coup de poignard, et elle s'était fait briser la mâchoire par un de ses maris armé d'un maillet à glace. Un jour que je me trouvais au bureau de l'Assistance sociale, j'avais sorti sa fiche familiale, histoire de cas qui courait sur trois générations et véritable étude clinique de conduite d'échec institutionnelle et d'inadaptation humaine. Elle avait grandi dans un

1. Cocktail à base de vodka, sucre, jus de citron et soda.
2. Alcooliques anonymes.

lotissement municipal de l'Aide sociale près du cimetière St Louis, fille de mère à moitié handicapée mentale et de père alcoolique qui avait pris l'habitude de lui envelopper ses draps trempés d'urine autour de la tête lorsqu'elle mouillait son lit. Aujourd'hui, à l'âge adulte, elle était parvenue à s'éloigner d'au moins huit cents mètres de son lieu de naissance.

Mais elle n'était pas au bar. En fait, Smiling Jack était presque vide. L'estrade aux miroirs derrière le comptoir était plongée dans l'obscurité ; les instruments du groupe de trois musiciens étaient posés dans la petite fosse d'orchestre au bout de l'estrade sans personne pour les surveiller ; et dans la pénombre vide, une boule de strobo circulaire accrochée au plafond envoyait ses motifs en rafales, alternance d'ombres et de lumière dont l'effet nauséeux n'avait d'égal que le mal de mer. Je demandai au barman si Robin allait venir. Le barman avait peut-être une trentaine d'années et arborait des rouflaquettes de rocker, un feutre noir et un T-shirt noir dont le devant s'ornait d'un portrait des Trois Stooges en relief blanc.

— Pouvez en être sûr, dit-il avant de sourire. Le premier numéro est à huit heures. Elle sera là à six heures trente pour commencer à biberonner. Z'êtes un de ses amis ?

— Oui.

— Que prenez-vous ?

— Avez-vous du Dr Pepper ?

— Vous vous moquez de moi ?

— Donnez-moi un 7-Up.

— Ça fait deux sacs. Z'êtes sûr de vouloir de la limonade ?

Je posai deux dollars sur le comptoir.

— J'vous connais, j'me trompe ? dit-il avec un nouveau sourire.

— Peut-être bien.

— Vous êtes flic, pas vrai ?

— Nan.

— Hé, mec, charriez pas, j'ai deux grands talents dans la vie – le premier comme mixologue, et le second comme physionomiste. Mais vous n'êtes pas des Mœurs, pas vrai ?

— Je ne suis pas flic.

— Attendez une minute, je me rappelle. La Criminelle. Vous avez travaillé au Premier District sur Basin.

— C'est fini, ça.

— Vous avez été muté, ou quoi ?

— J'ai quitté le métier.

— Un changement de vie en pleine jeunesse, hein ? dit-il.

Les yeux étaient verts, suffisamment rétrécis pour qu'on ne pût rien en déchiffrer.

— Vous souvenez de moi ?

— C'est Jerry queq'chose. Il y a cinq ans de ça, vous vous êtes retrouvé au trou pour avoir tabassé un vieil homme à coups de tuyau. Vous avez aimé votre petit séjour là-bas, à Angola ?

Les yeux verts s'écarquillèrent un instant pour me lancer un regard hardi de dessous le rebord du feutre noir, avant de se rétrécir et se plisser à nouveau. Il se mit à essuyer les verres avec sa serviette, le visage tourné à l'oblique.

— Ce n'était pas si mal. J'ai passé pas mal de temps au-dehors, de l'air pur à gogo, ça m'a donné l'occasion de me mettre en forme. J'aime bien le travail de la ferme. J'ai grandi dans une ferme, dit-il. Hé, reprenez donc un autre 7-Up. Mec, vous m'impressionnez. Un mec à la coule comme vous, ça mérite bien un 7-Up aux frais de la maison.

— Buvez-le pour moi, dis-je en emportant mon verre vers l'arrière du bar.

Je le regardai allumer une cigarette et en tirer quelques bouffées avant de la balancer d'une chiquenaude coléreuse par la porte d'entrée sur le trottoir plein de touristes.

Elle fit son entrée une demi-heure plus tard, des sandales aux pieds, vêtue d'un blue-jean taillé bas sur les hanches et d'un bain-de-soleil qui laissait à nu la peau bronzée d'un ventre plat. Au contraire de la majorité des effeuilleuses, elle portait les cheveux noirs coupés courts, comme les coiffures d'écolières de 1940. Et en dépit de toute la gnôle, de toute la coke, de toutes les amphets dont elle alimentait son corps, c'était toujours un plaisir pour les yeux.

— Wow, ils ont renvoyé l'équipe première faire la rue, dit-elle avant de sourire. Comment va, Belle-Mèche ? J'ai entendu dire que tu t'étais remarié et de retour au bayou, à vendre des vers de vase et tout le tremblement ?

— C'est exact. Je ne suis plus que touriste aujourd'hui.

— T'as vraiment raccroché pour de bon, hein ? Ça doit demander un sacré cran, je veux dire tirer sa révérence un jour pour te retrouver à faire des trucs bizarres comme de vendre des vers de vase aux gens. Qu'est-ce que t'as dit, "*Sayonara*, les défenseurs du crime, et gardez bien vos armes enfouraillées dans la ceinture" ?

— Quelque chose comme ça.

— Hé, Jerry, alors, est-ce qu'on a l'air d'avoir le SIDA par ici ? C'est l'heure du biberon de maman.

— J'essaie de trouver des renseignements sur un mec, dis-je.

— Je ne suis pas vraiment une centrale de renseignements, Belle-Mèche. T'as donc jamais voulu retoucher cette marque blanche dans tes cheveux ? Tu as les cheveux les plus noirs que j'aie jamais vus chez un homme, à l'exception de cette tache blanche.

Elle me toucha le côté de la tête, du bout des doigts.

— Ce mec avait un serpent tatoué sur la poitrine, en vert et rouge. Je pense qu'il est probablement venu ici.

— Ils me paient pour me voir ôter mes vêtements. Ça ne marche pas dans l'autre sens. A moins que tu n'aies une autre idée derrière la tête.

— Je te parle d'un grand mec au teint sombre avec une tête de la taille d'une pastèque. Le tatouage était placé juste au-dessus du téton. Si tu l'as vu, tu n'as pas pu l'oublier.

— Pourquoi ça ?

Elle alluma une cigarette et garda les yeux fixés sur la vodka collins que Jerry était en train de lui préparer au bout du bar.

— Il y avait un artiste tatoueur dans Bring Cash Alley qui utilisait les mêmes encres, vert foncé et rouge. Son travail était célèbre en Extrême-Orient. Il avait passé des années à Hong-Kong. Les marins britanniques dans tous les coins du globe promènent ses œuvres sur eux.

— Pourquoi aurais-je voulu voir ça ?

— Ecoute, Robin, j'ai toujours été ton ami. Je n'ai jamais porté de jugement sur ce que tu faisais. Arrête tes conneries.

— Oh ! c'est comme ça, hein ?

Elle prit le verre de collins des mains de Jerry et se mit à boire. Le rouge de la bouche humide donna l'impression de se glacer lorsqu'elle reposa le verre.

— C'est fini les autres trucs, je ne les fais plus. Ce n'est plus la peine. Je travaille ici pendant six mois, ensuite j'ai deux numéros à Fort Lauderdale pour l'hiver. Demande à tes potes des Mœurs.

— Ce ne sont pas mes potes. Ils m'ont laissé tomber comme une vieille chaussette. Quand j'ai été suspendu, j'ai découvert ce qu'était la vraie solitude.

— Je regrette que tu ne sois pas passé par ici. J'aurais vraiment été capable de craquer pour toi, Dave.

— Peut-être bien que je regrette de ne pas l'avoir fait.

— Allez, arrête, tu te vois avec, accrochée à tes basques, une nana qui fait jaillir ses boîtes à lait tous les soirs devant une salle de bébés quinquagénaires en mal de tétine ? Hé, Jerry, tu pourrais pas arrêter de servir au ralenti ?

Il lui reprit le verre et le remplit de vodka et de mélange sans prendre la peine cette fois de rajouter glace fraîche et tranche d'orange.

— T'es toujours un mec classe, lui dit-elle.

— Qu'est-ce que je peux dire ? Chez moi, c'est de nature, dit-il avant d'aller au bout du comptoir où il se mit à ranger des bouteilles de bière au frais. Il tournait le visage d'un côté puis de l'autre, chaque fois qu'il plaçait une bouteille au rafraîchissoir, au cas où l'une d'elles lui exploserait à la figure.

— Y faut que je quitte cet endroit. Ça devient chaque jour un peu plus dingue, dit-elle. Si tu crois qu'il ne lui manque pas une case, tu devrais rencontrer sa maman. C'est elle, la proprio de ce claque et de la boutique de souvenirs voisine. Elle a les cheveux, on dirait une brosse de Roto-Rooter, tu sais, le genre de truc qu'on utilise pour déboucher les canalisations d'eaux usées. Sauf qu'elle se prend pour une vedette d'opéra. Elle porte des robes mau-mau et de la verroterie de la tête aux pieds ; le matin, elle te pose une boîte à rythmes sur le bar, pendant qu'avec son fils, ils nettoient les toilettes en chantant en duo des airs d'opéra comme si quelqu'un leur avait enfoncé une fourche à foin dans le derrière.

— Robin, je sais que l'homme au tatouage est venu ici. Et j'ai vraiment besoin de ton aide.

Elle fit tomber ses cendres de cigarette d'une pichenette dans le cendrier et ne répondit pas.

— Ecoute, tu ne balances personne. Il est mort, dis-je. Il s'est écrasé en avion en compagnie d'un prêtre et de quelques clandestins.

Elle exhala sa fumée dans les cercles de lumière tournoyante en écartant une mèche de cheveux qui lui tombait dans l'œil.

— Tu veux dire, comme des dos mouillés ou quelque chose du même genre ? dit-elle.

— Tu pourrais les appeler comme ça.

— Je ne vois pas ce que Johnny Dartez irait fabriquer avec un prêtre et des dos mouillés.

— Qui est-ce ?

— Ça fait des années qu'il traîne dans le coin, sauf à l'époque où il a fait partie des marines. Il faisait le compère pour un duo de nettoyeurs de fouilles.

— Il était pickpocket ?

— Il a essayé. Il était tellement maladroit qu'il envoyait le pigeon par terre en le bousculant avant que les autres puissent lui chauffer son portefeuille. C'est un perdant. Je ne crois pas que ce soit ton mec.

— Qu'est-ce qu'il faisait ces temps derniers ?

Elle hésita.

— Je crois qu'il rachetait des clés de chambre et des cartes de crédit, dit-elle.

— Je croyais que tu avais laissé tomber ça, fillette.

— C'était y'a un petit moment.

— Je te parle de maintenant. Qu'est-ce qu'il fait aujourd'hui, Robin ?

— J'ai entendu dire qu'il faisait le gros bras pour Bubba Rocque, dit-elle, d'une voix qui ne ressemblait plus qu'à un murmure.

— Bubba Rocque ? dis-je.

— Ouais. T'excite pas, tu veux bien ?

— Il faut que j'aille à la réserve. Tu veux un autre collins ? dit Jerry.

— Ouais. Et lave-toi aussi les mains quand tu passeras aux toilettes.

— Tu sais, Robin, quand t'es entrée, j'ai entendu un drôle de bruit, dit-il. Y'a fallu que je prête l'oreille, eh bien ! Mais je l'ai entendu. On aurait dit un grignotement de souris. Ch'crois que c'est ta cervelle qui est en train de pourrir.

— Qui est ton responsable de conditionnelle, podna[1], dis-je.

— Je n'en ai pas. Je suis sorti libre comme l'air, j'ai tiré un max, tous mes péchés pardonnés. Je ne vous ai pas gâché votre journée, j'espère ?

Il ricana à mon adresse sous son feutre noir.

— Non, je me posais simplement quelques questions sur ces bouteilles de rhum derrière le bar, dis-je. Je n'arrive pas à y voir le sceau du Bureau des Taxes fédérales. Tu as dû probablement aller faire tes courses dans les îles, dans une boutique hors taxes, et tu as mélangé tes propres bouteilles avec celles de ton stock.

Il mit les mains aux hanches et regarda les bouteilles sur l'étagère en secouant la tête d'un air pensif.

1. Comme podjo, variante dialectale en Louisiane de “partner”, partenaire, collègue.

— Ben, mon gars, vous l'avez dit, dit-il. Qu'est-ce que je suis heureux que vous me l'ayez fait remarquer. Robin, ce mec-là, tu ne devrais pas le lâcher.

— Tu ferais mieux de laisser tomber, Jerry, dit-elle.

— Il sait bien que je ne pense pas à mal. Hein, pas vrai, chef ? Je ne colle pas mon nez à la figure des gens, je ne leur bouffe pas leur air. Ch'suis pas du genre à frétiller du gland pour ramener ma fraise. Vous savez ce que ça veut dire, ça, pas vrai, chef ?

— La représentation est finie, dis-je.

— C't'à moi qu'vous dites ça ? Je touche le salaire minimum plus les pourboires ici. Croyez-moi, je n'ai pas besoin, en plus, de me faire harceler.

Je le suivis des yeux qui pénétrait dans la réserve à l'arrière du bar. Il marchait comme un taulard de première, l'affranchi à plein temps toujours au parfum, poitrine et bras immobiles, hanches et jambes en mouvement, le genre de mec à faire des séjours périodiques à l'ombre, dont le nom se retrouverait toujours dans quelque dossier criminel pour le restant de ses jours. Qu'est-ce qui les faisait naître ? Des gènes défectueux, une enfance passée dans un trou à merde, un mauvais apprentissage du pot ? Même après quatorze années passées dans les services de police de La Nouvelle-Orléans, je n'avais jamais réussi à trouver la réponse adéquate.

— En ce qui concerne Bubba Rocque, c'est simplement un truc que j'ai entendu. Je veux dire, ce n'est pas venu de moi, okay ? dit-elle. Bubba est cinglé, Dave. Je connais une fille, elle a essayé de passer indépendante. Les mecs de Bubba l'ont arrosée d'essence et ils y ont mis le feu.

— Tu ne m'as rien dit que je ne sache déjà sur Bubba. Tu peux comprendre ça ? Le tuyau ne vient pas de toi.

Mais je voyais toujours la glace brillante de la peur dans ses yeux.

— Ecoute, je l'ai connu toute ma vie, dis-je. Il est toujours propriétaire d'une maison dans les faubourgs de Lafayette. Tu ne peux rien m'apprendre de neuf sur lui.

Elle relâcha sa respiration et but une gorgée.

— Je sais que tu as été un bon flic et toutes les conneries qui vont avec, dit-elle, mais y'a des tas de trucs que les mecs comme vous ne voient jamais. Ce n'est pas possible. Tu ne vis pas au milieu de ça, Belle-Mèche. Tu n'es qu'un visiteur.

— Il faut que j'y aille, fillette, dis-je. Nous vivons juste au sud de New Iberia. Si jamais tu veux travailler dans le commerce des bateaux et des appâts de pêche, donne-moi un coup de fil.

— Dave...

— Ouais ?

— Repasse me voir, okay ?

Je sortis dans la rue aux lueurs d'un crépuscule éclairé de néons. La musique qui sortait des bars Dixieland et Rockabilly résonnait comme le tonnerre. Je me retournai vers Robin, mais son tabouret de bar était vide.

* * *

Cette nuit-là, je roulai sur la chaussée en surplomb de la I-10, qui franchissait le bassin de retenue d'Atchafalaya. Les saules pleureurs et les troncs morts des cyprès à demi immergés luisaient d'un gris argenté sous le clair de lune. Il n'y avait pas un souffle de vent, l'eau était immobile, noire et crénelée des reflets de lune à sa surface. Une demi-douzaine de derricks de puits de pétrole se découpaient en formes noires sur le ciel. Puis le vent se leva sur le golfe, ébouriffant les saules pleureurs sur l'autre berge avant de venir rider la surface de l'eau comme une peau fripée jusqu'au pied de la voie en surplomb.

Je tournai à Breaux Bridge et suivis l'ancienne route de contournement qui traversait St Martinville en direction de New Iberia. Un projecteur illuminait la façade blanche de l'église catholique dix-huitième siècle où Evangeline[1]

1. Titre et héroïne d'un poème de Longfellow – 1847 – qui se passe lors de la cession aux Anglais de l'Acadie, alors colonie française. Idylle romanesque où Evangeline, séparée de son fiancé et devenue sœur de charité, ne le retrouve qu'au moment de sa mort.

et son amant étaient enterrés à l'ombre des branchages d'un chêne. Les arbres qui s'étalaient en voûte au-dessus de la route étaient couverts d'épaisse barbe espagnole et le vent était chargé de l'odeur des terres labourées et des pousses de canne à sucre dans les champs. Mais je n'arrivais pas à me sortir le nom de Bubba Rocque de la tête.

Tout môme, il avait été parmi les rares petits Blancs assez durs et assez désespérés pour travailler au bowling, à replacer les quilles sur la piste, à une époque où l'air conditionné n'existait pas, où la température dans les fosses atteignait 50°, au milieu des quilles qui volaient en éclats, du fracas des chariots métalliques, des jurons de Nègres et des boules de bowling sorties de leur trajectoire, capables de faire éclater en deux le tibia d'un replaceur de quilles. C'était le môme qui ne portait pas de manteau l'hiver, les cheveux pleins de croûtes, et qui faisait craquer ses jointures jusqu'à ce qu'elles atteignent la taille de pièces d'un franc. Il était sale, il sentait mauvais, et il était prêt à cracher dans le corsage d'une fille pour vingt sous. Nombre de légendes couraient ainsi à son sujet : il s'était fait sauter par sa tante à l'âge de dix ans ; il pourchassait les chats du quartier, armé d'un fusil à pompe Benjamin[1] ; il avait essayé de violer une Négresse qui travaillait au réfectoire du lycée ; il s'était fait fouetter par son père à coups de chaîne ; il avait mis le feu à sa maison en bardeaux, située entre le cimetière de voitures et la voie ferrée du S. P.[2] Mais le souvenir le plus fort qui me reste de lui, ce sont ses yeux gris-bleu largement écartés. On aurait dit qu'ils ne clignaient jamais, comme si on en avait ôté les paupières par quelque opération chirurgicale. Je me suis battu avec lui, pour arriver au nul, dans un match de district pour les Gants d'Or. On pouvait rouer son visage de coups à se rompre les mains et il continuait toujours à avancer, les pupilles de ses yeux implacables, pareilles à des cendres noires.

1. Marque de fusil à pompe.
2. Southern Pacific, compagnie de chemin de fer.

Il fallait que je me retire de la partie. Je n'étais plus flic, et j'avais d'autres obligations aujourd'hui. Si les gens de Bubba Rocque étaient impliqués dans l'accident d'avion, une lune de mauvaise augure commençait à poindre et je ne voulais pas être mêlé à l'affaire, en aucune façon. Que les fédés et les truands de bas étage aillent se chercher des crosses mutuellement. J'avais quitté la partie.

Lorsque j'arrivai chez moi, la maison sous les pacaniers était plongée dans l'obscurité, à l'exception des lueurs du poste de télévision qui marchait dans la pièce de devant. J'ouvris la porte moustiquaire et vis Annie endormie sur une paillasse face à la télévision. Les pales de bois du ventilateur au plafond faisaient voleter les boucles de sa chevelure sur la nuque. Deux gobelets vides de crème glacée marbrée de jus de fraise étaient posés à côté d'elle. Puis, dans le coin, j'aperçus Alafair, vêtue de ma chemise de toile bleue en guise de pyjama, le visage effrayé, rivé sur l'écran de la télévision. Un documentaire sur la Seconde Guerre mondiale montrait une colonne de G. I. qui avançait au pas sur un chemin de terre aux abords d'une ville italienne rasée par les bombardements. Le casque était posé de guingois, la cigarette leur pendouillait aux lèvres ouvertes en large sourire, un fantassin, le fusil Browning en bandoulière, portait un chiot sur lequel il avait reboutonné sa vareuse. Mais pour Alafair, ce n'était pas là les libérateurs de l'Europe de l'Ouest. Son corps mince tremblait sous mes mains lorsque je la pris dans mes bras.

— *Vienen los soldados aquí ?* dit-elle, le visage tout entier changé en point d'interrogation terrible.

* * *

Elle eut d'autres interrogations à nous soumettre, de celles qu'il nous était difficile de résoudre, à cause de notre mauvais espagnol, à Annie et à moi, ou, de manière plus fondamentale, du fait de notre refus d'adulte à imposer par la force à une enfant stupéfaite la conscience brutale de notre mortalité. Peut-être continuait-elle dans son sommeil à sentir sur ses cuisses les mains de sa mère en train de la soulever jusqu'à la poche d'air instable à l'intérieur de la cabine de l'avion ; peut-être voyait-elle en moi quelqu'un au-delà de l'humain, quelqu'un qui pourrait faire se relever les morts des eaux, avant de les oindre de ma main pour qu'ils abandonnent les ténèbres d'un monde de sommeil avant de s'avancer vers le jour levant. Les yeux d'Alafair cherchaient les miens comme si elle allait y voir l'image réfléchie de sa mère. Mais malgré tous nos efforts, toute notre volonté, ni Annie ni moi n'avions pu nous résoudre à utiliser le mot *muerto.*

— *Adónde ha ido mi mamá* ? demanda-t-elle encore le lendemain matin.

Et peut-être bien que sa question portait en elle la meilleure réponse que nous puissions lui offrir. Elle ne demandait pas ce qui était arrivé à sa mère ; elle demandait au contraire où elle était partie. Aussi la conduisîmes-nous jusqu'à l'église St Peter à New Iberia. Je suppose qu'on pourrait croire que je choisissais la solution de facilité pour tenter de résoudre le problème. Mais j'ai la conviction que rituels et métaphores n'existent pas sans raison. Les mots ne régissent en rien la naissance ni la mort, jamais ils ne rendent cette dernière plus acceptable quel que soit le nombre d'occasions où son caractère inévitable nous a été expliqué. Annie et moi tenions la main de la petite et nous avançâmes avec elle au bout de l'allée centrale de l'église vide, jusqu'au présentoir en métal à volutes où brûlaient les cierges, devant les statues de Marie, Joseph et l'enfant Jésus.

— *Ta maman est avec Jésus*, lui dis-je en français. *Au ciel.*

Elle avait le visage rond, et elle cligna des yeux vers moi.

— *Cielo ?* demanda-t-elle.

— Oui, au ciel, dis-je.

— *En el cielo*, dit Annie. Au paradis.

Le visage d'Alafair était perplexe lorsque ses regards se mirent à aller et venir entre nous deux, puis je vis les lèvres se plisser en moue et ses yeux se mouiller.

— Hé là, petit mec, dis-je en la soulevant pour la poser sur ma hanche. Allez, viens, je veux que tu brûles un cierge. *Pour ta maman.*

J'allumai la mèche d'amadou à un cierge qui se consumait, la lui plaçai dans la main et l'aidai à toucher la mèche éteinte d'une chandelle à l'intérieur d'un globe de verre rouge. Elle observa la larme de flamme se soulever de la cire, puis je déplaçai sa main toujours tenant l'amadou vers une autre chandelle, puis une autre encore.

Ses yeux mouillés étaient illuminés des lueurs rouges et bleues en provenance des rangées de globes de verre sur le présentoir. Elle s'était agrippée sur ma hanche, jambes écart, comme une petite grenouille, les bras serrés fort autour de mon cou. Je sentais la chaleur de sa tête tout contre ma joue. Annie tendit le bras et lui caressa le dos du plat de la main.

* * *

La lumière était rose dans les arbres le long du bayou, le lendemain matin, lorsque j'ouvris le bassin à la clientèle. Tout était immobile. L'eau était sombre et tranquille sous le couvert des cyprès en surplomb, les brèmes étaient en chasse et faisaient, au bord des feuilles des nénuphars, des ronds pareils à des gouttelettes de pluie à la surface de l'eau. Je regardai la lumière monter dans le ciel bleu jusqu'à venir toucher le vert de la ligne des arbres, chassant de ses chaleurs la brume qui s'accrochait encore aux genoux des cyprès. La journée allait être claire et parfumée, parfaite pour le black-bass, la perche et le poisson-lune, jusqu'à ce que l'eau se réchauffe au milieu de la matinée et que les flaques d'ombre sous les arbres se changent en miroirs de lumière ocre jaune. Mais juste avant trois heures, cet après-midi-là, le baromètre dégringolerait, le ciel se remplirait soudain de nuées grisâtres aux lueurs de métal d'un nuage de vapeur et aussitôt que les premières gouttes de pluie viendraient cliqueter sur l'eau, les poissons-lunes repartiraient en chasse, tous à la fois, crevant la surface de leur gueule béante en faisant plus de bruit que les gouttes de pluie.

Je nettoyai la cuve du barbecue sous la véranda latérale près de la boutique à appâts, mis les cendres dans un sac en papier, jetai le sac à la poubelle, étalai charbon de bois frais et hickory vert au fond de la cuve et démarrai le foyer du déjeuner. Je laissai ensuite à Batist, l'un des Noirs qui travaillaient pour moi, la responsabilité de la boutique et retournai à la maison où je préparai une omelette accompagnée de *cush-cush*[1] pour notre petit déjeuner. Nous mangeâmes sur la table de pique-nique en bois de séquoia sous le mimosa dans la cour à l'arrière de la maison, pendant que les geais bleus et les moqueurs jouaient à tire d'aile dans la lumière.

Puis j'emmenai Alafair avec moi dans la camionnette jusqu'à l'épicerie sur la grand-route où j'achetai de la glace pour la boutique et des écrevisses pour l'*étouffée* qui serait notre souper. Je lui achetai aussi un grand cerf-volant en papier et, à notre retour à la maison, j'allai avec elle jusqu'à la mare à canards au bout de ma propriété, tout à côté d'un champ de canne à sucre, et laissai soudain le cerf-volant s'élever dans la brise et monter de plus en plus haut dans le ciel bleu parsemé de nuages floconneux. Le visage rond d'Alafair se changea en une boule de surprise et de plaisir incroyables alors que la ficelle se tendait entre ses doigts, le cerf-volant battant et dansant contre le vent.

Puis je vis Annie s'avancer vers nous dans la lumière au sortir des mouchetis d'ombrages de la cour. Elle portait un jean blanchi par l'eau de Javel et une chemise bleu sombre, et le soleil éclairait sa chevelure de lumières d'or. Je regardai une nouvelle fois son visage. Elle essayait de prendre un air désinvolte, mais je voyais

1. Couche-couche, mot indien : semoule de maïs sucrée et frite.

bien la petite ride, pareille à un coup de burin du sculpteur maladroit, qui se formait entre ses yeux.

— Qu'est-ce qui ne va pas ? dis-je.

— Rien, je crois.

— Allez, Annie. Ton visage ne cache pas trop bien les choses.

Je touchai son front hâlé d'une caresse des doigts.

— Il y a une voiture garée sur le côté de la route dans les arbres, avec deux hommes à l'intérieur, dit-elle. Je les ai aperçus il y a à peu près une demi-heure, mais je ne leur ai prêté aucune attention sur le moment.

— Quel genre de voiture ?

— Je ne sais pas. Une voiture de sport blanche d'une marque quelconque. Je suis sortie sous la véranda et le conducteur s'est mis un journal devant les yeux, comme s'il était en train de lire.

— C'est probablement des mecs du pétrole en train de bâcler le boulot en tirant au flanc. Nous allons jeter un coup d'œil.

J'attachai la ficelle du cerf-volant à une branche de saule que j'enfonçai profondément dans la terre molle en bordure de la mare. Nous retournâmes tous les trois à la maison, tandis que le cerf-volant claquait au vent derrière nous.

Je les laissai toutes les deux dans la cuisine et regardai par la moustiquaire en façade sans l'ouvrir. A quelque distance du bassin, sur le chemin de terre qui y conduisait, une Corvette blanche était rangée en oblique sous le couvert des arbres. L'homme qui occupait le siège du passager avait la tête inclinée en arrière et somnolait, un chapeau de paille sur la figure. L'homme derrière le volant fumait une cigarette et soufflait sa fumée par la fenêtre. Je décrochai ma paire de jumelles de campagne japonaises datant de la Seconde Guerre mondiale du mur où elles pendaient, suspendues à leur courroie, les bloquai contre le jambage de la porte et fis ma mise au point à travers la moustiquaire. Le pare-brise était teinté et il y avait trop d'ombres réfléchies sur sa vitre pour voir correctement les deux hommes. La plaque minéralogique était en retrait et je ne pus en déchiffrer le numéro, mais je réussis à distinguer clairement les minuscules lettres métalliques ELK immédiatement sous la vitre côté conducteur.

J'allai dans la chambre, sortis du placard la vareuse de l'armée que j'utilisais pour la chasse aux canards et ouvris le tiroir de la commode. Sous la pile de chemises, je dégageai la serviette pliée dans laquelle je conservais le 45 automatique de l'armée que j'avais acheté à Saigon. Je pris le lourd chargeur garni de balles à tête creuse, l'engageai dans la crosse, armai la culasse et fis monter une balle dans le canon, mis le cran de sûreté et glissai le pistolet dans la poche de ma vareuse. Je me retournai et vis Annie qui m'observait depuis l'embrasure de la porte de la chambre, le visage tendu et les yeux brillants.

— Dave, que fais-tu ? dit-elle.

— Je vais descendre tranquillement jusque-là et vérifier qui sont ces mecs. Ils ne verront pas le pistolet.

— Laisse tomber. Appelle le bureau du shérif s'il le faut.

— Ils sont sur notre propriété, fillette. Ils n'ont simplement qu'à nous dire ce qu'ils font là. Ça ne va pas chercher bien loin.

— Non, Dave. Ils sont peut-être de l'Immigration. Ne les provoque pas.

— Les mecs du gouvernement se servent de voitures de location bon marché quand ils ne peuvent pas prendre une voiture de service. Ils appartiennent probablement au Centre des Pétroles de Lafayette.

— Oui, c'est pour ça que tu prends ton pistolet avec toi.

— C'est que j'ai toujours quelques mauvaises habitudes. Ne t'occupe pas de ça, Annie.

Je vis à son visage que je l'avais blessée. Elle détourna très vite son regard du mien avant de revenir sur moi.

— Oui, je ne voudrais surtout pas te dire quoi que ce soit, dit-elle. Une bonne Cajun reste dans sa cuisine, pieds nus et enceinte, pendant que son macho d'homme sort, casse des gueules et relève des noms.

— Il y a huit ans de cela, j'avais un partenaire qui s'est approché d'un mec en train d'essayer de changer sa roue à deux blocs du Marché français. Mon partenaire venait de quitter son service et il avait toujours son insigne agrafé à la ceinture. C'était quelqu'un de gentil. Il se donnait toujours du mal pour aider les gens. Il était sur le point de demander à ce mec s'il n'avait pas besoin d'un cric plus puissant. Le mec l'a abattu sur place d'une balle de neuf millimètres dans la bouche.

Son visage fut secoué d'un spasme comme si je venais de la gifler.

— Je reviens dans une minute, dis-je, et je franchis la porte-moustiquaire, la vareuse sur le bras.

Les feuilles des pacaniers de la cour craquaient bruyamment sous mes pieds. Je regardai par-dessus l'épaule et la vis qui me suivait des yeux derrière la moustiquaire, Alafair collée contre sa cuisse. Seigneur, songeai-je, pourquoi faut-il que je lui parle comme ça ? Elle était tout ce qu'il était jamais advenu de mieux de toute mon existence. Elle était douce et aimante, et chaque matin, elle parvenait à me faire sentir, d'une manière ou d'une autre, que c'était moi le vrai cadeau de son existence et non l'inverse. Et s'il lui arrivait jamais d'éprouver quelque crainte, c'était par souci de mon bien-être, jamais du sien. Je me demandai si je parviendrais jamais à exorciser le succube alcoolique qui semblait vivre au fond de moi, déchirant mon âme de ses griffes.

J'avançai sous le couvert des arbres en direction du chemin de terre et de la voiture blanche garée. Je vis alors le conducteur balancer sa cigarette d'une pichenette dans les feuilles, et démarrer la voiture. Mais il ne chercha pas à me dépasser, ce qui m'aurait permis de voir clairement l'intérieur de la voiture ou de déchiffrer la plaque minéralogique à l'arrière. Au lieu de cela, il roula en marche arrière sur le chemin de terre, accompagné des éclairs de soleil moucheté qui rebondissaient sur le pare-brise, avant de remettre brutalement la voiture en ligne sur une section plus large de la voie et accélérer dans le virage masqué d'épais buissons de chênes nains. J'entendis les pneus cogner avec un bruit sourd en franchissant le pont de bois au sud de ma propriété et le ronronnement du moteur s'évanouit dans les arbres.

Je retournai à la maison, sortis le chargeur du 45, éjectai la balle dans le canon avant de la replacer en haut du chargeur et repliai la serviette sur le 45 et les balles pour remettre le tout dans la commode. Annie faisait la vaisselle dans la cuisine. Je restai debout à côté d'elle sans la toucher.

— Je ne te le dirai qu'une seule fois et je comprendrai très bien si tu refuses de l'accepter là, tout de suite, dis-je. Mais tu comptes beaucoup pour moi et je suis désolé de t'avoir parlé sur ce ton-là. Je ne savais pas qui étaient ces mecs, mais je n'allais pas essayer de le découvrir aux conditions qu'eux m'imposaient. Annie, lorsque tu aimes des êtres tendrement, tu ne mets pas de limites à la protection que tu veux leur assurer. C'est ainsi, et pas autrement.

Ses mains étaient immobiles sur l'évier, et elle regarda par la fenêtre en direction de la cour arrière.

— Qui étaient-ils ?

— Je ne sais pas, dis-je en me dirigeant vers la pièce de devant où j'essayai de me concentrer sur le journal.

Quelques minutes plus tard, elle vint derrière mon fauteuil et posa les mains sur mes épaules. Elles étaient encore humides, tiédies par l'eau de vaisselle. Puis je la sentis se pencher en avant pour m'embrasser sur les cheveux.

Le déjeuner terminé, j'étais au ponton et je reçus un coup de téléphone des SRS, les Services de Répression des Stupéfiants de Lafayette. L'homme me dit s'appeler Minos P. Dautrieve. Il déclara occuper les fonctions d'Agent Résident en Charge, ou “ARC” selon ses propres paroles. Il déclara également qu'il désirait me parler.

— Continuez, dis-je.
— Non. A mon bureau. Pouvez-vous venir ?
— Il faut que je travaille, monsieur Dautrieve.
— Eh bien, nous pouvons nous y prendre de deux ou trois manières différentes, dit-il. Je peux venir vous rendre visite, mais je n'en ai pas le temps. En outre, nous ne conduisons pas nos entrevues avec les gens dans les boutiques à appâts. Ou alors, vous pouvez venir jusqu'ici, à l'heure qu'il vous plaira, puisque c'est une belle journée pour ce genre de balade. Ou bien encore, nous pouvons vous faire venir, sous escorte.
Je réfléchis un moment et regardai sur l'autre rive du bayou les Nègres qui pêchaient sur les hauts-fonds.
— Je serai là dans une heure environ, dis-je.
— Hé, c'est super, j'attends votre visite avec impatience.
— Est-ce que des hommes à vous sont venus chez moi ce matin ?
— Non. Avez-vous vu quelqu'un qui nous ressemblait ?
— Non, sauf si vos mecs conduisent une Corvette.
— Venez me voir, nous en parlerons. Bon sang, vous êtes un sacré mec, quand même.
— Qu'est-ce que c'est que ces conneries, monsieur Dautrieve ?
Le combiné se coupa net dans ma main.
Je sortis sur le ponton où Batist nettoyait un chapelet de poissons-chats dans une bassine d'eau. Tous les matins, il accrochait une mitraillette à sa pirogue et pêchait à la traîne, puis il ramenait son poisson jusqu'au ponton avant de le vider à l'aide d'un couteau à double tranchant qu'il s'était fabriqué à partir d'une lime. Il arrachait la peau des poissons-chats et extrayait les arêtes effilées de leur chair au moyen d'une paire de pinces avant de laver les filets dans une bassine d'eau rougie. Il avait cinquante ans, aussi chauve qu'une boule de billard, la peau d'un noir de charbon, et donnait l'impression d'être bâti à partir de cornières métalliques forgées par martelage. Lorsque je le

regardais torse nu, la sueur dégoulinant du crâne chauve et des énormes épaules noires, les bras couverts de taches de sang et de débris de peaux, tranchant de son couteau vertèbres et arêtes, sectionnant les têtes des poissons-chats qui tombaient à l'eau comme des bûches, je me demandais toujours comment les Blancs du Sud étaient jamais parvenus à contenir les siens en esclavage. Notre seul problème avec Batist était que souvent Annie ne réussissait pas à comprendre ce qu'il disait. Un jour qu'il l'accompagnait pour donner à manger aux bêtes, dans la pâture que j'avais louée, il lui avait dit : "mais jet'z-y asteur aux vaches par el'clôture un 'tio peu de foin, ti".

— Il faut que j'aille à Lafayette pour une paire d'heures, dis-je. Je veux que tu gardes l'œil ouvert sur deux hommes en Corvette. S'ils reviennent par ici, appelle les services du shérif. Ensuite, rentre à la maison et restes-y avec Annie.

— *Qui c'est une Corvette*, Dave ? dit-il, les yeux plissés par le soleil et tournés vers moi.

— C'est une voiture de sport, une blanche.

— Font quoi, eux ?

— Je ne sais pas. Peut-être rien du tout.

— Quoi qu'té veux mi faire d'eux, mi ?

— Tu ne leur fais rien. Tu comprends ça ? Tu appelles le shérif et ensuite, tu restes avec Annie.

— *Qui c'est ti vas faire si le shérif pas vient pour un neg, Dave ? Dites Batist fait plus rien ?*

Il rit bruyamment de sa propre plaisanterie : "Qu'allez-vous faire si le shérif ne vient pas pour un Nègre, Dave ? Vous allez dire que Batist ne fait plus rien ?"

— Je suis sérieux. Ne fricote pas avec eux.

Il me sourit à nouveau et retourna au nettoyage de ses poissons.

* * *

Je dis à Annie où je me rendais et une demi-heure plus tard, je me rangeais en face de l'immeuble fédéral dans le centre ville de Lafayette, là où les SRS avaient leurs bureaux. C'était un grand bâtiment moderne construit à l'époque Kennedy-Johnson, plein de portes en verre, de vitres teintées et de sols en marbre ; mais un peu plus bas dans la rue se trouvaient le vieux poste de police de Lafayette et sa prison, bâtiment trapu de ciment gris aux fenêtres barrées au premier étage, silhouette de laideur du passé, vestige qui rappelait qu'hier n'était qu'à un battement de cils de distance de l'apparente tranquillité du présent. Ce point me tient à cœur car je me souviens d'une exécution qui a pris place dans la prison au début des années 50. La chaise électrique avait été amenée d'Angola ; deux gros groupes électrogènes sur la plateforme arrière d'un camion bourdonnaient dans une rue adjacente derrière le bâtiment ; de gros câbles noirs rejoignaient les groupes électrogènes à travers les barreaux d'une fenêtre du premier étage. A neuf heures, un soir d'été doux et parfumé, des clients du restaurant de l'autre côté de la rue entendirent un homme hurler une seule fois, juste avant qu'un arc électrique ne parût rebondir des barres métalliques de la fenêtre. Par la suite, les gens de la ville se montrèrent réticents à parler de l'événement. Finalement, cette section de la prison fut fermée et elle servit à abriter une sirène de la défense civile. Au bout du compte, peu nombreux étaient ceux qui se souvenaient qu'une exécution avait eu lieu là.

Mais en cet après-midi brumeux de mai aux senteurs de fleurs et de pluie, j'avais les yeux levés vers une fenêtre ouverte du premier étage du bâtiment fédéral, fenêtre qui laissa échapper un avion en papier. L'avion glissa en planant en longue courbe jusqu'au trottoir opposé où il rebondit sur le pare-brise d'une voiture en mouvement. J'eus la forte impression de connaître le lieu d'où il était venu.

Je ne m'étais pas trompé : lorsque je franchis le seuil du bureau de Minos P. Dautrieve – la porte était ouverte –, je vis un homme de grande taille, coiffé en brosse courte, basculé en arrière dans son fauteuil, la cravate de tricot desserrée, le col déboutonné, un pied sur le bureau, l'autre dans la corbeille à papier, une main énorme suspendue en l'air, en attente, prête à procéder au lancement d'un nouvel avion en papier par la fenêtre. Il avait les cheveux blonds coupés si courts que la lumière se réfléchissait sur la peau du crâne ; en fait, les lumières donnaient l'impression de se réfléchir sur toute la surface de son visage mince, rasé de près, propre, nettoyé et souriant. Sur le buvard de son bureau était ouverte une chemise de papier kraft avec, à l'intérieur, plusieurs feuilles de télex attachées par un trombone. Il laissa tomber l'avion sur le bureau, dégagea bruyamment le pied de la corbeille, et me serra la main avec une telle énergie qu'il faillit presque me faire perdre l'équilibre. Je me dis que j'avais déjà vu ce visage-là quelque part.

— Je suis désolé de vous avoir traîné jusqu'ici, dit-il, mais c'est la faute à pas de chance, pas vrai ? Hé, j'ai lu toute votre histoire. C'est quelque chose de fascinant. Asseyez-vous. Avez-vous vraiment fait toutes ces conneries ?

— Je ne suis pas certain de vous suivre.

— Allez, dites, quiconque possède un dossier comme celui-là ne peut être qu'un authentique baroudeur. Blessé par deux fois au Viêt-nam, la seconde en sautant sur une mine. Puis quatorze années dans les rangs des services de police de La Nouvelle-Orléans, où vous avez fait subir des désagréments majeurs à certaines personnes. Pourquoi un mec qui possède un diplôme d'enseignement de l'anglais s'engage-t-il dans la police ?

— Vous êtes ici pour me tirer les vers du nez à la manière forte ?

— Soyons sérieux. C'est le genre de plaisir que nous n'avons pas l'occasion d'avoir souvent. La plupart du temps, nous faisons les garçons de course pour préparer les dossiers du procureur fédéral. Vous savez cela. Mais votre dossier laisse à réfléchir, vous devez bien l'admettre. Il est dit ici que vous avez descendu trois personnes, dont l'une était le gomineux bronzé fourgueur de drogue et maquereau *número uno* de La Nouvelle-Orléans. Mais c'était aussi une source, un témoin fédéral, tout au moins jusqu'à ce que vous le transformiez en purée.

Il éclata de rire.

— Comment vous êtes-vous débrouillé pour dessouder un témoin du gouvernement ? c'est le genre de truc plutôt difficile à réussir. En général, nous gardons notre gibier dans la réserve, sous bonne garde.

— Vous voulez vraiment le savoir ?

— Bon Dieu, oui. C'était vraiment un coup formidable.

— Son garde du corps a dégainé son arme et a ouvert le feu sur mon partenaire. C'était une arrestation de routine pour possession de drogue, et tous les deux auraient été libérés sous caution dans l'heure qui suivait. De la part du garde du corps, c'était un acte stupide. Stupide parce que non nécessaire et parce qu'il a été la cause d'une situation désagréable. Un professionnel ne commet pas d'actes stupides comme celui-là en provoquant les gens quand ce n'est pas indispensable. Vous voyez où je veux en venir ?

— Oh ! je comprends bien. Nous autres, agents fédéraux, ne devrions pas agir en mecs stupides et venir vous provoquer, hein ? Voyons voir un peu ce que vous allez répondre à ceci, monsieur Robicheaux ? Quelles sont les chances pour qu'un individu de sortie dans le golfe du Mexique soit le témoin d'un accident d'avion ? Allez, il est dit dans votre dossier que vous passiez votre temps sur les champs de course. Etablissez-moi la cote de probabilité.

— Qu'est-ce que vous racontez, podna ?

— Nous savons qu'un mec du nom de Johnny Dartez se trouvait dans cet avion. Le nom de Johnny Dartez signifie une chose – stupéfiants. Il faisait le courrier pour Bubba Rocque. Sa spécialité, c'était les faire passer sur l'eau dans de gros ballons de caoutchouc.

— Et vous vous imaginez que je suis peut-être l'homme chargé de les récupérer.

— A vous de me le dire.

— Je pense que vous passez trop de temps à fabriquer des avions en papier.

— Oh ! je devrais peut-être sortir un peu et élaborer des théories de pistes plus solides ? c'est ça, non ? Certains parmi nous récupèrent des ballons brûlants, d'autres sont destinés à devenir hommes de loi, bien installés derrière leur bureau. J'ai compris.

— Je me souviens maintenant. Avant pour LSU[1], il y a une quinzaine d'années. Docteur Dunkenstein. Vous étiez All-American[2].

— Mention honorable. Répondez à ma question, monsieur Robicheaux. Quelle est la probabilité pour qu'un mec comme vous soit sur la grande salée, lorsqu'un avion s'écrase tout à côté de son bateau ? Un mec qui, comme par hasard, disposait d'un équipement de plongée avec bouteilles, de sorte qu'il a été le premier à descendre dans l'épave ?

— Ecoutez, le pilote était prêtre. Servez-vous de votre tête une minute.

— Ouais, un prêtre, qui avait fait un séjour à l'ombre, à Danbury, dit-il.

— Danbury ?

— Ouais, c'est exact.

— Pour quel motif ?

— Violation de domicile avec effraction.

— J'ai l'impression de n'avoir droit qu'à la version expurgée.

— Lui et quelques nonnes, ainsi que d'autres prêtres, sont entrés par effraction dans une usine de la General Electric et ont joué aux vandales avec certains composants électroniques de missiles.

— Et vous pensez qu'il s'était mêlé à des passeurs de drogue de contrebande ?

Il chiffonna l'avion de papier posé sur son bureau et le laissa tomber dans la corbeille à papier.

1. Université d'Etat de Louisiane.
2. Équipe constituée des meilleurs joueurs de toute la nation.

— Non, je ne le pense pas, dit-il, les yeux fixés sur les nuages à l'extérieur de la fenêtre.

— Qu'est-ce que vous raconte l'Immigration ?

Il haussa des épaules et fit tinter les ongles de ses doigts sur le sous-main de son bureau. Il avait les doigts si longs et si fins, les ongles si roses et si propres qu'on aurait dit des mains de chirurgien, plutôt que d'ex-joueur de basket-ball.

— Selon eux, il n'y avait pas de Johnny Dartez dans cet avion, dis-je.

— Ils ont leurs propres problèmes, nous avons les nôtres.

— Ils ne vous mettent pas de bâtons dans les roues en refusant de coopérer, quand même ?

— Ecoutez, les affaires de l'Immigration ne m'intéressent pas. Je veux effacer Bubba Rocque du tableau. Johnny Dartez était un mec sur lequel nous avions investi beaucoup de temps et d'argent, lui et un autre demeuré de La Nouvelle-Orléans du nom de Victor Romero. Ce nom vous dit-il quelque chose ?

— Non.

— Ils ont disparu tous deux de leurs lieux de fréquentation habituelle, il y a deux mois de cela, juste comme nous étions sur le point de les ramasser. Depuis que Johnny s'est payé le grand plongeon au large de Southwest Pass, la valeur de Victor s'est immensément accrue.

— Vous n'aurez jamais Bubba Rocque en mettant les poucettes à ses hommes.

Il posa une énorme chaussure sur le mur et repoussa son fauteuil qui pivota en faisant un tour complet sur lui-même, pareil à un gamin chez le coiffeur, jouant avec son siège.

— Comment se fait-il que vous ayez ce savoir omniscient des choses ? dit-il.

— Au lycée, il avait toujours plusieurs numéros en réserve pour nous. Parfois il mangeait une ampoule électrique. Ou bien il pouvait lui arriver d'ouvrir une bouteille de R.C. Cola[1] avec les dents ou de s'enfoncer des punaises dans les rotules. C'était toujours une exhibition mémorable.

— Ouais, de nos jours, nous voyons beaucoup de ce genre de charisme de psychotique. Je crois que c'est à la mode chez les affranchis. C'est pour cette raison que nous avons à Atlanta une section spéciale où les enfermer, là où ils peuvent se chanter leurs tyroliennes l'un à l'autre.

— Bonne chance.

— Vous pensez que nous ne sommes pas capables de le mettre à l'ombre ?

— Qui se soucie de ce que je pense ? Que dit le bureau de sécurité de l'Aviation civile sur l'accident ?

— Un incendie dans la soute. Ils n'en sont pas sûrs. C'était gadoueux lorsque leurs plongeurs sont descendus. L'avion a glissé le long d'une faille quelconque et il est maintenant à moitié couvert de boue.

— Vous croyez que ce n'était qu'un incendie ?

— Ça arrive.

— Vous feriez bien de les faire descendre une nouvelle fois. Je suis allé sur l'épave à deux occasions. Je crois qu'une partie du fuselage a sauté sous l'effet d'une explosion.

Il me regarda attentivement.

— Je crois que je devrais peut-être vous avertir prudemment du danger qu'il y a à vous mêler à une enquête fédérale, dit-il.

— Je ne suis pas l'un de vos problèmes, monsieur Dautrieve. Vous avez un autre service fédéral qui vient marcher sur vos plates-bandes, peut-être même qu'ils soudoient vos témoins, peut-être qu'ils dérobent les cadavres. De toute manière, ils vous font passer un mauvais quart d'heure et pour une raison ou pour une autre, vous ne faites rien pour régler la situation. Je vous serais reconnaissant de ne pas vous décharger du problème sur moi.

1. R.C. Cola : Royal Crown Cola, marque de boisson non alcoolisée.

Je vis le muscle du maxillaire se tendre sous le profil bien découpé de la mâchoire. Puis il se mit à jouer d'un élastique entre ses longs doigts.

— Il faudra que vous nous pardonniez, à nous autres employés du gouvernement, qui devons œuvrer, pieds et poings liés par les menottes bureaucratiques, dit-il. Jamais nous n'avons réussi à utiliser les méthodes simples et directes pour lesquelles les gens comme vous sont tellement doués. Vous vous rappelez, il y a quelques années, un flic de La Nouvelle-Orléans s'est fait tuer et quelques-uns de ses amis ont réglé le problème à leur manière ? Je crois me souvenir qu'ils sont entrés dans la maison du mec, c'était un Noir, naturellement, et ils lui ont fait sauter la cervelle ainsi qu'à son épouse dans la baignoire. Puis il y a eu ces révolutionnaires noirs qui ont attaqué une voiture blindée à Boston en tuant un garde, avant de venir se cacher en Louisiane et au Mississipi. Nous avions travaillé deux ans à préparer cette affaire et c'est alors que vos mecs ont mis la main sur l'un d'eux avant de le torturer pour obtenir des aveux, en réduisant à néant tous nos efforts, aussi simplement que s'ils avaient tout expédié à la fosse à merde d'un coup de chasse. Il n'y a pas à dire, les mecs de votre genre, vous saviez vous y prendre pour que tout le monde sache que vous étiez bien là.

— Je crois que je vais partir. Vous vouliez me demander autre chose ?

— Rien du tout, dit-il, en expédiant un trombone sur le classeur à fiches au bout de la pièce.

Je me levai pour prendre congé. Toute son attention était concentrée sur la recherche d'une nouvelle cible pour son élastique armé d'un nouveau trombone.

— Est-ce qu'une Corvette blanche avec les lettres ELK sur la porte vous fait penser à l'un de vos clients ? dis-je.

— C'étaient eux, les mecs qui sont venus chez vous ? Le regard m'évitait toujours.

— Oui.

— Comment pourrais-je le savoir ? Nous avons de la chance quand nous réussissons à garder à l'œil deux ou trois de ces trous du cul.

Il me regardait maintenant droit dans les yeux, le regard plat, la peau du visage tendue.

— C'est peut-être quelqu'un à qui vous avez vendu du poisson avarié.

Je sortis sous le soleil, avec le vent qui soufflait dans les mimosas de la pelouse. Un jardinier nègre arrosait au tuyau les plates-bandes fleuries et le gazon fraîchement coupé, et je sentis l'odeur de la terre humide et de l'herbe coupée qui s'empilait en tas sous les arbres. Je me retournai en levant les yeux vers la fenêtre du bureau de Minos P. Dautrieve. J'ouvris et je fermai les mains et pris une profonde inspiration avant de sentir le poids de la colère soulager ma poitrine.

Eh bien, tu l'as voulu, me dis-je à moi-même. Pourquoi piquer à coups de bâton quelqu'un qui se trouve déjà en cage ? Il réussit probablement à obtenir une condamnation pour dix inculpations, passe la moitié du temps coincé dans un déchiqueteur à papier et, les bons jours, négocie une inculpation pour possession de drogue – un à trois ans de prison – avec un fourgueur qui a probablement volé leur âme à des centaines de personnes.

A l'instant précis où je m'engageais dans la circulation, je le vis sortir de l'immeuble en me faisant signe du bras. Il faillit être renversé par une voiture en traversant la rue.

— Garez-vous une minute. Vous voulez une glace au sirop ? c'est moi qui régale, dit-il.

— Il faut que je retourne travailler.

— Garez-vous, dit-il avant d'acheter deux sorbets à un jeune Noir qui tenait un étal sous parasol, au coin de la rue. Il s'installa à la place du passager dans ma camionnette, au risque de se faire arracher la porte par une voiture de passage dont l'avertisseur se répercuta dans les airs jusqu'au bout de la rue, et me tendit une des glaces au sirop.

— Peut-être bien que la Corvette appartient à Eddie Keats, dit-il. Il tenait une petite officine de books à Brooklyn, des paris à quatre sous. Aujourd'hui, c'est un Sunbelter[1] tellement il aime notre climat. Il vit ici la moitié du temps et passe l'autre moitié à La Nouvelle-Orléans. Il est propriétaire de deux bars, il a quelques putes qui travaillent pour lui, et il se prend pour un truand d'envergure. Y a-t-il une raison quelconque pour qu'un mec de son genre aille traîner ses guêtres chez vous ?

— Là, vous m'avez eu. Je n'ai jamais entendu parler de lui.

— Que diriez-vous de ceci ? Eddie Keats aime à rendre service aux gens importants. Il lui arrive parfois de travailler pour Bubba Rocque, pour rien ou pour ce que Bubba veut bien lui donner. Voilà le genre du mec, super, non ? On a entendu dire qu'il avait fait brûler l'une des racoleuses de Bubba à La Nouvelle-Orléans.

Il s'arrêta pour me regarder avec curiosité.

— Que se passe-t-il ? Vous n'avez jamais eu d'affaire de ce genre à la Criminelle ? dit-il. Vous savez bien de quelle manière les maquereaux gardent leur cheptel bien en main.

— J'ai discuté avec une strip-teaseuse à La Nouvelle-Orléans, au sujet de Johnny Dartez. Elle m'a dit qu'il travaillait pour Bubba Rocque. Je me fais du souci pour elle.

— Tout ceci me gêne beaucoup.

— Quoi ?

— Je suis sérieux lorsque je vous préviens de ne pas mettre votre nez dans une enquête fédérale.

— Ecoutez, j'ai signalé la présence de quatre cadavres dans cet avion. On a déclaré à l'agence de presse qu'il n'y en avait que trois. Cela sous-entend que j'étais peut-être ivre ou que je suis un connard débile ou peut-être les deux.

— Très bien, pour l'instant, oubliez ça. Nous pouvons l'embarquer et l'incarcérer pour sa propre protection, si c'est ce que vous désirez.

1. De Sunbelt, Ceinture de Soleil, comprenant les Etats du sud et du sud-ouest des Etats-Unis.

— Ce n'est pas son genre.
— Et de se faire casser la gueule, ça l'est ?
— Elle est alcoolique et droguée. Elle préférerait avaler un saladier d'araignées que de se couper les ponts avec son fournisseur.
— Okay, si vous revoyez cette voiture du côté de chez vous, vous nous appelez. Nous prendrons les choses en mains. Vous n'êtes pas dans la partie, vous comprenez ?
— Je n'ai pas l'intention d'y entrer.
— Faites gaffe à vous, Robicheaux, dit-il. Si je revois votre nom dans le journal, il vaudrait mieux que ce soit dans la section pêche à la ligne.

* * *

Je traversai la Vermilion River pour emprunter l'ancienne route à deux voies qui traversait Broussard en direction de New Iberia. Presque sur le coup de trois heures, il commença à pleuvoir. J'observai l'avance de la pluie qui arriva du sud, lame de ciel gris lumineux où les ombres des nuages couraient en éclaireurs lorsque les premières gouttes balayèrent de leurs tintements les jeunes pousses de canne à sucre, avant d'aller s'écraser avec fracas sur les toits de tôle galvanisée de la sucrerie abandonnée dans les faubourgs de Broussard. Au beau milieu de l'averse, des barres de soleil vinrent percer les nuages, pareilles aux représentations de la grâce du Saint-Esprit sur une image pieuse enfantine. Lorsque le soleil se mettait à briller à travers la pluie, mon père avait coutume de dire : “Lui, Dieu, c'est comme ça qu'y te dit qu'y en a pus pour long”.

Lorsque j'arrivai à la maison, la pluie dansait toujours sur le bayou, et Annie avait emmené Alafair jusqu'au ponton. Elle aidait Batist à s'occuper des pêcheurs qui mangeaient le *boudin* en buvant de la bière sous l'auvent de toile. Je montai à la maison et appelai les renseignements de La Nouvelle-Orléans pour obtenir le numéro de Robin, mais elle n'était pas dans l'annuaire. Puis j'appelai le Smiling Jack. L'homme qui répondit ne dit pas son nom, mais la voix et les manières ne pouvaient pas tromper.

— Elle n'est pas ici. Elle arrive pas avant six heures, dit-il.

— Avez-vous son numéro personnel ?

— Vous plaisantez ? qui est à l'appareil ?

— Quel est son numéro, Jerry ?

— Oh ! ouais, j'aurais dû deviner. C'est Fearless Fosdick[1], le Policier Sans Peur et Sans Reproche, pas vrai ? dit-il. Savez pas quoi ? elle a pas le téléphone. Et savez pas quoi encore ? ici, c'est pas un service de messagerie.

— Quand l'avez-vous vue pour la dernière fois ?

— En train de vomir dans les toilettes à trois heures du matin. Je venais juste de finir de les nettoyer. Ecoutez, rigolo, vous voulez parler à cette nana ? alors descendez jusqu'ici et venez lui parler. Pour l'instant, y faut que j'aille rincer mes serpillières. Vous faites un supercouple tous les deux.

Il raccrocha, et je contemplai le rideau de pluie sur le bayou. Peut-être bien qu'elle n'aurait aucun problème, songeai-je. Elle avait survécu, sa vie durant, dans un monde où la manière dont les hommes usaient de son corps, la violence dont ils faisaient preuve à son égard lui étaient aussi naturelles que les vodka collins et le speed de ses demi-strips qui démarraient chacune de ses journées. C'était peut-être une simple manifestation d'orgueil de ma part d'éprouver le sentiment qu'une conversation avec moi ne ferait que rajouter des problèmes à son existence. En outre, je n'étais toujours pas absolument certain que le conducteur de la Corvette fût bien ce bonhomme de Brooklyn du nom d'Eddie Keats.

Les saints ne prennent pas les avertissements en compte, car ils les considèrent comme non pertinents. Les imbéciles ne les prennent pas en compte parce qu'ils

1. Personnage de la bande dessinée *Little Abner*, parodie de *Dick Tracy*.

sont convaincus que les éclairs qui dansent à travers le ciel, le tonnerre qui roule à travers les forêts n'existent que pour donner à leur existence un peu de piquant de quelque mystérieuse façon. J'avais été prévenu par Robin aussi bien que par Minos P. Dautrieve. Je vis un éclair strier en solitaire le sud de l'horizon, tremblotant comme un morceau de câble surchauffé. Mais je ne voulais plus penser ce jour-là aux passeurs de drogue et aux petits marioles du coin, aux agents fédéraux et aux avions qui s'écrasaient. J'écoutai la pluie dégoutter à travers les pacaniers avant de descendre au ponton sous les lueurs vacillantes des éclairs dans le lointain pour aider Annie et Batist à tout préparer pour les pêcheurs de fin de journée.

3

Encore enfant, si l'on m'avait demandé de décrire le monde dans lequel je vivais, je suis certain que ma réponse se serait traduite en images, des images qui me laissaient en général un sentiment de bien-être pour ma famille et moi-même. Parce que, même si ma mère était morte lorsque j'étais jeune, même si nous étions pauvres et qu'il arrivait à mon père ivre de se prendre de querelle dans un bar avant de finir sous les verrous de la prison de la paroisse, lui, mon petit frère et moi-même avions un foyer – un monde, en réalité – sur le bayou, un refuge où nous étions toujours en sécurité, chaud l'hiver grâce au poêle à bois, frais l'été sous les ombrages des pacaniers, un lieu qui était le nôtre, qui appartenait à notre famille et à son mode de vie depuis l'arrivée des Acadiens en Louisiane en 1755. En décrivant ce monde à celui qui m'aurait interrogé, je lui aurais parlé de mon animal préféré, un raton laveur à trois pattes, de ma pirogue attachée à un cyprès garni d'un gros clou rouillé enfoncé dans le bois et muni d'une chaîne dont on disait qu'elle avait servi à Jean Lafitte, du gros chaudron tout noir dans la cour de derrière où mon père nous faisait frire, presque tous les soirs, l'été, *sac-à-lait*[1] et brème, des couchers de soleil orange et violacé à l'automne, lorsque les canards couvraient le ciel d'un horizon à l'autre, avec les feuilles rousses qui tournoyaient des arbres pour atterrir sur l'eau, sous cette lumière dorée d'octobre si particulière, fraîche et chaude à la fois, et j'aurais dit aussi ces lits épais de feuilles humides dans les profondeurs des bois où nous allions creuser à la recherche de vers de terre, le fumoir derrière la maison, luisant sous le givre du matin, toujours plein des odeurs de gras de porc gouttant dans la cendre qui se consumait, et j'aurais parlé de mon père par-dessus tout – un grand Cajun rieur à la peau sombre, capable de briser des planches en petit bois à mains nues, balancer un baquet plein de briques par-dessus la clôture, ou sortir de l'eau, en le tirant par la queue, un 'gator' de deux mètres.

Mais que d'images trouveriez-vous en déverrouillant la mémoire d'une enfant de six ans à laquelle on avait fait quitter un monde presque moyenâgeux, un village d'Amérique centrale, où les seules intrusions du vingtième siècle se manifestaient sous forme d'armes, les armes d'infanterie les plus sophistiquées et les plus destructrices du monde ?

La seule personne que je connaissais à New Iberia qui parlait espagnol était un guichetier au pari mutuel, du nom de Felix, qui travaillait à Evangeline Downs à Lafayette et aux Fairgrounds de La Nouvelle-Orléans. Il avait été croupier au casino de La Havane à l'époque de Batista, et ses chemises lavande à manchettes blanches à la française, ses complets de crépon de coton tout en plis, sa chevelure gominée et parfumée lui donnaient l'apparence d'un homme dont l'existence aspirait toujours à une opulence blasée. Mais comme la plupart des gens

1. Variété de poisson appelé également bachelier blanc.

que je connaissais sur les hippodromes, son défaut majeur était qu'il n'aimait pas le travail régulier ou le monde des gens ordinaires.

Le ciel s'était presque totalement dégagé de ses nuages de pluie une heure après mon retour de Lafayette et ma visite au SRS : l'horizon était maintenant d'un rouge flamboyant sous le soleil couchant, les cigales bruissaient dans les arbres, et les lucioles commençaient à s'éclairer au crépuscule. Nous étions assis dans le salon pendant que Felix s'adressait en espagnol à Alafair d'une voix paisible, l'interrogeant sur ses parents, son village, le petit timbre-poste de géographie tropicale qui constituait le seul univers qu'elle eût jamais connu, mais qui renvoyait ma propre mémoire au-delà des mers, deux décennies auparavant, vers d'autres villages qui sentaient les têtes de poisson, la fiente d'animaux, le poulailler, l'odeur âcre de boue, d'eaux stagnantes, de selles humaines, d'enfants à moitié nus qui urinaient par terre ; et puis venait cette autre odeur, la puanteur des soldats qui ne s'étaient pas lavés depuis des jours, qui vivaient enfermés sous leur enveloppe fétide, dont les fantasmes oscillaient entre le rut et l'élimination de leurs ennemis et qui changeaient en brumes sanglantes les sources de leur mécontentement.

Mais je digresse vers ma petite myopie historique personnelle. L'histoire d'Alafair était plus importante que la mienne, parce que j'avais choisi d'en être le participant, au contraire d'elle. J'avais choisi d'apporter mon aide à des gens qui récoltaient le riz à mains nues, à l'introduction de la technologie du napalm et de ces hachoirs à chair humaine que sont le M-16 et le AK-47[1]. D'autres avaient choisi Alafair et sa famille pour devenir les récipiendaires de nos cadeaux industriels au Tiers-Monde.

Elle parlait comme si elle décrivait les scènes d'un mauvais film dont elle ne comprenait pas tout, et Annie et moi avions du mal à trouver les yeux de l'autre, de

1. Fusils d'assaut.

crainte d'y voir se refléter et d'y reconnaître la créature simiesque, toujours vivante et prospère, tapie au fond des spécimens de la race humaine. Felix traduisait :

— Les soldats portent des couteaux et des pinces et ils volent les visages des gens du village. Mon oncle s'est sauvé dans le champ de canne et le lendemain, nous l'avons retrouvé là où ils l'avaient laissé. Ma mère a essayé de mettre la main devant mes yeux, mais j'ai réussi à voir quand même. Il avait les pouces attachés avec du fil de fer, et ils lui avaient pris son visage. Il faisait chaud au milieu des cannes à sucre et les mouches bourdonnaient. Certaines personnes ont eu mal au cœur à cause de la chaleur et ont vomi sur elles.

Ça, c'était quand mon père s'est sauvé, lui aussi. Ma mère a dit qu'il est allé dans les collines avec les autres hommes du village. Il arrivait que les hélicoptères les poursuivent, je crois, parce qu'on pouvait voir leurs grandes ombres passer au-dessus de la maison et puis de la route et des champs, et puis ils s'arrêtaient en l'air pour se mettre à tirer. Ils avaient des tubes sur les côtés qui faisaient des nuages de fumée, et alors les rochers et les arbres sur la colline se mettaient à voler dans les airs. L'herbe et les buissons étaient tout secs et ils prenaient feu, et la nuit, on les voyait brûler sur les hauteurs dans l'obscurité et on sentait la fumée dans le vent.

— Demande-lui ce qui est arrivé à son père ? dis-je à Felix.

— *Dónde está tu padre ahora ?*

— Peut-être qu'il est parti avec les camions. Les camions sont allés dans les collines, puis après ils sont revenus avec beaucoup d'hommes du village. Ils les ont emmenés dans un endroit où vivent des soldats, et on ne les a pas revus. Mon cousin a dit que les soldats ont une prison très loin et ils gardent beaucoup de gens là-bas. Mon père est peut-être avec eux. Le prêtre américain a dit qu'il essaierait de savoir, sauf qu'on a dû quitter le village. Il a dit qu'ils feraient du mal à ma mère, comme ils avaient fait à l'autre dame à cause de la clinique.

Elle se tut soudain sur son canapé et fixa les yeux au-delà de la moustiquaire, sur les lucioles qui luisaient dans le crépuscule. Son visage hâlé s'était maintenant décoloré, avec les mêmes marques pâles et exsangues que lorsque je l'avais sortie de l'eau. Annie lui caressa ses cheveux coupés très courts de la paume de la main et la serra aux épaules.

— Dave, peut-être que cela suffit, dit-elle.

— Non, il faut qu'elle raconte tout. Elle est bien trop petite pour garder des choses pareilles en elle comme une grande, dis-je. Puis, à Felix : "Quelle autre dame ?"

— *Quién es la otra señora ?* demanda-t-il.

— Elle travaillait à la clinique avec ma mère. Elle avait un gros ventre et ça la faisait marcher comme un canard. Un jour, les soldats sont venus et l'ont traînée par les bras sur la route. Elle criait les noms de ses amis pour qu'ils l'aident, mais les gens avaient peur et ils ont essayé de se cacher. Alors les soldats nous ont fait sortir et ils nous ont obligés à regarder ce qu'ils lui faisaient sur la route.

Les yeux étaient écarquillés, chargés de cette expression vide, sèche, polie comme un miroir, de quelqu'un qui fixerait un foyer brûlant.

— *Qué hicieron los soldados ?* dit doucement Felix.

— Ils sont allés dans la maison du bûcheron et sont revenus avec sa machette. Ils étaient en train de couper et la machette était toute mouillée et rouge au soleil. Un soldat a mis les mains sur son ventre et il a sorti son bébé. Les gens pleuraient maintenant et ils se cachaient la figure. Le prêtre est sorti en courant de l'église pour nous rejoindre, mais ils l'ont assommé et ils l'ont battu sur la route. La grosse dame et son bébé sont restés là tout seuls au soleil. L'odeur, c'était comme l'odeur dans la canne à sucre quand nous avons trouvé mon oncle. Elle était dans toutes les maisons, et quand on s'est réveillé le matin, elle était toujours là mais pire.

Les cigales bourdonnaient bruyamment dans les arbres. Il n'y avait rien que nous puissions dire.

Comment expliquer le mal à un enfant, en particulier lorsque l'expérience qu'elle en a est peut-être plus grande que la vôtre ? J'avais vu dans un pavillon brûlé de Saigon, des enfants dont les yeux vous rendaient muets avant même que vous ayez pu tenter d'excuser les calamités que les adultes leur avaient imposées de force. Mes condoléances s'étaient transformées en une boîte de barres de chocolat.

Nous sommes allés chez Mulate à Breaux Bridge pour manger une tourte aux pacans et écouter un groupe acadien de violoneux, puis nous avons descendu Bayou Teche sur le bateau avec sa roue à aubes qui assurait les excursions pour les touristes. La nuit était maintenant tombée, et sur quelques-unes des pelouses, les arbres étaient garnis de lanternes japonaises ; on pouvait sentir les odeurs de barbecues, de crabes en train de bouillir dans les jardins d'été éclairés et protégés de moustiquaires qui s'étendaient derrière les cannes, en bordure des berges du bayou. On aurait dit que le terrain de baseball en losange était illuminé par une énorme fusée blanche, et les gens acclamaient la Légion américaine qui disputait un match, avec l'innocence provinciale et enthousiaste d'une scène qu'on aurait pu découper dans un album de l'été 41. Alafair s'était assise entre Annie et moi, sur un banc de bois et elle suivait le défilé des cyprès, des pelouses ombreuses et des demeures dix-neuvième siècle aux colonnades en volutes qui s'offraient à nos yeux. Ce n'était peut-être pas une bien grande récompense à offrir, mais c'était tout ce que nous avions.

* * *

L'air était frais et le ciel au levant couleur de prune, barré des zébrures de nuages rouges accrochés bas lorsque j'ouvris la boutique à appâts le lendemain matin. Je travaillai jusqu'aux environs de neuf heures avant de laisser Batist s'occuper de la boutique et je remontai à la maison prendre le petit déjeuner. Je prenais ma dernière tasse de café lorsqu'il m'appela au téléphone.

— Dave, 't' souviens dé c't' homme de couleur qui nous a loué c'matin ? dit-il.

— Non.

— Il parlait drôle. L'est pas d'ici, ça non.

— Je ne me souviens pas de lui, Batist. Qu'est-ce qui se passe ?

— Il a dit qu'il avait touché l'sable avec son bateau et qu'l'hélice, al' a sauté. Y demand' si te veux v'nir le r'chercher.

— Où est-il ?

— Sud des quat'-coins. Te veux qu'j'aille après lui ?

— Ce n'est pas un problème. Je partirai dans quelques minutes. Lui as-tu donné une goupille de rechange ?

— *Mais* pour sûr. Y dit qu'c'est point ça.

— Okay, Batist. Ne t'en fais pas.

— D'minde-li donc d'où qu'y vient qu'y sait point rester su'l'bayou avec son bateau, non ?

Quelques minutes plus tard, je descendais le bayou dans mon hors-bord pour aller récupérer ma barque de location endommagée. Il n'était pas rare qu'il m'arrive de partir rechercher un de nos bateaux. Assez régulièrement, les ivrognes les dirigeaient sur des bancs de sable et des souches d'arbres flottantes, les cognaient contre les genoux de cyprès ou les retournaient en virant lorsqu'ils recoupaient leur propre sillage. Le soleil brillait sur l'eau et les libellules étaient suspendues dans l'air paisible au-dessus des feuilles de nénuphars le long des berges. Le sillage en V de l'Evinrude venait clapoter contre les genoux des cyprès et faisait soudain gonfler les feuilles de nénuphars qui se mettaient à onduler, comme sous l'effet d'un coussin d'air en profondeur qui serait venu rider la surface. Je dépassai le vieux comptoir de bardeaux aux quatre-coins, d'où le Noir avait dû téléphoner à Batist. Une vieille pancarte Hadacol était toujours clouée sur l'un des murs, et un chêne aux ramures en parasol abritait sous ses ombrages la terrasse en façade où quelques Nègres en salopette buvaient de la limonade en dégustant des sandwichs. Puis les cyprès et la canne à sucre se firent plus épais le long des berges, et j'aperçus un peu plus loin ma barque de location attachée à une jeune pousse de sapin, vide, se balançant sur les eaux brunes sous l'effet du courant.

Je coupai le moteur et dérivai sur mon erre jusqu'à la berge où j'attachai le hors-bord tout à côté de la barque. Les vaguelettes clapotaient contre le flanc des deux coques d'aluminium. Un peu en retrait dans une clairière, un Noir de haute taille était assis sur la souche sciée d'un chêne, buvant au goulot une bouteille d'alcool d'abricot. A ses pieds étaient posées une miche de pain entamée et une boîte de petites saucisses de Francfort. Il portait des chaussures de course Adidas, un pantalon de coton blanc taché et un maillot de corps orange. La poitrine et les épaules étaient couvertes d'une toison de minuscules boucles de poils noirs. Il avait la peau plus noire que la plupart des gens de couleur du sud de la Louisiane, et il devait avoir une demi-douzaine de bagues en or sur ses longs doigts. Il se plaça deux doigts de tabac sous la lèvre et me regarda sans dire un mot. Ses yeux étaient rouges sous l'ombrage moucheté de lumière des chênes. Je pris pied sur la berge et avançai dans la clairière.

— Quel est le problème, podna ? dis-je.

Il avala une nouvelle gorgée d'alcool et ne répondit pas.

— Batist m'a dit que vous étiez passé sur un banc de sable.

Il ne répondit toujours pas.

— Vous entendez bien ce que je dis, podna ? dis-je en lui souriant.

Mais il se refusait à me parler.

— Eh bien, allons jeter un coup d'œil, dis-je. Si ce n'est qu'une goupille, je vais réparer ça et vous pourrez repartir. Mais si vous avez faussé l'hélice, il faudra que je vous prenne en remorque et j'ai peur de ne pas pouvoir vous donner un autre bateau.

Je le regardai une nouvelle fois avant de faire demi-tour pour me diriger vers le bord de l'eau. Je l'entendis qui se mettait debout et brosser les miettes de ses vêtements, puis j'entendis le gargouillis de la bouteille de cognac, comme si on venait de la basculer, et à l'instant précis où je me retournais avec la conscience terrible et futile que quelque chose n'était plus à sa place, j'aperçus à nouveau les yeux rouges rétrécis en fentes et la bouteille meurtrière qui descendait sur moi dans sa longue main noire.

Il me toucha sur le bord du crâne et je sentis la bouteille me racler la peau en rebondissant sur l'épaule. Je m'effondrai au sol à quatre pattes, comme si l'on venait soudain de me balayer les deux jambes d'un coup de pied. J'avais la mâchoire béante, les yeux qui refusaient de se mettre au point, et les oreilles qui rugissaient d'un fracas infernal. Je sentis le sang me dégouliner sur le côté du visage.

Puis, d'un mouvement banal, presque méprisant de tout le corps, l'homme me chevaucha par-derrière, à califourchon, me souleva le menton d'une main, de manière à ce que je voie le rasoir-sabre ouvert à manche nacré qu'il tenait devant mes yeux, et finalement inséra le fil du rasoir entre la limite des cheveux et l'arrière de l'oreille. Il sentait l'alcool et le tabac. Je vis les jambes d'un autre homme sortir du couvert des arbres.

— Ne lève pas les yeux, mon ami, dit l'autre homme, avec un accent qui pouvait être ou de Brooklyn, ou des quartiers prolos irlandais de La Nouvelle-Orléans. Ça changerait tout pour nous. Et tu te retrouverais vraiment mal. Toot est très sérieux avec son rasoir. Il te découperait les oreilles comme un sculpteur. T'aurais la tête comme un mannequin.

Il alluma une cigarette à l'aide d'un briquet qu'il referma d'un claquement. A l'odeur, on aurait dit une Picayune. Du coin de l'œil, je vis ses bottes de cow-boy en daim mauve, un pantalon gris, et une main blanche garnie d'un bracelet en or.

— Les yeux en avant, connard. Je ne le répéterai pas, dit-il. Tu peux te sortir de là facile ou bien Toot peut te taillader la poitrine d'un téton à l'autre. Il adorerait te faire ça. Il était *tonton macoute* à Haïti. Il passe une nuit par mois dans une tombe pour ne pas perdre le contact avec les esprits. Dis-lui ce que tu as fait à la nana, Toot.

— Tu parles trop. Finis-en. Je veux manger, dit le Noir.

— Toot tenait en réserve tout un paquet de surprises pour elle, dit le Blanc. C'est un mec qui a de l'imagination. Il a ramené un paquet de photos Polaroïd d'Haïti. Tu devrais les voir. Devine ce qu'il lui a fait.

Je suivis des yeux une goutte de mon sang glisser de mes cils et tomber au sol pour se briser comme une petite étoile rouge dans la poussière.

— Devine, dit-il encore, avant de me donner un coup de pied violent dans la fesse droite.

Je serrai les dents et sentis les mottes de terre s'enfoncer dans la paume de mes mains.

— T'as des saletés dans les oreilles, hein ? dit-il en me frappant de la pointe de sa botte dans la cuisse.

— Va te faire foutre, mon pote.

— Quoi ?

— T'as bien entendu. Pour tout ce que tu me feras aujourd'hui, je réglerai mes comptes avec toi. Si je ne peux pas le faire, mes amis le feront à ma place.

— J'ai quelque chose à t'apprendre. Tu peux encore parler parce que je suis de bonne humeur. Deuxièmement, tu t'en prends à toi-même pour ce qui t'arrive, connard. Quand tu commences à t'adresser à des putes qui ne sont pas les tiennes, quand tu fourres le nez dans la merde des autres, faut que tu paies l'homme. C'est ça, les règles. Un vieux cloporte de la Criminelle comme toi, ça devrait être au courant. Voici les infos de dernière minute. La petite camée s'en est tirée facile. Toot voulait lui transformer la figure en l'un de ses Polaroïd. Mais cette nana, c'est du pognon sur le bitume, y'a des gens qui dépendent d'elle, alors, de temps en temps, il faut bien laisser filer, tu vois ce que je veux dire ? Alors, il lui a mis le doigt dans la porte et le lui a cassé.

Hé, dit-il d'un ton presque heureux, ne prends pas l'air triste. Je peux te le dire, ça ne l'a pas dérangée. Elle était contente. C'est une fille qui a de la jugeote, elle connaît les règles. C'est vraiment pas de chance, je dois dire, que tu n'aies pas une petite chatte entre les jambes, pasque toi, t'es pas du pognon sur le bitume.

— Finissons-en, dit le Noir.

— T'es pas pressé, hein, Robicheaux ? Hein ? dit-il en m'allongeant un coup de botte dans les parties génitales.

Le sang dégoulina de mes paupières et moucheta la poussière.

— Okay, je vais faire ça vite, puisque tu commences à me faire penser à un chien, à te voir comme ça à quatre pattes, dit-il. T'as une maison, t'as ton affaire de bateaux, t'as une femme, t'as tout un tas de raisons d'être reconnaissant. Alors, ne va pas fourrer le nez dans la merde des autres. Reste chez toi et fais joujou avec bobonne et tes petits vers. Si tu ne vois pas ce que je veux dire, imagine-toi en train de baiser une femme qui n'aurait plus de nez.

— Et maintenant, on va lui faire payer l'addition, au bonhomme, Toot.

Je sentis se lever la pression du rasoir derrière mon oreille, puis la botte du Blanc me déchira entre les cuisses et vint exploser contre mon scrotum. Un foyer brûlant s'ouvrit dans mes entrailles, un fer de cornière vint se tordre dans mon ventre et un son qui n'était plus ma voix s'échappa en rugissant de ma gorge. Puis, pour faire bonne mesure, alors que je tremblais de tout le corps, accroupi sur les genoux et les coudes, haletant comme un animal éventré, le Noir se recula d'un pas et me fracassa la bouche en un coup de pied tombé avec la grâce d'un danseur de ballet.

Je gisais au sol, sur le flanc, roulé en boule comme un fœtus, le sang dégoulinant de ma bouche, et je les vis qui s'éloignaient à travers les arbres, comme deux amis dont la journée ensoleillée venait d'être momentanément interrompue par une tâche insignifiante.

* * *

Je regardai par la porte de l'hélico dans la lumière brillante du matin, alors que nous décollions au-dessus des banians dans un nuage de poussière, et je vis les herbes à éléphant se rompre et s'aplatir sous notre appareil, comme si quelque pouce géant venait de les meurtrir sous sa pression. Puis l'air se rafraîchit soudain, finie cette chaleur de fournaise, et notre course nous emporta au-dessus des champs, l'ombre de notre appareil balayant devant nous de ses zébrures rizières, fossés et digues d'irrigation, chemins de terre jaunâtres encombrés de charrettes et de cyclistes. Le toubib, un môme de New York d'origine italienne, me colle une seringue de morphine et me lave la figure à l'eau de son bidon. Il a la poitrine nue, il est trempé de sueur, et son ventre rond est barré d'élastiques tendus en araignées. Dites au revoir à Merde-La-Ville, lieutenant, dit-il... vous rentrez chez vous, toujours vivant, en 65. Je sens l'odeur fétide de mes blessures, l'urine qui a séché sur mon pantalon, pendant que je contemple la géographie de ce qui fut mon histoire ces dix derniers mois qui défilent sous nos yeux : le village rasé par les flammes sous les nuages de cendres qui s'en élèvent en fines poussières sous le vent chaud ; un fossé d'irrigation à la digue béante comme une plaie déchiquetée à la face de la terre, là où nous les avons épinglés avant de les faire frire tout vifs avec nos lance-flammes blindés ; la digue brisée, la rizière desséchée, cuite par le soleil, portant encore les crevasses des obus de mortier, là où ils nous ont verrouillés au sol sur nos deux flancs avant de traverser nos lignes comme une tempête de feu. Hé, lieutenant, ne vous touchez pas là, est en train de me dire le toubib. Je veux dire, c'est un vrai foutoir, votre blessure.

Vous ne pouvez plus vous permettre de perdre encore du sang. Vous voulez que je vous attache les mains ? Ils ont des blocs frigo au poste médical. Du plasma. Hé, tenez-lui les poignets, nom de Dieu ! Il s'est complètement déchiré, tout est ouvert.

* * *

— C'est un sac de glace que vous sentez là, me disait le médecin.

Il était grisonnant, le corps lourd, des lunettes sans monture sur le nez, une blouse verte et un T-shirt sur le dos.

— Cela diminuera l'enflure de manière conséquente. On dirait que vous avez bien dormi. La piqûre que je vous ai faite, c'était du costaud. Avez-vous fait des rêves ?

A voir le soleil sur les chênes au-dehors, je devinai que l'après-midi tirait à sa fin. Les glycines et le myrte en fleurs sur la pelouse de l'hôpital ondulaient sous la brise. Le pont-levis du Bayou Teche était relevé, et le bateau-promenade à double pont était en train de passer dessous, la roue à aubes dégoulinant d'eau et de lumière.

J'avais la bouche sèche, et l'intérieur de ma lèvre me donnait l'impression d'être tissé de fils.

— J'ai dû vous placer neuf points de suture sur le crâne et six à l'intérieur de la bouche. Ne mangez pas de tablettes au caramel et aux cacahuètes pendant un moment, dit-il avant de sourire.

— Où est Annie ? demandai-je avec difficulté.

— Je l'ai envoyée chercher une tasse de café. Elle sera de retour dans une minute. Le gars de couleur est là aussi, il attend dehors. C'est un costaud, pas vrai ? Il vous a transporté sur quelle distance ?

Il me fallut mouiller de salive la rangée de points de suture à l'intérieur de la lèvre avant de répondre.

— Environ cinq cents mètres, jusqu'aux quatre-coins. Est-ce que le bas-ventre est gravement atteint, Doc ?

— Il n'y a pas eu éclatement, si c'est ce que vous voulez savoir. Gardez ça à l'abri de vos pyjamas pendant une paire de nuits et tout ira bien. Où avez-vous récupéré les cicatrices que vous avez autour des cuisses ?

— Sur le champ de bataille.

— Je pensais bien avoir reconnu leur technique. On dirait qu'il en reste encore des fragments à l'intérieur.

— Il m'arrive de déclencher les détecteurs de métaux des aéroports.

— Bon, nous allons vous garder chez nous cette nuit, et vous pourrez rentrer demain matin à la maison. Vous voulez voir le shérif tout de suite, ou plus tard ?

Je n'avais pas vu l'autre homme, installé dans un fauteuil en cuir à un coin de la chambre. Il était vêtu d'un uniforme réglementaire marron, le chapeau de service soigneusement brossé sur les genoux, et se tenait penché vers l'avant dans une attitude très respectueuse. Il était jadis propriétaire d'un magasin de nettoyage à sec en ville, avant que quelqu'un ne le convainque de postuler pour devenir shérif. Les flics de campagne avaient beaucoup changé ces vingt dernières années. Lorsque j'étais gamin, le shérif portait un complet bleu avec gilet et une grosse montre de cheminot avec chaîne ainsi qu'un lourd revolver dans sa poche de veste. Il ne se préoccupait pas des bordels de Railroad Avenue et des machines à sous qu'on trouvait à travers toute la paroisse d'Iberia, pas plus qu'il ne se souciait beaucoup des bandes de jeunes Blancs qui allaient casser du Nègre le samedi soir. Il inclinait son John B. Stetson devant une dame de race blanche sur Main, et s'adressait à une Négresse âgée comme si c'était un poteau de bois. Celui-ci était président de l'Association des Commerçants du Centre Ville.

— Tu sais qui ils étaient, Dave ? dit-il.

Le visage portait les rides d'expression doucement tirées vers le bas qui étaient la marque du début de la vieillesse chez la plupart des hommes d'Acadie. Les joues laissaient entrevoir un réseau de minuscules veines rouges et bleues.

— Un Blanc du nom d'Eddie Keats. Il est propriétaire de quelques bars à Lafayette et La Nouvelle-Orléans. L'autre mec est un Noir. Il s'appelle Toot.

J'avalai une gorgée d'eau au verre disposé sur la table.

— C'est peut-être un Haïtien. Tu connais quelqu'un qui ressemble à ça dans le coin ?

— Non.

— Tu connais Eddie Keats ?

— Non. Mais on peut faire passer un avis de recherche sur lui.

— Ça ne servira à rien. Je n'ai jamais pu voir son visage. Je serais incapable de le reconnaître à une séance d'identification.

— Je ne comprends pas. Comment sais-tu que c'était Keats, le mec ?

— Il est venu farfouiller du côté de chez moi hier. Appelle l'agent du SRS à Lafayette. Il a un dossier sur lui. Il arrive au mec de travailler pour Bubba Rocque.

— Eh ben mon gars !

— Ecoute, tu peux ramasser Keats comme suspect. Il est censé faire des boulots d'homme de main, de la petite bière. Agrafe-le dans son automobile, et tu pourras peut-être mettre la main sur quelque chose. Un peu d'herbe, une arme planquée, des cartes de crédit volées. Des empaffés comme lui, ça laisse toujours traîner des trucs dans les coins.

Je bus à nouveau au verre d'eau et appuyai la tête contre l'oreiller. J'avais l'impression que mon scrotum, avec le sac de glace qui le soutenait, était gros comme une boule de bowling.

— Je ne suis pas sûr de ça. C'est la paroisse de Lafayette là-bas. C'est un peu comme de partir à la pêche sur l'étang de quelqu'un d'autre.

Il me regarda d'un air paisible, comme si je devais comprendre.

— Tu veux le voir revenir ici ? dis-je. Parce que c'est ce qui se passera, si tu ne lui fais pas passer le message à la dure.

Il resta un instant silencieux avant d'écrire quelque chose sur son calepin et de remettre crayon et calepin dans la pochette de sa chemise dont il reboutonna le rabat.

— Bon, je passerai un coup de fil au SRS et au bureau du shérif de Lafayette, dit-il. Nous verrons bien ce qui se passera.

Puis il me posa d'autres questions, dont la plupart n'étaient qu'un regain de réflexions après coup, sans grande logique ni pertinence, questions d'amateur plein de bonnes intentions qui ne voulait pas paraître indifférent. Je ne répondis pas lorsqu'il dit au revoir.

Mais je m'attendais à quoi ? Moi-même je n'arrivais pas à être certain que le Blanc était bien Eddie Keats. La Nouvelle-Orléans était pleine de gens de la même origine italo-irlandaise qui vous donnait cet accent qu'on associait habituellement à Brooklyn. J'avais admis que je ne serais pas capable de le reconnaître au milieu d'autres personnes au cours d'une identification, et je ne savais rien du Noir si ce n'est qu'il s'appelait Toot et qu'il dormait dans un tombeau. Qu'est-ce qu'un ex-blanchisseur vêtu comme un livreur de Fritos était censé faire avec tout ça ? Je me posai la question.

Mais j'avais peut-être bien au fond de moi quelques tendances obscures que je me refusais à reconnaître. Je savais la manière dont les flics du cru auraient réglé le problème d'Eddie Keats et tous ceux de son acabit vingt années auparavant. Un duo de flics en civil, deux bougnoules bien vicieux (ils étaient habituellement vêtus de complets J. C. Higgins qui les faisaient ressembler à des canards en habits) seraient allés à son bar, auraient balancé sa licence de vente d'alcool dans les toilettes, bousillé toutes les vitres de sa voiture à la matraque, puis ils lui auraient pointé un canon de revolver entre les deux yeux, appuyé sur la gâchette et le chien aurait percuté une chambre vide.

Non, je ne les aimais pas bien à cette époque-là ; je ne les aimais toujours pas aujourd'hui. Mais la tentation était forte.

Batist fit son entrée, sentant le vin et le poisson, avec, à la main, quelques fleurs dont je soupçonnais qu'il les avait prises dans un vase du hall d'entrée, qu'il mit dans une bouteille de Coca-Cola. Lorsque je lui dis que le Noir du nom de Toot était peut-être bien un *tonton macoute* d'Haïti, adepte de la magie noire, Batist le confondit avec le *loup-garou*, l'équivalent pour le bayou d'un vampire, et il était convaincu que nous devrions voir un *traiteur* afin de retrouver ce *loup-garou* et de lui remplir la bouche et les narines de terre prise sur une tombe de sorcière. Il vit mes yeux s'éclairer à la vue de la pinte de vin, entortillée jusqu'au goulot d'un sac en papier brun, qui ressortait de la poche arrière de sa salopette, et il se plaça latéralement dans son fauteuil pour s'interposer dans mon champ de vision, mais la bouteille tinta bruyamment en cognant le bras du fauteuil. L'expression de son visage se chargea d'un air coupable.

— Hé, podna, depuis quand te sens-tu obligé de te cacher devant moi ?

— Mi, je devrais pon' boir', quand y faut que je dois m'occuper de Mlle Annie et de la petite fille.

— J'ai confiance en toi, Batist.

Ses yeux se détournèrent des miens et ses grosses mains se firent maladroites sur ses genoux. En dépit du fait que je le connaissais depuis mon enfance, il se sentait toujours mal à l'aise lorsque je lui parlais d'homme à homme, en confidence, moi, un Blanc.

— Où se trouve Alafair en ce moment ? dis-je.

— 'Vec ma femme et ma fille. Al va bien, y'a pas t'en faire, non. Te sais qu 'al parle français, elle ? On prépare des torpilles[1], je dis *pain*, al' sait qu'ça veut dire "pain", ouais. J'dis *sauce piquante*, al' sait qu'ça veut dire "sauce au piment". Ça se fait comment qu'al sait tout ça, Dave ?

— La langue espagnole a beaucoup de mots comme les nôtres.

1. Très gros sandwich avec poisson, œufs, viande et même légumes.

— Oh ! dit-il en restant songeur un moment. Puis, comment ça se fait-y, ça ?

Annie franchit le seuil de la porte et m'épargna une discussion impossible. Batist se montrait obsédé par la volonté de comprendre toute information étrangère à son univers, mais en règle générale, il lui fallait la détailler et la réduire en pièces jusqu'à pouvoir finalement l'intégrer à son étrange cadre de références afro-créole-acadien, ce cadre qui lui était aussi naturel que le fait de porter une pièce de dix cents autour de la cheville pour éloigner les *gris-gris*, maléfices lancés par un *traiteur* ou jeteur de sorts.

Annie resta avec moi jusqu'au soir pendant qu'au-dehors la lumière se faisait plus douce et les ombres plus profondes sur la pelouse ; le ciel d'Ouest virait au roussâtre et à l'orangé comme une flamme de produits chimiques, et les mômes du lycée descendaient les trottoirs pour aller assister à la partie de base-ball de la Légion américaine dans le parc. A travers la fenêtre ouverte, je sentais les feux des barbecues et les arroseurs des pelouses, les fleurs de magnolia et les jasmins s'épanouissant au soir. Puis le ciel s'obscurcit, et les nuages de pluie au sud se mirent à battre au rythme des zébrures des éclairs, blancs comme des réseaux de veines.

Annie s'était étendue près de moi et me caressait la poitrine, frôlant mon visage de ses doigts avant de m'embrasser sur les paupières.

— Enlève-moi cette poche de glace et pousse le fauteuil contre la porte.

— Non, Dave.

— Si, tout va bien. Le docteur a dit qu'il n'y avait aucun problème.

Elle m'embrassa sur l'oreille avant de murmurer :

— Pas ce soir, mon petit chéri.

Je me sentis déglutir.

— Annie, s'il te plaît, dis-je.

Elle se redressa sur un coude et me regarda en face avec un air curieux.

— Qu'est-ce qu'il y a ? dit-elle.
— J'ai besoin de toi. Tu es ma femme.
Elle fronça les sourcils et ses yeux battirent d'avant en arrière pour se plonger dans les miens.
— Dis-moi ce qu'il y a, dit-elle.
— Tu veux savoir ?
— Dave, tu es toute ma vie. Comment pourrais-je ne pas vouloir savoir ?
— Ces fils de putes m'ont fait mettre à quatre pattes et ils m'ont travaillé au corps comme ils l'auraient fait d'un chien.
Je vis la douleur dans son regard. Sa main se porta sur ma joue puis ma gorge.
— Quelqu'un les attrapera. Tu le sais, dit-elle.
— Non, ils chassent en terrain réservé. Ce sont des salopards de première, et ils n'ont rien en face d'eux de plus sérieux à affronter qu'un blanchisseur en costume de shérif.
— Tu as laissé tomber. Nous avons une belle vie aujourd'hui. C'est ici que tu as toujours voulu revenir. Tout le monde en ville t'aime et te respecte, et les gens qui vivent sur le bayou sont des amis comme tout le monde rêverait d'en avoir. Et aujourd'hui, en plus, nous avons Alafair. Comment peux-tu laisser deux criminels mettre tout ça en danger ?
— Ça ne fonctionne pas de cette manière.
— Si, si tu considères un instant toutes les bonnes choses de ta vie au lieu des mauvaises.
— Est-ce que tu veux bien pousser ce fauteuil contre la porte ?
Elle ne dit plus rien, le visage paisible et réfléchi. Elle éteignit la lumière de la table de nuit et poussa le lourd fauteuil de cuir jusqu'à ce qu'il vienne se coincer sous le bouton de porte. A la lueur de la lune par la fenêtre, les boucles dorées de sa chevelure donnaient l'impression de se moucheter d'argent. Elle tira le drap et enleva la poche de glace avant de me toucher de sa main. Sous la douleur, mes genoux se soulevèrent avec violence.

Je l'entendis qui soupirait en allant se rasseoir au bord du lit.

— Va-t-il falloir nous battre l'un contre l'autre chaque fois que nous aurons un problème ? dit-elle.

— Je ne me bats pas avec toi, fillette.

— Si, c'est ce que tu fais. Tu ne peux pas te libérer du passé, Dave. On te fait mal, ou bien tu vois quelque chose de mal autour de toi, et toutes tes bonnes vieilles manières d'antan te reprennent.

— Je n'y peux rien.

— Peut-être bien. Mais tu n'es plus tout seul.

Elle me prit la main et s'allongea à côté de moi.

— Il y a moi, et il y a maintenant Alafair, en plus.

— Je vais te dire l'impression que l'on éprouve, je ne t'en dirai pas plus. Tu te rappelles, lorsque je t'ai parlé de ces soldats de l'armée régulière du Nord-Viêt-nam, quand ils nous ont submergés par le nombre et que le capitaine s'est rendu ? Ils nous ont attaché les mains avec de la corde à piano autour des arbres et, l'un après l'autre, ils nous ont uriné dessus. Voilà l'impression que l'on éprouve.

Elle resta silencieuse un long moment. J'entendais le souffle de sa respiration dans l'obscurité. Puis elle prit une profonde inspiration qu'elle relâcha avant de placer le bras sur ma poitrine.

— J'éprouve quelque chose de très violent au fond de moi, Dave, dit-elle.

Il n'y avait rien d'autre à ajouter. Comment aurait-il pu en être autrement ? Même les plus chaleureux des amis, les plus affectueux parmi les membres de la famille d'une victime d'agression rouée de coups, ne pourraient pas comprendre ce dont l'individu en question est en train de faire l'expérience. Au fil des années, j'avais interrogé des personnes molestées par des pervers sexuels, agressées par des loubards, passées à tabac et abattues par des psychopathes, violées à tour de rôle et sodomisées par des motards hors-la-loi. Elles avaient toutes cette même expression éteinte, ces mêmes yeux qui sombraient, elles partageaient toutes cette même conviction qu'elles méritaient leur destin d'une manière ou d'une autre et qu'elles étaient absolument seules au monde. Et souvent nous leur rendions leur douleur et leur humiliation plus grandes encore en attribuant la responsabilité de leurs souffrances à leur propre manque de prudence, de manière à nous garder psychologiquement invulnérables nous-mêmes.

Je me montrais injuste envers Alafair. Elle avait payé plus que sa part, mais il est des moments où vous vous sentez très seul en ce monde, où vos propres réflexions vous écorchent la peau en vous fouettant lentement, centimètre par centimètre. C'était l'un de ces moments-là.

Je ne dormis pas cette nuit-là. Mais il faut dire que l'insomnie était une de mes vieilles compagnes.

Deux jours plus tard, l'enflure entre mes jambes avait diminué et j'étais capable de marcher sans donner l'impression de chevaucher une clôture. Le shérif revint me voir au ponton à bateaux et me dit qu'il avait contacté la police municipale de Lafayette et Minos P. Dautrieve au SRS. Lafayette avait envoyé deux inspecteurs interroger Eddie Keats au bar de ce dernier, mais Eddie prétendait qu'il avait emmené deux de ses danseuses faire de la voile le jour où je me faisais passer à tabac, et les deux danseuses avaient confirmé son récit.

— Est-ce qu'ils vont accepter ça ? dis-je.

— Que veux-tu qu'ils fassent d'autre ?

— Qu'ils enquêtent pour découvrir où se trouvaient les filles il y a deux jours de ça.

— Sais-tu combien d'affaires ces gars-là ont sur les bras ?

— Ça ne me touche pas, shérif. Les gens comme Keats viennent chez nous parce qu'ils sont convaincus d'être en territoire conquis. Qu'est-ce que Minos P. Dautrieve a eu à dire ?

Le visage du shérif se colora et la peau à la commissure des lèvres s'étira légèrement pour se changer en sourire.

— Je crois qu'il a dit que tu ferais bien d'amener tes fesses à son bureau, répondit le shérif.

— C'était ses propres paroles ?

— Je crois bien.

— Pourquoi est-il aussi furieux après moi ?

— J'ai l'impression qu'il croit que tu fourres le nez dans une affaire fédérale.

— Sait-il quelque chose au sujet d'un Haïtien, un dénommé Toot ?

— Non. Je suis passé par Baton Rouge et par le Centre national d'Information criminelle à Washington, et je n'ai rien pu trouver non plus.

— C'est probablement un clandestin. Il n'y a rien sur lui dans les dossiers, dis-je.

— C'est aussi ce qu'a dit Dautrieve.

— C'est un flic intelligent.

Je vis une légère expression de gêne traverser le regard du shérif, et je me sentis instantanément désolé pour ma remarque.

— Eh bien, je te promets de faire tout mon possible pour toi, Dave, dit-il.

— Je te suis reconnaissant pour tout ce que tu as fait.

— J'ai peur de n'avoir pas fait grand-chose.

— Ecoute, il est difficile d'expédier ces mecs-là au trou, dis-je. J'ai travaillé pendant deux ans sur une affaire, un homme de main du syndicat qui avait fait tomber sa femme du balcon du troisième dans la piscine vide. Il est allé jusqu'à me dire que c'était bien lui qui l'avait fait. Il s'en est sorti comme une fleur, parce que nous avions emporté le journal de sa femme de son appartement sans avoir de mandat. Qu'en dis-tu ? Joli travail pour une enquête criminelle de première, non ? Chaque fois que je le rencontrais dans un bar, il me faisait servir un verre à ma table. Sensation agréable, je t'assure.

Il sourit et me serra la main.

— Une chose encore avant que je parte, dit-il. Un dénommé Monroe de l'Immigration se trouvait hier dans mon bureau. Il posait des questions à ton sujet.

Le soleil brillait clair sur le bayou. Les chênes et les cyprès dans le lointain faisaient des ombres marquées sur la berge.

— Il est passé me voir ici le lendemain du jour où l'avion s'est écrasé à Southwest Pass, dis-je.

— Il a demandé s'il y avait une petite fille qui vivait chez vous.

— Qu'est-ce que tu lui as dit ?

— Je lui ai dit que je n'en savais rien. Je lui ai dit aussi que ce n'était pas mes oignons. Mais j'ai eu l'impression qu'il ne s'intéressait pas vraiment à la petite fille. Tu lui poses problème pour une raison ou pour une autre.

— Je lui ai fait passer un mauvais quart d'heure.

— Je ne connais pas bien les fédéraux, mais je ne pense pas qu'ils fassent la route depuis La Nouvelle-Orléans rien que parce que quelqu'un, propriétaire d'un bassin de pêche, leur fait passer un mauvais quart d'heure. Qu'est-ce qu'il cherche, ce gaillard-là, Dave ?

— Je ne sais pas.

— Ecoute, je ne veux pas te dire ce que tu dois faire, mais si toi et Annie, vous essayez de tirer d'affaire une petite fille qui n'a plus de parents, pourquoi vous ne laisseriez pas les gens vous aider, eux aussi ? Les habitants du coin ne laisseront personne l'emmener.

— Mon père avait coutume de dire qu'un poisson-chat avait des moustaches pour ne jamais pénétrer à l'intérieur d'un tronc creux dans lequel il ne pourrait pas faire demi-tour. Je n'ai pas confiance dans ces gens de l'Immigration, shérif. On joue la partie sur leur terrain et on est sûr de perdre.

— Je crois que parfois il t'arrive de voir les choses en noir, Dave.

— Tu peux en être convaincu, dis-je.

Je le suivis des yeux alors qu'il s'éloignait sur le chemin de terre sous la voûte des chênes. Je pianotai des doigts sur la rambarde de bois chaud qui courait le long du ponton, puis remontai jusqu'à la maison en compagnie d'Annie et d'Alafair.

* * *

Une heure plus tard, je sortis le 45 automatique et le chargeur garni de balles à tête creuse de la commode et les emportai, toujours enveloppés de leur serviette, jusqu'à la camionnette, où je les rangeai dans la boîte à gants. Annie m'observait depuis le porche d'entrée, le bras appuyé contre un poteau de bois dont la peinture avait disparu. Je voyais ses seins se soulever sous la chemise de toile.

— Je vais à La Nouvelle-Orléans. Je serai de retour ce soir, dis-je.

Elle ne répondit pas.

— Cette affaire ne va pas se régler d'elle-même, dis je. Le shérif, c'est le gars gentil, mais il devrait plutôt s'occuper à ôter les taches sur la veste de sport d'un client. Les fédés n'ont pas la juridiction pour les affaires d'agression. Les flics de Lafayette n'ont pas le temps d'enquêter sur les crimes de la paroisse d'Iberia. Cela signifie que nous tombons au beau milieu des crevasses du système. Qu'il aille se faire foutre, leur système.

— Je suis sûre que tout ça a un sens, d'une certaine manière. Tu sais, hourrah et vive le pénis et tout ça. Mais je me demande si Dave ne raconte pas de craques à Dave pour qu'ils puissent tous les deux repartir sur le sentier de la guerre.

Son visage était vide, sans la moindre trace d'allégresse.

— J'ai besoin de tirer un peu d'argent de nos économies pour aider quelqu'un, dis-je. Je le remettrai le mois prochain.

— Qu'est-ce que je peux ajouter ? Comme le disait ta première femme : "Garde-la fière et bien raide, podjo" dit-elle avant de rentrer à la maison.

Le souffle du vent dans les pacaniers me parut assourdissant.

* * *

Je refis le plein de la camionnette au ponton, puis, après coup, retournai à l'intérieur de la boutique à appâts, m'installai devant le comptoir avec un Dr Pepper et appelai Minos P. Dautrieve au SRS à Lafayette. Pendant que le téléphone sonnait, je contemplais les feuilles vertes qui flottaient sur le bayou.

— J'ai cru comprendre que vous vouliez que je ramène mes fesses dans votre bureau, dis-je.

— Ouais, c'est quoi ce bordel qui se passe là-bas ?

— Pourquoi ne faites-vous pas un saut jusqu'ici pour le découvrir ?

— Vous avez une drôle de voix.

— J'ai des points de suture dans la bouche.

— Ils vous ont tabassé quelque chose de bien, hein ?

— Qu'est-ce que c'est que ce truc, vous voulez que je me ramène les fesses chez vous ?

— Je suis curieux. Pourquoi un groupe de trous duc' fourgueurs de cames et pourvoyeurs de putes s'intéresseraient-ils tellement à vous ? Je crois que vous avez peut-être mis le doigt dans quelque chose dont nous ne savons rien.

— Ce n'est pas le cas.

— Je pense aussi qu'il est possible que vous ayez encore l'illusion d'être officier de police.

— Vous déformez un petit peu la réalité des choses. Quand un mec se fait défoncer les *cojones* et la figure à coups de pied, c'est lui qui devient la victime. Et ce sont les mecs qui lui défoncent les *cojones* et la figure, les criminels. C'est eux les mecs qui vous rendent furieux. Le but est de les envoyer en prison.

— Le shérif a dit que vous étiez incapable d'identifier Keats.

— Je n'ai pas vu son visage.

— Et vous n'aviez jamais vu le Zoulou auparavant ?

— Keats, ou qui qu'ait pu être le Blanc, a dit que c'était un ancien *tonton macoute* de Baby Doc.

— Que voulez-vous que nous fassions, en ce cas ?

— Si je me souviens bien de notre première conversation, vous alliez tous prendre les choses en main.

— La chose s'est produite, ce n'est plus la question. Et je n'ai aucune autorité sur ce genre d'agression. Et vous le savez.

Je regardai par la fenêtre les feuilles qui flottaient sur les courants d'eau brune.

— Est-ce qu'il vous arrive jamais de saler la veine ? dis-je.

— Vous voulez dire, coller de la came sur un suspect pour l'entôler ? vous êtes sérieux ?

— Epargnez-moi le couplet boy-scout. J'ai une femme et une autre personne à la maison et elles sont en danger. Vous avez dit que vous alliez prendre les choses en mains. Vous n'avez rien en mains du tout. Au lieu de cela, j'ai droit à la petite leçon en cours, comme quoi c'est moi le problème dans toute cette histoire.

— Je n'ai jamais dit ça.

— Ce n'est pas la peine que vous le disiez. Un rassemblement de retardés sans morale fait circuler des millions de dollars de drogue à travers les bayous, et vous n'en épinglez probablement même pas un sur cinquante. C'est frustrant. Ça fait mauvais effet sur le rapport mensuel. Vous vous demandez si on ne va pas bientôt vous transférer à Fargo. Alors vous faites beaucoup de bruit sur les civils qui viennent se mêler de vos affaires.

— Je n'aime pas votre manière de vous adresser à moi, Robicheaux.

— C'est vraiment pas de chance. C'est moi le mec aux points de suture. Si vous voulez faire quelque chose pour moi, trouvez donc un moyen d'agrafer Keats.

— Je suis désolé que vous vous soyez fait tabasser. Je suis désolé que nous ne puissions faire plus. Je comprends votre colère. Mais vous avez été flic et vous connaissez vos limites. Alors que diriez-vous de laisser tomber votre numéro de grand médaillé pour blessures au front ?

— Vous m'avez dit qu'il y avait des racoleuses qui travaillaient dans les bars de Keats. Demandez aux poulets du coin d'aller garer leurs voitures de patrouille en face de ses bars plusieurs nuits d'affilée. Ses propres patrons lui tomberont sur le dos.

— Nous ne fonctionnons pas de cette manière.

— J'avais l'intuition que vous alliez me dire ça. A vous revoir, collègue. Ne restez pas trop longtemps sur la touche. Tout le monde finira par oublier que vous êtes dans la partie.

— Et vous vous croyez intelligent ?

Je lui raccrochai au nez, finis mon Dr Pepper, et descendis le chemin de terre au volant de ma camionnette, sous le vent chaud qui fouettait les branches au-dessus de ma tête. Le bayou s'était couvert de feuilles, et dans les ombres de la rive la plus éloignée, je voyais les mocassins d'eau[1] endormis sur les branches basses des saules pleureurs, juste au-dessus de la surface languide de l'eau. Je traversai bruyamment le pont-levis pour me diriger vers la ville où je retirai trois cents dollars à la banque, avant de reprendre la route de contournement qui traversait les champs de canne à sucre vers Martinville et d'emprunter la route inter-Etats menant à La Nouvelle-Orléans.

* * *

Le vent soufflait toujours aussi fort alors que je descendais la longue digue bétonnée qui franchissait les marais d'Atchafalaya. Le ciel était toujours d'un bleu tendre, plein de cumulus, de nuages blancs, mais une bonne tempête se préparait au large dans le golfe et je savais qu'avant la soirée, l'horizon sud serait noir et

1. Serpents venimeux.

zébré de pluie et d'éclairs. Je regardai les saules pleureurs noyés plonger sous le vent, la barbe des cyprès morts se relever et tomber, la manière dont la lumière du soleil dansait et venait s'effriter sur l'eau, lorsque la surface s'en ridait soudainement d'une berge à l'autre. Le bassin d'Atchafalaya comprend des centaines de kilomètres carrés de bayous, îlots de saules pleureurs, bancs de sable, feuilles vertes couvertes de boutons d'or, larges baies parsemées de cyprès morts et de plates-formes pétrolifères, bois inondés pleins de mocassins d'eau, d'alligators et de nuages noirs de moustiques. Mon père et moi avions pêché et chassé sur tout le territoire d'Atchafalaya lorsque j'étais gamin, et même par un soir de printemps venteux comme ce soir, nous savions comment prendre brèmes et perches lorsque personne n'en était capable. En fin d'après-midi, nous mettions la pirogue à l'ancre sous le vent, à l'abri d'un îlot de saules, au moment où les essaims de moustiques commençaient à sortir du couvert des arbres, et nous lancions nos bouchons dans l'eau tranquille, tout contre la rangée de nénuphars, attendant que les brèmes et les perches commencent à chasser les insectes. En une heure, notre glacière était pleine de poissons.

Mais ma rêverie de ces jours d'enfance en compagnie de mon père ne réussit pas à chasser les paroles qu'Annie m'avait dites. Elle avait voulu me meurtrir le cœur d'un coup cinglant comme une lanière de fouet et elle était parvenue à ses fins. Mais ce qui me tracassait peut-être plus encore, c'est que je savais qu'elle m'avait blessé, uniquement parce qu'elle portait au fond d'elle une blessure toujours ouverte que rien ne venait soulager. Sa référence à une phrase prononcée par ma première épouse était l'aveu qu'il existait peut-être en moi une différence fondamentale, une fêlure profondément ancrée dans ma personnalité, que ni Annie, ni mon ex-épouse, ni éventuellement aucune femme saine d'esprit ne pourrait jamais véritablement accepter. Je n'étais pas simplement un ivrogne ; j'étais attiré par les violences d'un monde aberrant, à la manière dont un vampire recherche au sein même de la terre quelque recoin obscur pour se mettre à l'abri.

Ma première femme s'appelait Niccole ; c'était une fille de la Martinique, belle, les cheveux sombres, qui aimait les courses de chevaux presque autant que moi. Mais malheureusement, elle aimait l'argent et la société des clubs chics plus encore. J'aurais presque pu lui pardonner ses infidélités de femme mariée, jusqu'à notre découverte, l'un et l'autre, que ses liaisons amoureuses n'étaient pas motivées par le désir physique d'autres hommes, mais plutôt par son mépris pour moi et son dégoût profond des sombres énergies alcooliques qui régissaient mon existence.

Nous étions invités à une soirée en plein air près du lac Ponchartrain et j'avais passé l'après-midi à boire à Jefferson Downs ; j'étais arrivé au point où je ne me souciais même plus d'abandonner le petit bar sous les mimosas de la pelouse pour prétendre m'intéresser aux conversations qui se déroulaient autour de moi. Le vent parfumé faisait bruire les palmes sèches sur le rivage du lac, et j'observais le soleil rouge se coucher sur l'horizon en se reflétant sur le vert qui couvrait la surface de l'eau. Au lointain, les voiliers blancs se dépêchaient sous les giclures d'embruns vers le Southern Yacht Club. Je sentais l'odeur de whisky sur mon visage, cette conscience omnisciente de maîtrise que l'alcool faisait toujours naître en moi, la flamme brillante d'une lucidité métaphysique de visionnaire brûlant derrière mes yeux.

Mais j'avais la manche de crépon de ma veste trempée d'être resté au bar, les mots épais et chargés au sortir de ma bouche, comme s'ils ne m'appartenaient plus, lorsque je demandai un autre Black Jack à l'eau.

Puis je me retrouvai tout à côté de Niccole accompagnée de son amant du moment, un géologue de Houston. L'été, il pratiquait l'alpinisme et il avait un profil de Romain, beau dans sa rudesse, et une poitrine aussi dure qu'une barrique. Comme tous les autres hommes présents, il portait les couleurs douces de cette saison tropicale – chemise pastel, costume de lin blanc, cravate mauve en tricot négligemment dénouée au col. Il commanda deux Manhattan pour elle et pour lui, puis en attendant que le serveur nègre leur prépare leurs verres, il caressa le duvet du bras de Niccole comme si je n'étais pas là.

Par la suite, je restai incapable de décrire avec précision les séries de sensations, de sentiments ou d'événements qui suivirent. Je sentis quelque chose se déchirer sous mon crâne comme un papier journal humide ; je vis son visage surpris plonger soudain ses regards dans le mien ; je le vis se tordre et se convulser lorsque mon poing s'écrasa sur sa bouche ; je sentis ses mains qui essayaient d'agripper ma veste pendant qu'il s'effondrait au sol ; je vis la peur dans ses yeux, une peur véritable, lorsque je lui assénai une volée de coups de poing, avant de lui saisir la gorge entre les deux mains.

Lorsqu'on parvint à me l'arracher, il avait la langue coincée dans la gorge, la peau couleur de cendre et les joues couvertes de filaments de salive rosâtre. Ma femme sanglotait sans pouvoir s'arrêter sur l'épaule du maître de maison.

Lorsque je m'éveillai le lendemain matin sur notre péniche, les yeux tremblant sous la lumière crue qui se reflétait du lac, je trouvai le petit mot qu'elle m'avait laissé :

Mon cher Dave,
Je ne sais pas ce que c'est, ce que tu cherches, mais trois années de mariage avec toi m'ont convaincue que je ne veux pas être là quand tu le trouveras. Désolée pour tout ça. Ainsi que le dit ton copain barman le baratineur, Garde-la fière et bien raide, podjo.

Niccole.

Je suivis l'autoroute qui traversait l'extrémité est du bassin d'Atchafalaya. Des grues blanches prirent leur envol dans la lumière au-dessus des cyprès morts, à l'instant précis où les premières gouttes de pluie venaient creuser de leurs fossettes la surface de l'eau en contrebas de la digue. Je sentais les senteurs de sable humide et de mousse, des fleurs de bougainvillées et de champignons à ombrelle, les odeurs de poisson mort et de boues âcres que soufflait le vent du marais. Un gros saule pleureur au bord de l'eau se prit à ressembler à une chevelure de femme sous le vent.

4

La pluie tombait d'un ciel bleu-noir lorsque je garai mon pick-up en face de l'agence de voyages à La Nouvelle-Orléans. J'en connaissais le propriétaire et il me laissa utiliser sa ligne WATS[1] pour appeler un ami à Key West. Puis j'achetai un aller simple à soixante-dix-neuf dollars pour m'y rendre.

Robin habitait un immeuble d'habitation décrépi, de style créole, qui donnait sur South Rampart. On avait peint en mauve les briques et le mortier fissurés ; les tuiles rouges du toit étaient cassées ; les rambardes des balcons au fer forgé en volutes s'étaient descellées et pendaient en formant des angles bizarres. Les bananiers et les palmiers de la cour donnaient l'impression de n'avoir jamais connu le sécateur, les feuilles et les palmes mortes tintaient bruyamment sous le vent et la pluie. Des enfants à la peau sombre chevauchaient leurs tricycles sur le balcon du premier, les portes des appartements étaient toutes ouvertes et, malgré la pluie, on entendait la cacophonie incroyable des divers pro-

1. Wide Area Telecommunications Service, service de communications à longue distance.

grammes télé de la journée qui se mélangeaient aux musiques latines et aux cris que les habitants s'adressaient les uns aux autres.

Je montai jusqu'à l'appartement de Robin, mais comme je m'approchais de sa porte, un homme entre deux âges, obèse, vêtu d'un complet gris d'homme d'affaires constellé de gouttes de pluie avec, épinglé au revers, un drapeau américain, s'avança vers moi, plissant les yeux sur un petit bout de papier humide qu'il tenait à la main. Je voulais me convaincre que c'était un récupérateur de factures impayées, un employé des services sociaux, un délivreur d'assignations, mais les yeux étaient par trop furtifs, le visage trop nerveux, et ses besoins du moment trop évidents. Il se rendit compte que le numéro d'appartement qu'il cherchait était celui devant lequel je me tenais. Le visage se figea, vide d'expression, comme celui d'un homme qui réalise brutalement qu'il s'est engagé pour une chose à laquelle il n'est pas préparé. Je ne voulus pas me montrer méchant avec lui.

— Elle a quitté la partie, collègue, dis-je.

— Monsieur ?

— Robin n'est pas disponible.

— Je ne vois pas de quoi vous voulez parler.

Le visage s'était encore arrondi, encore plus effrayé.

— C'est bien le numéro de son appartement que vous avez là sur ce bout de papier, n'est-ce pas ? Vous n'êtes pas un habitué, aussi je vous soupçonne d'avoir été envoyé par quelqu'un. Qui était-ce ?

Il essaya de poursuivre son chemin. Je posai doucement la main sur son bras.

— Je ne suis pas policier, je ne suis pas son mari. Je ne suis qu'un ami. Qui était-ce, collègue ? dis-je.

— Un barman.

— Chez Smiling Jack, sur Bourbon ?

— Oui, je crois que c'était là.

— Lui avez-vous donné de l'argent ?

— Oui.

— N'y retournez pas. Il ne vous rendra pas l'argent, de toute manière. Vous comprenez cela ?

— Oui.

Je lâchai son bras et il descendit vivement l'escalier avant de sortir dans la cour balayée par la pluie.

Je regardai par la porte-moustiquaire à l'intérieur de l'appartement obscur de Robin. Un bruit de chasse d'eau résonna dans une pièce du fond. Elle fit son entrée dans le salon, vêtue d'un short blanc et d'un T-shirt Tulane[1] vert, et me vit dans l'embrasure de la porte sur fond de lumière mouillée. L'index de la main gauche était bandé dans une éclisse. Elle me sourit d'un air ensommeillé, et j'entrai. L'odeur épaisse et soporifique de la marijuana m'assaillit les narines. Des volutes de fumée montaient d'un mégot de joint posé dans un cendrier sur la table basse.

— Qu'est-ce qui se passe, Belle-Mèche ? dit-elle d'une voix paresseuse.

— Je viens de chasser un de tes clients, j'en ai peur.

— Qu'est-ce que tu veux dire ?

— Jerry t'a envoyé un cave. Je lui ai dit que tu avais laissé tomber la partie. De façon permanente, Robin. Fillette, tu déménages pour Key West.

— Tout ça, c'est trop dingue. Ecoute, Dave, j'en suis réduite aux tiges et aux graines, si tu vois ce que je veux dire. Je sors, je vais m'acheter un peu de bière. Cocotte, y faut qu'elle s'adoucisse un peu les angles avant d'aller faire rebondir sa marchandise devant ceux qui aiment que ça flotte au balcon. Tu veux m'accompagner ?

— Finie la bière, fini le racolage, pas de Smiling Jack ce soir. Je t'ai pris un billet sur le vol de neuf heures ce soir pour Key West.

— Arrête ton baratin de cinglé, tu veux bien ? Qu'est-ce que je vais aller faire à Key West ? c'est plein de tantouzes.

— Tu vas travailler dans un restaurant dont le propriétaire est un de mes amis. C'est un endroit charmant, à l'extrémité de la jetée, tout au bout de la rue Duval. Des

1. A l'emblème de l'université Tulane de La Nouvelle-Orléans.

gens célèbres viennent y manger. Tennessee Williams était un habitué de l'endroit.

— Tu veux dire le chanteur country ? Wow, super comme boulot.

— Je vais régler mes comptes avec ces mecs pour ce qu'ils nous ont fait, à toi et à moi, dis-je. Quand ce sera terminé, il ne te sera plus possible de rester à La Nouvelle-Orléans.

— C'est pour ça que ta bouche est de travers quand tu parles ?

— Ils m'ont dit ce qu'ils t'avaient fait au doigt. Je suis désolé. C'est ma faute.

— Oublie ça. Ça fait partie des risques de mon métier de scène.

Elle s'assit sur le canapé capitonné et ramassa le mégot du joint, qui n'était plus que cendres en train de se consumer. Elle joua avec le mégot, l'étudia de près, puis le laissa tomber dans le cendrier de verre.

— Fais qu'ils ne reviennent pas. Le Blanc, celui avec ses bottes de cow-boy, il avait avec lui des photos Polaroïd. Seigneur, je ne veux pas m'en souvenir.

— Sais-tu qui sont ces deux mecs ?

— Non.

— Les avais-tu jamais vus auparavant ?

— Non.

— En es-tu certaine ?

— Oui.

Elle serra d'une main les doigts de l'autre.

— Sur les photos, il y avait des gens de couleur attachés dans un sous-sol ou quelque chose comme ça. Ils étaient couverts de sang de la tête aux pieds. Dave, certains parmi eux étaient toujours vivants. Je n'arrive pas à oublier l'expression de leurs visages.

Je m'assis à côté d'elle et lui pris les mains. Elle avait les yeux mouillés de larmes et je sentais son haleine chargée de marijuana.

— Si tu prends cet avion ce soir, tu pourras recommencer une nouvelle vie. Je m'assurerai que tu vas bien et

mon ami t'aidera, et tu laisseras tout ça derrière toi. De combien d'argent disposes-tu ?
— Peut-être deux cents dollars .
— Je t'en donnerai deux cents de plus. Ça te permettra de tenir jusqu'à ton premier chèque de salaire. Mais finies les prises, finis les cachets, finies les piquouzes. Tu comprends ça ?
— Hé, est-ce que ton mec là-bas, c'est un de tes potes des AA ? Parce que je t'ai déjà dit que ce truc-là ne me branchait pas.
— Qui te le demande ?
— J'ai assez d'ennuis comme ça pour qu'un groupe d'ex-poivrots ne vienne pas me prendre la tête en jouant au psy.
— Fais tes propres choix. C'est ta vie, fillette.
— Ouais, mais t'as toujours quelque chose derrière la tête. Tu aurais dû être prêtre. Tu vas toujours à la messe ?
— Bien sûr.
— Tu te rappelles la fois où tu m'as emmenée à la messe de minuit à la cathédrale St Louis ? On a ensuite traversé le parc pour aller manger des beignets au Café du Monde. Tu sais, j'ai cru que peut-être tu étais sérieux à mon sujet, cette nuit-là.
— J'ai une ou deux questions à te poser avant que je parte.
— Bien sûr, pourquoi pas ? La plupart des mecs ne s'intéressent qu'à mes boîtes à lait. Toi, tu débarques comme un agent de recensement.
— Je suis sérieux, Robin. Te souviens-tu d'un dénommé Victor Romero ?
— Ouais, je crois que oui. Il traînait ses guêtres avec Johnny Dartez.
— D'où est-il ?
— D'ici.
— Que sais-tu de lui ?
— C'est un petit mec à la peau sombre, et il porte les cheveux longs, des cheveux noirs et bouclés qui pen-

douillent. Il porte un béret français comme s'il était artiste ou quelque chose. Sauf que c'est un mauvais numéro. Il vendait du schmeck coupé de mauvaise qualité sur Magazine, et j'ai entendu dire que deux mômes étaient morts avant même d'avoir sorti leur shooteuse de la veine.

— Est-ce qu'il faisait aussi le passeur pour Bubba Rocque ?

— Je ne sais pas. Je m'en fiche. Il y a des mois que je n'ai pas vu le mec. Pourquoi tu t'occupes de merdaillons comme ça ? Je croyais que tu étais rangé, un vrai père de famille. Peut-être que ça ne va pas si bien que ça à la maison.

— Peut-être.

— Et c'est toi tout seul qui vas remettre cocotte dans le droit chemin pour qu'elle puisse aller nettoyer les tables des touristes. Wow !

— Voici le billet d'avion et les deux cents dollars. Le nom de mon ami est écrit sur l'enveloppe. Fais-en ce que tu veux.

Je commençai à me remettre debout, mais elle appuya les mains sur mes bras. Ses gros seins étaient lourds contre le tissu du T-shirt et je savais qu'en secret je partageais la même faiblesse que les hommes qui venaient la regarder tous les soirs chez Smiling Jack.

— Dave ?

— Quoi ?

— Est-ce que tu penses un peu à moi quelquefois ?

— Oui.

— Est-ce que tu m'aimes bien ?

— Tu le sais très bien.

— Je veux dire comme t'aimerais une femme ordinaire, quelqu'un qui ne se promène pas avec une vraie pharmacie ambulante dans les veines.

— Je t'aime beaucoup, Robin.

— Alors reste une minute. Je prendrai l'avion ce soir. Je te le promets.

Puis elle mit un bras en travers de ma poitrine, nicha la tête sous mon menton comme une petite fille, et se pressa tout contre moi. Ses cheveux sombres coupés courts étaient doux, avec une odeur de shampooing, et je sentais ses seins se gonfler contre moi au rythme de sa respiration. Au-dehors, la pluie tombait avec force dans la cour. Je lui frôlai la joue de mes doigts et lui pris la main, puis, un moment plus tard, je la sentis trembler de la tête aux pieds comme si quelque peur aux tensions terribles venait de libérer son corps grâce au sommeil. Dans le silence, je regardai la pluie danser sur le fer forgé des grilles.

Les lumières de néon sur Bourbon ressemblaient à des fumées vertes et mauves sous la pluie. Les Nègres danseurs de rue, aux chaussures garnies de lourdes claquettes métalliques qui résonnaient sur les trottoirs comme autant de fers à cheval, n'étaient pas de sortie ce soir, et les quelques touristes présents étaient pour la plupart des familles qui marchaient tout contre les immeubles, d'une boutique de souvenirs à l'autre, sans s'arrêter devant les portes ouvertes des rades à strip où les rameuteurs en chapeau de paille et veste rayée avaient bien du mal à racoler les clients.

J'étais appuyé contre l'immeuble en coin qui faisait face au bar de Smiling Jack et, pendant une demi-heure, j'observai Jerry à travers la porte. Le feutre sur la tête, il portait un tablier par-dessus une chemise de sport à col ouvert, à motifs de petites bouteilles de whisky. Se découpant sur les lueurs de la rampe qui éclairait la scène du burlesque derrière lui, son profil anguleux donnait l'impression d'avoir été taillé dans une pièce de fer-blanc.

Le 45 pesait lourd dans la poche de mon imperméable. J'avais un permis de port d'arme, mais jamais je n'avais encore eu l'occasion de le porter sur moi. En fait, je n'avais tiré qu'une seule fois depuis mon départ du service, lorsqu'un alligator avait attaqué un enfant sur le bayou. Mais je m'en étais servi comme officier de police lorsque le garde du corps du maquereau-fourgueur de drogue numéro un de La Nouvelle-Orléans avait dégainé contre mon partenaire et moi. L'arme avait rebondi dans ma main comme un marteau piqueur, à croire qu'elle était animée d'une vie autonome ; lorsque j'avais arrêté de tirer en direction de la lunette arrière de la Cadillac, j'étais complètement assourdi, les oreilles bourdonnant d'un bruit de ressac, le visage raidi par l'odeur de cordite, et plus tard, mes rêves vinrent se peupler des corps des deux hommes qui dansaient dans un brouillard rouge comme des pantins désarticulés.

Ce district avait été mon terrain de manœuvres pendant quatorze ans, d'abord comme homme de patrouille, puis sergent à la brigade des cambriolages et, finalement, lieutenant de la Criminelle. Pendant tout ce temps, j'avais vu tout ce qu'il était possible de voir : prostitués mâles et femelles, rois de l'arnaque, fêlés de la gâchette, forgeurs de chèques, briseurs de coffres, voleurs à la roulotte, agresseurs sexuels d'enfants. On m'avait tabassé et étendu pour le compte, on m'avait tiré dessus, tailladé au pic à glace, fourré évanoui derrière un volant avant de balancer la voiture du deuxième étage d'un parking. J'avais été le témoin d'une électrocution au pénitencier d'Angola, donné un coup de main pour récupérer les restes d'un book d'une benne à ordures, dessiné à la craie les silhouettes de deux corps sur le sol d'une allée, là où une femme avait sauté, son enfant dans les bras, du toit d'un foyer de l'Assistance sociale.

J'avais bouclé des centaines de gens. Nombre d'entre eux avaient fini aux travaux forcés à Angola, quatre hommes étaient passés sur la chaise électrique. Mais je ne pense pas que ma participation à ce que les politiciens appellent "la guerre contre le crime" ait jamais fait véritablement de différence. La Nouvelle-Orléans n'est pas aujourd'hui une ville plus sûre qu'à l'époque. Pourquoi ? les stupéfiants sont une des réponses. Une autre vient peut-être du fait qu'en quatorze années, je n'avais jamais bouclé sous les verrous un seigneur des taudis riche à millions ou un membre du conseil d'aménagement immobilier qui avait des intérêts dans les cinémas pornographiques et les salons de massage.

Je vis Jerry quitter son tablier pour se diriger vers l'arrière du bar. Je traversai la rue sous la pluie chassée à l'oblique et pénétrai dans le bar à l'instant précis où Jerry disparaissait derrière le rideau qui masquait l'entrée de l'arrière-salle. Sur la scène illuminée, face à un miroir de plain-pied, deux filles aux seins nus, vêtues de strings à paillettes avec chaînettes en or autour des chevilles, dansaient pieds nus au son d'un disque de rock' n' roll des années cinquante. Je dus attendre que mes yeux s'adaptent au strobo dont les lumières dansaient, balayant en arcs de cercle les murs, le sol et les corps des hommes au bar en train de dévorer les filles des yeux, avant de me diriger vers le rideau dans l'embrasure de la porte du fond.

— Que puis-je pour vous, monsieur ? dit l'autre barman. Il était blond et portait une cravate de lainage noir sur une chemise de sport blanche.

— J'ai rendez-vous avec Jerry.

— Jerry Falgout ?

— L'autre barman.

— Ouais. Installez-vous. Je vais le prévenir que vous êtes là.

— Ce n'est pas la peine.

— Hé, vous n'avez pas le droit d'aller là.

— C'est une conversation privée, podna. Ne vous en mêlez pas.

Je franchis le rideau et entrai dans la réserve, pleine de caisses de bière et de bouteilles d'alcool. La pièce était éclairée par une ampoule solitaire sous son abat-jour de fer-blanc, et un énorme ventilateur installé sur la fenêtre du fond aspirait l'air qu'il rejetait vers une allée de briques. Une porte entrouverte donnait sur un petit bureau à l'intérieur duquel Jerry était accroupi, un genou au sol, face à un meuble-bureau, presque en génuflexion, en train d'aspirer par les narines une ligne de poudre blanche étalée sur un miroir en s'aidant d'un billet de cinq dollars roulé. Puis il se remit debout, boucha chaque narine du doigt et renifla, cligna des yeux et écarquilla les paupières avant de se lécher le doigt, d'essuyer les restes de poudre restant sur un petit carré de papier blanc et de s'en frotter les gencives.

Il ne me vit pas avant de franchir le seuil. Je lui agrippai les deux bras dans le dos, plaçai une main sur sa nuque et le poussai droit dans le ventilateur. Son feutre cliqueta dans les pales en fer-blanc, et je les entendis cogner et claquer contre son crâne ; je lui relevai alors la tête comme à un noyé et le poussai brutalement à l'intérieur du petit bureau dont je refermai la porte derrière nous. Sous le choc, le visage était devenu blanc comme linge et le sang coulait de la raie dans ses cheveux en un réseau de petits fils rouges. Les yeux étaient écarquillés de frayeur. Je le poussai dans un fauteuil.

— Nom de Dieu de nom de Dieu, mec, mais putain, vous avez perdu la tête ou quoi ? dit-il d'une voix presque hoquetante.

— Combien as-tu touché pour avoir mangé le morceau sur Robin ?

— Quoi ? Mais j'ai rien eu du tout. De quoi voulez-vous parler ?

— Ecoute-moi bien, Jerry. Il n'y a que toi et moi ici. Pas de Miranda[1], pas d'avocat, pas de caution, pas de petite cellule bien en sécurité où tu pourrais jouer au dur. Tout se règle ici, tout de suite, sur place. Est-ce que tu comprends ça ?

Il appuya la paume contre sa blessure au cuir chevelu et regarda sa main ensanglantée d'un air stupide.

— Dis que tu comprends.

— Quoi ?

— Ta dernière chance, Jerry.

1. Du nom d'une affaire célèbre de 1966, ayant abouti à une décision de la cour suprême sur l'obligation d'informer un suspect de ses droits.

— Je comprends rien à rien. Putain, mais qu'est-ce qui vous prend ? vous me tombez dessus comme un vrai cinglé.

Je sortis le 45 de la poche de mon manteau, dégageai le chargeur pour lui montrer qu'il était plein et fis monter une balle dans le canon. Je l'alignai entre les deux yeux.

Son visage se tordit de spasmes sous la frayeur, sa bouche se mit à trembler, les cheveux à luire de sueur. Il s'agrippait les cuisses des deux mains comme s'il souffrait d'une douleur terrible aux entrailles.

— Allez, mec, rangez ça, dit-il. Je vous ai dit que j'étais pas le genre à frétiller du gland pour ramener ma fraise. Je me contente juste de joindre les deux bouts. Je m'occupe du bar, je vis sur les pourboires qu'on me donne, je passe la serpillière dans les toilettes. Je ne suis pas le genre de gros dur pour qu'on me tombe sur le paletot en y mettant le paquet comme si j'étais King-Kong. Faut pas déconner, mec. Rangez le calibre.

— Combien t'ont-ils payé ?

— Cent sacs. Je savais pas qu'ils allaient lui faire du mal. C'est la vérité. Je croyais juste qu'ils lui diraient de plus discuter le bout de gras avec des ex-flics. Ils ne tabassent pas les putes. Ça leur coûte du fric. Je ne sais pas pourquoi ils lui ont cassé le doigt. Ils n'avaient pas besoin de faire ça. De toute façon, elle sait rien. Allez, mec, rangez ça.

— As-tu appelé Eddie Keats ?

— Vous plaisantez ? c'est un putain de tueur. C'est lui qu'ils ont envoyé ?

— Qui as-tu appelé ?

Son regard se détourna de l'arme et il baissa les yeux pour contempler ses genoux. Il gardait les mains entre les jambes.

— Est-ce que ma voix te paraît bizarre ? dis-je.

— Ouais, on dirait.

— C'est parce que j'ai des points de suture dans la bouche. J'en ai aussi sur le crâne. C'est à un Noir du nom de Toot que je dois ce petit cadeau. Sais-tu qui c'est ?

— Non.
— Il a cassé le doigt de Robin, ensuite il est venu à New Iberia.
— Je ne connais pas cet homme-là, mec. Juré devant Dieu.
— Tu commences vraiment à me pomper l'air, Jerry. Qui as-tu appelé ?
— Ecoutez, tout le monde fait ça. On entend quelque chose sur Bubba Rocque ou alors quelqu'un qui parle de lui ou peut-être d'hommes à lui qui font les marioles, on appelle son club et on se ramasse cent sacs. Ç'a même pas besoin d'êt' important. On dit qu'il aime bien savoir tout ce qui se passe, et c'est tout.
— Hé, tout va bien là-dedans, Jerry ? dit le second barman derrière la porte.
— Il va très bien, dis-je.
Le bouton de porte se mit à tourner.
— N'ouvre pas cette porte, podna, dis-je. Si tu veux appeler le Grand Manitou des Stups, fais-le, mais n'entre pas ici. Pendant que tu y es, tu peux dire aux poulets que Jerry a recommencé à se fourrer des trucs dans le blair.
Je regardai Jerry droit dans les yeux. La sueur lui perlait aux cils et aux paupières. Il déglutit et se frotta les lèvres sèches des doigts.
— Tout va bien, Morris, dit-il. Je sors dans une minute.
J'entendis les pas du barman s'éloigner de la porte. Jerry prit une profonde inspiration et regarda à nouveau l'arme.
— Je vous ai dit ce que vous voulez. Alors lâchez-moi un peu, okay ? dit-il.
— Où est Victor Romero ?
— Putain, mais qu'est-ce que j'en sais de lui ?
— Tu connaissais bien Johnny Dartez, pas vrai ?
— Bien sûr. Il était toujours à faire la tournée de tous les rades à femmes à poil. Il est mort, non ?
— Alors tu as dû aussi connaître Victor Romero.

— Vous ne pigez pas. Je suis barman. Je connais rien que les mecs dans la rue savent pas déjà. Ce mec, c'est un putain de fêlé. Il a fourgué de la brune mexicaine de mauvaise qualité, y avait de l'insecticide dedans ou que'que chose comme ça. Alors il a été obligé de quitter la ville. Après j'ai entendu dire que lui et Johnny Dartez s'étaient fait cravater par l'Immigration pour avoir essayé de faire entrer en douce deux bronzés de Colombie, deux grosses têtes. Mais ça doit être que des conneries parce que Johnny continuait bien à voler lorsqu'il a pris le bouillon, pas vrai ?

— Ils se sont fait cravater par l'Immigration ?

— Ça, je sais pas, mec. Installez-vous derrière ce bar et vous allez entendre une centaine de putains d'histoires différentes toutes les nuits. C'est un vrai feuilleton à épisodes. Alors, qu'en dites-vous, mec ? vous me lâchez un peu ?

Je rabaissai doucement le chien avec prudence et je laissai pendre le 45 au bout de mon bras. Johnny lâcha une profonde inspiration, ses épaules s'affaissèrent et il s'essuya les paumes moites sur le pantalon.

— Il y a encore une chose, dis-je. Tu sors de la vie de Robin. Tu te débrouilles pour ne même plus avoir la moindre pensée à son sujet.

— Qu'est-ce que je suis censé faire, alors ? faire semblant de ne pas la voir ? elle travaille ici, mec.

— C'est fini, ça. En fait, si j'étais toi, je penserais à me trouver un boulot dans un autre pays.

Il prit un air confus et indécis, puis je vis dans son regard la peur à l'œuvre lorsqu'il commença à comprendre.

— C'est bien ça, Jerry, tu as compris. Je vais aller bavarder avec Bubba Rocque. Je lui dirai alors qui m'a envoyé. Tu pourrais peut-être envisager l'Iran.

Je laissai retomber le 45 dans la poche de mon imperméable et sortis du bar sous la pluie qui avait baissé d'intensité, chassée en petites rigoles des balcons aux grilles en volutes le long de la rue. L'air sentait le propre et le frais, chargé de parfums sous la pluie et j'avançai à l'abri des immeubles en direction de Jackson Square et Decatur, là où j'avais garé la camionnette. Je voyais les clochers éclairés de la cathédrale St Louis se découper sur le ciel noir. La rivière était couverte d'une brume aussi épaisse que des nuages. Les garçons de café avaient empilé les fauteuils du Café du Monde, et le vent soufflait des embruns de brume sur les tables qui luisaient d'humidité. J'entendis dans le lointain la corne d'un navire résonner sur l'eau.

Il était onze heures lorsque je rentrai chez moi, l'orage avait cessé et la maison était plongée dans l'obscurité. Les pacaniers du jardin étaient noirs et humides, et la douce brise du bayou en faisait frémir les feuilles, chassant l'eau des ramures sur le toit galvanisé de la galerie. J'allai voir Alafair puis entrai dans notre chambre où Annie dormait sur le ventre, vêtue de sa culotte et de sa veste de pyjama. Le ventilateur du grenier était en marche, il aspirait l'air frais du dehors et faisait voleter les boucles de cheveux sur sa nuque. Je remis le 45 dans le tiroir, me dévêtis, et m'allongeai à côté d'elle. Je sentis la fatigue de la journée me traverser le corps comme une drogue. Elle remua légèrement, avant de tourner la tête loin de moi sur l'oreiller. Je posai une main sur son dos. Elle roula vers moi, visage vers le plafond, un bras sur les yeux.

— Tu es rentré sans problèmes ? dit-elle.

— Bien sûr.

Elle resta un instant silencieuse et j'entendis la sécheresse de sa bouche lorsqu'elle parla à nouveau :

— Qui était-elle, Dave ?

— Une danseuse dans un rade de Bourbon.

— T'es-tu occupé de tout ?

— Oui.

— Tu étais en dettes avec elle, je suppose.

— Pas vraiment. Il fallait simplement que je la mette à l'abri.

— Je ne comprends pas pourquoi c'est ta responsabilité.

— Parce que c'est une ivrogne et une droguée, parce qu'elle est incapable de faire quoi que ce soit pour elle-même. Ils lui ont cassé un doigt, Annie. S'ils remettent la main sur elle, ce sera bien pire.

Je l'entendis respirer profondément, puis elle posa les mains sur le ventre et leva les yeux au plafond.

— Ce n'est pourtant pas fini, n'est-ce pas ? dit-elle.

— C'est pour elle que je le fais. Et le mec auquel je dois en partie de m'être fait casser la figure à coups de pied va quitter La Nouvelle-Orléans en quatrième vitesse. Je dois admettre que ça me fait bien plaisir.

— J'aimerais bien pouvoir partager ton sentiment.

La chambre était tranquille, la lune se montra et fit naître des ombres dans les arbres. J'eus la sensation d'être sur le point de perdre quelque chose, peut-être à jamais. Je mis le pied en travers des siens et pris sa main dans les miennes. La peau en était sèche et les doigts souples.

— Ce n'est pas moi qui l'ai cherché, dis-je. Les ennuis sont venus jusqu'à nous. Il faut affronter les difficultés, Annie. Si tu ne le fais pas, elles te suivront partout comme des chiens parias.

— Tu me dis toujours que l'un des principes majeurs des AA, c'est "Vas-y en douceur".

— Ça ne signifie pas que tu doives éviter les responsabilités. Ça ne signifie pas que tu doives accepter le rôle de victime.

— Peut-être faudrait-il discuter du prix que nous devrions tous être prêts à payer pour ton petit orgueil.

— Je ne sais plus quoi ajouter. Tu ne comprends pas et je ne pense pas que tu comprennes un jour.

— Qu'est-ce que je devrais ressentir, Dave ? Tu t'allonges à côté de moi et tu me racontes que tu es allé rendre visite à une strip-teaseuse, tu as fait fuir quelqu'un de La Nouvelle-Orléans et ça te fait plaisir. Je ne connais rien de ce monde-là. Et je ne pense pas qu'on devrait s'obliger à en connaître quoi que ce soit.

— Ce monde-là existe parce que les gens font semblant de ne pas le voir.

— Alors, laisse les autres y vivre, dans ce cas.
Elle s'assit sur le bord du lit en me tournant le dos.
— Reste près de moi, dis-je.
— Je ne vais nulle part.
— Allonge-toi et parlons.
— Ça ne sert plus à rien de parler.
— On peut parler d'autre chose. Tout ceci ne durera pas. J'ai déjà eu des ennuis bien plus graves que ça dans la vie.

Elle resta assise sur le rebord du lit, la culotte bas sur les fesses. Je lui mis la main sur l'épaule et la repoussai doucement sur l'oreiller.

J'embrassai ses joues, ses yeux et caressai ses cheveux. Je me sentis durcir contre son flanc, mais elle gardait les yeux rivés droit devant elle, et ses mains étaient posées sur mes épaules, lâches et légères, comme si c'était là l'endroit obligé où il fallait qu'elles fussent.

Je voyais l'eau qui dégouttait des pacaniers au clair de lune. Je me fichai bien de mon orgueil, ou des sentiments que j'éprouverais ensuite. J'avais besoin d'elle, et je fis glisser sa culotte, ôtai mes sous-vêtements et la serrai contre moi. Elle avait simplement posé les bras sur mon dos et elle m'embrassa d'un seul baiser léger sur la joue. Elle était sèche lorsque je la pénétrai, et elle garda les yeux ouverts, des yeux qui ne voyaient rien, comme s'ils s'étaient fixés sur une pensée au plus profond d'elle-même.

Au-dehors, sur le bayou, j'entendis le cri particulier de l'alligator-taureau appelant sa femelle. J'étais mouillé de sueur, malgré le vent frais que le ventilateur aspirait par la fenêtre, et dans le bourbier de pensées éparses qui peuvent vous assaillir à ces instants de défaite de soi où le cœur bat la chamade, j'essayai de justifier à la fois la dépendance de mes sens exacerbés et ma volonté délibérée de l'obliger à en être la complice.

J'arrêtai et me redressai au-dessus d'elle, à chairs séparées, le corps tremblant du déni qu'il s'était à lui-même imposé, et réenfilai mon caleçon. Elle tourna la tête sur l'oreiller et me regarda à la manière d'un patient depuis son lit d'hôpital.

— La journée a été longue, dit-elle d'une voix paisible.

— Pas pour moi. Je crois que je vais aller faire un tour dehors et bousiller quelques bouteilles et quelques boîtes de conserve à coups de fusil.

Je me levai du lit et enfilai chemise et pantalon.

— Où vas-tu ? dit-elle.

— Je ne sais pas.

— Reviens te coucher, Dave.

— Je verrouillerai la porte à clé en sortant. J'essaierai de ne pas te réveiller à mon retour.

J'enfilai mes mocassins, sortis et me dirigeai vers la camionnette. Les quelques nuages noirs dans le ciel étaient ourlés de clair de lune, et sur le chemin de terre qui ramenait à New Iberia, les chênes étaient mangés d'ombres. Le bayou était haut à cause des pluies, et je voyais sur l'eau la ride solitaire en forme de V d'un ragondin qui s'éloignait des typhas de l'autre rive. Le pick-up cognait dans les flaques boueuses du chemin au milieu des éclaboussures et j'avais les doigts tellement crispés sur le volant que mes poings se réduisaient à des crêtes osseuses. Lorsque je traversai le pont suspendu, la roue de secours posée sur le plateau de la camionnette rebondit d'un mètre dans les airs.

* * *

Main Street à New Iberia était vide et tranquille lorsque je me rangeai devant la salle de billard. Les chênes qui bordaient la rue remuaient sous la brise, et au loin sur le bayou, les lumières mouvantes rouges et vertes d'un remorqueur franchirent silencieusement le pont mobile ouvert. Je voyais le gardien du pont dans son petit bureau éclairé. Au bout du pâté d'immeubles, un homme en bras de chemise, la pipe à la bouche, promenait son chien devant la vieille église en briques de l'Eglise épiscopale que les soldats fédérés avaient changée en hôpital pendant la guerre entre les Etats.

L'intérieur de la salle de billard me donna en partie l'impression de revenir au New Iberia de ma jeunesse, à l'époque où les gens parlaient français plus souvent qu'anglais, où chaque bar possédait machine à sous et jeux de courses de chevaux, où les piaules de Rainroad Avenue restaient ouvertes vingt-quatre heures sur vingt-quatre, lorsque le reste du monde nous était aussi étranger que les Texans qui débarquèrent au lendemain de la Seconde Guerre mondiale avec leurs plates-formes et leurs compagnies pétrolières. Un bar d'acajou massif, avec repose-pieds et crachoirs en laiton, courait sur toute la longueur de la pièce ; dans le fond de la salle, on trouvait quatre tables de billard en velours vert que le patron couvrait parfois de toiles cirées sur lesquelles il offrait des gambas gratis, et les vieux jouaient à la *bourée* et aux dominos sous les ventilateurs à pales de bois suspendus au plafond. Les résultats de la Ligue américaine et nationale étaient affichés, inscrits à la craie sur un grand tableau noir appuyé contre un mur, et la télévision au-dessus du bar donnait toujours l'impression de diffuser un match de base-ball. La pièce sentait la bière à la pression, le gumbo[1] et le talc, le whisky, les crustacés bouillis et le tabac Virginia Extra, les pieds de cochon au vinaigre, le vin et le Red Man[2].

Le propriétaire était surnommé Tee Neg. Il avait été poseur de pipe-line et prospecteur de pétrole de la vieille école et ressemblait à un mulâtre. Trois de ses doigts avaient été sectionnés par une chaîne de forage. Je l'observai qui tirait sa bière dans un grand verre glacé et raclait la mousse d'un coup de palette avant de la servir accompagnée d'une petite dose de whisky sec à un homme vêtu de toile de jean, un chapeau de paille sur la tête, debout au bar en train de fumer un cigare.

— J'espère que tu viens ici pour jouer au billard, dit Tee Neg.

1. Soupe-ragoût traditionnelle avec légumes, viandes et poissons.
2. Tabac à chiquer.

— Donne-moi un bol de gumbo.
— La cuisine est fermée. Tu le sais.
— Donne-moi un peu de *boudin*.
— Y m'en ont pas livré aujourd'hui. Tu veux un Dr Pepper ?
— Je ne veux rien.
— Comme tu veux.
— Donne-moi une tasse de café.
— T'as l'air fatigué, ti. Rent' te coucher.
— Apporte-moi juste une tasse de café, Tee Neg. Apporte-moi aussi un cigare.
— Tu fumes pas, Dave. Pourquoi te fais la gueule, ti?
— Pour rien. Je n'ai pas mangé ce soir. Je pensais que ta cuisine était ouverte. T'as le journal d'aujourd'hui ?
— Bien sûr.
— Je vais juste lire le journal.
— Comme te veux.
Il mit la main sous le comptoir et me tendit un exemplaire plié du *Daily Iberian*. La première page était marquée de ronds de bière.
— Offre à ces vieux messieurs dans le fond une tournée sur mon compte, dis-je.
— T'es pas obligé de faire ça.
— J'en ai envie.
— T'es pas obligé de le faire, Dave.
Il me regarda droit dans les yeux, sans ciller.
— C'est que je suis renfloué ce soir.
— Okay, podna. Mais y t'offrent le coup, te vas derrière le comptoir et te t' sers tout seul. T'utilises pas Tee Neg, ça non.
J'ouvris le journal d'une secousse et essayai de lire la page des sports, mais mes yeux refusaient de se fixer sur les mots. La peau me démangeait, le visage me brûlait et j'avais l'impression qu'on m'avait coulé du béton dans les reins. Je repliai le journal, le laissai tomber sur le bar et ressortis dans la nuit de cette fin de printemps.
Je descendis en voiture jusqu'à la baie à Cypremort Point et m'assis sur la jetée qui avançait dans l'eau salée

pour observer la fuite de la marée. Lorsque le soleil apparut au petit matin, le ciel était vide, aussi blanc qu'un os desséché. Les mouettes volaient bas au-dessus des étendues de sable gris humide et piquaient du bec les mollusques ainsi exposés et je sentais, portées par le vent, des odeurs de poisson mort. Mes vêtements étaient raidis et craquants de sel lorsque je retournai à ma camionnette. Tout le temps que dura le trajet du retour en ville, ma visite à la salle de billard me resta à la mémoire avec la même réalité impitoyable qu'une journée de gueule de bois.

* * *

Plus tard, j'ouvris avec Batist la boutique et l'accès au ponton, puis je me rendis à la maison où je dormis jusqu'en début d'après-midi. Lorsque je m'éveillai, le soleil brillait haut et chaud, les oiseaux moqueurs et les geais bleus piaillaient dans les arbres. Annie m'avait laissé deux sandwichs, jambon et oignon, enveloppés de papier huilé, ainsi qu'un petit mot sur la table de la cuisine.

N'ai pas voulu te réveiller, mais à mon retour de la ville, tu pourras m'aider à mettre la main sur un mec entre deux âges, un satyre lubrique avec une mèche de cheveux blancs, qui sait comment s'y prendre pour faire valser une fille du Kansas ?

Tendresse,

A.

P. S. Et si on pique-niquait ce soir dans le parc avant d'emmener Alafair au match de base-ball. Je suis désolée pour la nuit dernière. Tu seras toujours mon mec, Dave, mon homme à moi.

C'était un petit mot généreux et tendre. J'aurais dû m'en trouver satisfait. Mais il me troubla autant qu'il me rassura, parce que je me demandai si Annie, pareille en cela à la plupart de ceux qui vivent en compagnie d'alcooliques, n'était pas en partie motivée par la peur que mes sautes d'humeur imprévisibles puissent nous ramener tous aux noirceurs des cauchemars dont les AA m'avaient sauvé.

Néanmoins, je savais que les problèmes que nous avait causés l'avion qui s'était écrasé à Southwest Pass ne disparaîtraient pas. Et parce que j'avais grandi dans le monde rural des Cajuns, un monde d'où les livres étaient pratiquement exclus, j'avais appris la vie et la manière de résoudre la plupart des problèmes à partir de mes expériences de chasse, de pêche et de sports de compétition. Aucun livre n'aurait jamais pu m'enseigner ce que j'avais appris de mon père dans les marais, et la boxe que j'avais pratiquée au lycée m'avait fait découvrir qu'il était aussi important d'avaler le sang et de cacher ses blessures que de blesser son adversaire.

Mais la leçon, peut-être la plus importante de toutes, quant à la manière d'affronter la complexité des choses, me venait d'un concierge nègre déjà âgé qui avait jadis lancé pour les Kansas City Monarchs dans les poules nègres d'antan. Il avait pour habitude d'assister à nos parties de base-ball de l'après-midi, et un jour que je m'étais fait sortir du monticule et que je quittais le terrain en direction de la douche, il m'accompagna en chemin et dit : “Les balles glissées, les balles en vrille c'est mignon comme tout, et les crachettes, ça lui mont' bien qu'tu peux être vicieux. Mais si tu veux vraiment lui ratatiner le zizi à ce batteur, c'est une fourchue qu'tu dois lui envoyer, à la tête.”

Le moment était peut-être venu d'en couler une petite tout près de la tête du batteur, songeai-je.

Bubba Rocque avait acheté une maison d'avant-guerre complètement en ruine sur la Vermilion River à la sortie de Lafayette et il avait dépensé un quart de million de dollars à la reconstruire. C'était une demeure de planteur, massive, blanche et éclatante au soleil, les colonnes doriques sur deux étages tellement épaisses que deux hommes ne pouvaient se toucher les mains en les enserrant de leurs bras. La galerie en façade était faite de marbre italien ; la véranda du premier étage courait sur tout le tour du bâtiment et sa rambarde de fer forgé venue tout droit de Séville était garnie de jardinières de pétunias et de géraniums. On avait agrandi le hangar à voitures à chevaux bâti en brique pour le transformer en garage de trois voitures : les puits en moellons n'avaient plus qu'une fonction décorative, garnis de poulies de laiton et de seaux plantés de bignonias et de passiflores. On avait remplacé les dépendances au bois complètement desséché par un court de tennis en terre battue.

La pelouse était d'un vert bleuté qui luisait sous l'eau des arroseurs ; elle était semée de chênes, mimosas, citronniers verts et orangers, et la longue allée de gravier qui conduisait à la porte d'entrée se bordait d'une clôture blanche au milieu d'un entrelacs de roses jaunes. Une Cadillac décapotable et une Oldsmobile neuve de couleur crème étaient garées sur le devant, et une M.G. de collection, couleur rouge vif, était sortie du hangar à voitures. A travers les saules de la berge, je vis une vedette rapide amarrée, proue et poupe attachées au ponton, le cockpit soigneusement recouvert d'une toile de bâche.

Il était difficile de croire que ce tableau, qu'on aurait dit découpé dans les pages de *Southern Living*, pût être la propriété de Bubba Rocque, lequel s'entraînait tout môme pour un combat en trempant les mains dans l'acide muriatique dilué, après avoir couru le matin ses huit kilomètres quotidiens avec, aux pieds, des brodequins de l'armée. Un serviteur nègre âgé ouvrit la porte mais ne m'invita pas à entrer. Au contraire, il referma en partie la porte devant moi et se dirigea vers le fond de la maison. Presque cinq minutes plus tard, j'entendis Bubba au-dessus de moi qui se penchait à la rambarde de la véranda en me criant :

— Vas-y, entre, Dave. Je descends tout de suite. Désolé pour nos manières de rustres. J'étais sous la douche.

Je poussai la porte et m'arrêtai au milieu du vestibule d'entrée, sous un énorme chandelier, attendant que Bubba descende l'escalier en colimaçon qui déroulait ses courbes jusqu'au premier étage. L'intérieur de la maison était étrange. Les planchers étaient de chêne blond, le manteau de la cheminée de chêne sculpté, les meubles, des antiquités françaises. De toute évidence, un décorateur très cher avait tenté de recréer un intérieur créole d'avant la guerre de Sécession. Mais il n'avait pas été seul à œuvrer. Les plinthes et les bordures de plafond en cèdre étaient peintes de feuilles de lierre ; des toiles à l'huile très tape-à-l'œil, coucher de soleil sur fond de marécages, de celles qu'on trouve sur les trottoirs de Pirates Alley à La Nouvelle-Orléans, étaient suspendues au-dessus du canapé et de la cheminée ; un aquarium plein de roues à aubes et de châteaux en plastique, jusqu'à un poulpe en caoutchouc collé sur une de ses faces, était disposé devant une fenêtre, et des bulles d'air vertes s'échappaient de la bouche ouverte d'un clown.

Bubba descendit l'escalier sur la pointe des pieds. Il avait revêtu un pantalon blanc et un polo de golf jaune canari, nu-pieds en sandales, une chaîne en or autour du cou, une montre en or incrustée de diamants et de rubis. Ses cheveux hérissés en brosse avaient les pointes blanchies par le soleil et sa peau était bronzée jusqu'à paraître olivâtre. Il avait toujours la carrure d'un boxeur – les hanches étroites, le ventre aussi plat qu'une plaque chauffante, des épaules de bûcheron, les bras plus longs qu'il n'aurait fallu, les jointures des mains aussi prononcées que des roulements à bille. Mais c'était les yeux au-dessus de la bouche aux dents écartées qui vous sautaient à la figure, plus que le reste, des yeux gris-bleu, largement écartés. Ils n'accommodaient pas, ils ne cillaient pas, ni ne s'ajustaient ou ne s'égaraient sur quoi que ce fût ; ils se verrouillaient sur votre visage et y restaient sans le quitter. Il avait le sourire facile, en fait il souriait sans cesse, mais il fallait être devin pour savoir l'émotion que ce regard cachait.

— Qu'est-ce qui se passe, Dave ? dit-il. Je suis content que tu m'aies surpris chez moi comme ça. Il faut que je descende à La Nouvelle-Orléans cet après-midi. Viens dehors dans le patio, tu vas prendre un verre. Que penses-tu de ma maison ?

— C'est impressionnant.

— C'est trop grand pour moi, je me contenterais de moins. J'ai une petite maison sur le lac Ponchartrain et un chalet d'hiver à Bimini. C'est plus dans mon style. Mais mon épouse aime bien, ici, ça impressionne sacrément les gens. Tu te souviens quand toi, moi et ton frère, on remettait les quilles en place sur la piste de bowling, et que les petits mômes de couleur essayaient de nous chasser parce qu'on leur prenait leur boulot ?

— Mon frère et moi, nous nous sommes fait virer. Mais toi, Bubba, même avec un fusil, je ne crois pas qu'ils auraient réussi à te virer.

— Hé, les temps étaient difficiles, à l'époque, podna. Viens par ici, dehors, il faut que je te montre quelque chose.

Il me fit sortir par une porte-fenêtre qui donnait sur un patio dallé à côté d'une piscine fermée. Au-dessus de nous, le soleil brillait au travers des branches d'un chêne étalées en parasol et se reflétait sur l'eau turquoise. L'extrémité la plus éloignée de la piscine donnait sur une galerie protégée de moustiquaires, au toit de bardeaux pointu, abritant un banc de musculation complet avec haltères et sacs de frappe, grand sac et punching-ball.

Il eut un large sourire, se mit en garde comme un champion de boxe et feinta un coup dans ma direction.

— Ça te dirait d'enfiler une paire d'oreillers de seize onces et de te payer un petit tour de valse avec moi ? dit-il.

— Tu m'as presque fait voir trente-six chandelles la dernière fois que je t'ai affronté.

— Des clous, oui. Je t'avais coincé dans le coin et je te tapais dessus à bras raccourcis à faire gicler la sueur de tes cheveux sur le préposé au gong et malgré ça, je n'ai pas réussi à t'envoyer au tapis. Tu veux un whisky-soda ? Clarence, apporte-nous des crevettes et du *boudin*. Assieds-toi.

— J'ai un problème que tu pourrais peut-être m'aider à résoudre.

— Bien sûr. Qu'est-ce que tu bois ?

Il sortit un carafon de Martini d'une petite glacière derrière le bar.

— Rien.

— C'est vrai, j'ai entendu dire qu'il y a un moment que tu te bats contre la bouteille. Tiens, j'ai du thé. Clarence, tu les apportes, ces nom de Dieu de crevettes.

Il secoua la tête et se versa un Martini dans un verre glacé.

— Il est à moitié sénile. Crois-le si tu veux, mais il a travaillé avec mon vieux sur son bateau à pêcher les huîtres. Tu te souviens de mon vieux ? il s'est fait tuer il y a deux ans sur la voie ferrée du S. P. Et je blague pas. Ils ont dit qu'il avait piqué un roupillon directement sur les rails avec une bouteille de vin posée sur la poitrine. Tu sais, il me disait qu'il avait toujours voulu voyager, le pauvre vieux salopard.

— Un Haïtien surnommé Toot et peut-être un mec du nom d'Eddie Keats sont venus me rendre visite. Ils m'ont laissé en cadeau quelques points de suture sur le crâne et dans la bouche. Un barman chez Smiling Jack sur Bourbon m'a dit qu'il les avait rencardés sur moi en appelant l'un de tes clubs.

Bubba s'assit en face de moi, le verre à la main, de l'autre côté de la table au plateau de verre. Il me regarda en face, les yeux rivés aux miens.

— Tu ferais bien de m'expliquer ce que tu racontes.

— Je crois que ces mecs bossent pour toi. Ils ont aussi fait du mal à quelqu'un qui m'est cher, dis-je. Et je vais régler mes comptes, Bubba.

— Est-ce que c'est pour ça que tu crois que je t'ai fait asseoir chez moi ?

— A toi de me le dire.

— Non, je vais te dire autre chose à la place. Je connais Eddie Keats. Il sort d'un trou à chiotte quelque part dans le Nord. Il ne travaille pas pour moi. De ce que j'entends dire, il ne colle pas de points de suture aux gens, il les enfume. Le Haïtien, j'en ai jamais entendu parler. Je te raconte tout ça parce qu'on est allés à l'école ensemble. Maintenant, on va se manger quelques crevettes et un peu de *boudin* et on arrête de parler de ce genre de truc.

Il piqua d'un cure-dents une crevette sur le plateau que le Nègre avait disposé sur la table, la mit à la bouche avant d'avaler une gorgée de Martini et me regarda droit dans les yeux tout en mâchonnant.

— Un flic fédéral m'a dit qu'Eddie Keats fait des boulots pour toi, dis-je.

— Alors c'est à lui d'y faire quelque chose.

— Les fédés, c'est des mecs marrants. Je n'ai jamais réussi à les comprendre. Un jour, tel mec les ennuiera à mourir, et le lendemain, ils seront capables de le passer à la moulinette.

— Tu parles bien de Minos Dautrieve du SRS, exact ? Tu sais ce que c'est, son problème ? c'est un coonass[1], comme toi et moi, sauf qu'il est allé à l'université et qu'il a appris à parler comme s'il avait pas grandi dans le coin. Je n'aime pas ça. D'ailleurs, je n'aime pas non plus les choses que tu me racontes, Dave.

— C'est toi qui as distribué le jeu, Bubba, quand ces deux mecs sont venus chez moi.

Il détourna le regard vers un bruit sur l'avant de la maison, puis tambourina sur le plateau de verre de la table. Les ongles étaient rongés jusqu'au vif de la chair, le bout des doigts plat et grenelé.

1. Littéralement, "cul de raton laveur", plus une déformation du français "connasse" : surnom injurieux donné par les "Yankees" du Nord aux Cajuns, lesquels ont aujourd'hui récupéré ce terme grossier en leur faveur en arborant avec orgueil des T-shirts où ils ont imprimé le slogan, " I'm proud to be a coonass" – Je suis fier d'être un coonass.

— Je vais t'expliquer ça, une seule fois, et parce que nous sommes amis, dit-il. Je dirige un grand nombre d'entreprises. J'ai une douzaine de bateaux à huîtres, j'ai une usine de conditionnement de poissons à New Iberia, et une à Morgan City. Je suis propriétaire de restaurants de fruits de mer à Lafayette et Lake Charles, de trois clubs et d'une agence d'hôtesses à La Nouvelle-Orléans. Je n'ai pas besoin de mecs comme Eddie Keats. Mais il y a toutes sortes de gens avec qui je fais affaire – des Juifs, des Ritals, des nanas qui ont la cervelle entre les jambes, fais ton choix. Il y a à La Nouvelle-Orléans un avocat spécialiste en droit du travail qui ne vaut pas qu'on gaspille sa salive pour lui cracher dessus, mais je lui paie une provision annuelle de cinq mille dollars pour ne pas me retrouver avec des manifs de grévistes devant mes clubs. C'est peut-être bien la vérité, je n'aime pas tous ceux qui travaillent pour moi, et c'est peut-être vrai aussi que je ne sais pas toujours exactement tout ce qu'ils font. C'est ça, les affaires. Mais si tu le désires, je passerai quelques coups de fil pour savoir si quelqu'un t'a envoyé aux trousses Keats et ce mec de couleur. Quel est le nom de la grande gueule chez Smiling Jack ?

— Oublie-le. J'ai déjà eu une petite discussion avec lui, une discussion sérieuse.

— Ah ouais ? – Il me regarda curieusement – A t'entendre, ç'a dû êt' gratiné.

— C'est aussi ce qu'il a pensé.

— Qui est l'ami qui a souffert dans l'histoire ?

— L'ami en question est tiré d'affaire.

— Je crois que nous avons là un petit problème de confiance.

— Ce n'est pas ainsi que je vois la chose. Nous sommes simplement en train d'arriver à un terrain d'entente et de compréhension mutuelle.

— Non. Moi, je n'ai pas besoin d'arriver à quoi que ce soit. Tu es mon invité. Il suffit que je te regarde et c'est comme si c'était hier, quand je te voyais penché au-dessus du seau, en train de cracher, le dos tremblant, la bouche en sang, et moi qui espérais toujours que tu ne reviendrais pas pour le troisième round. Tu ne le savais pas, mais au deuxième, tu m'avais touché aux reins avec une telle force que j'ai cru que j'allais en mouiller mon suspensoir.

— Savais-tu que j'avais découvert le corps de Johnny Dartez dans l'épave de cet avion qui s'est écrasé à Southwest Pass, mais apparemment, ce corps a disparu.

Il se mit à rire, coupa un morceau de *boudin* qu'il me tendit sur un biscuit.

— Je viens de manger, dis-je.

— Prends.

— Je n'ai pas faim.

— Prends, ou alors tu vas me vexer. Seigneur, quand tu as quelque chose dans la tête ! Ecoute, oublie un peu tous ces clowns que tu sembles traîner à tes basques à travers tout le pays. Je t'ai dit que j'ai des tas d'entreprises et que j'engage pour les diriger des gens que je ne connais même pas. Tu as fait des études, tu es intelligent, tu sais comment faire de l'argent. Dirige un de mes clubs à La Nouvelle-Orléans, et je te refile soixante plaques par an, plus un pourcentage qui peut remonter le tout à soixante-quinze. Tu as ta voiture, tu fais le traiteur pour les voyages aux îles, tu te choisis tes nanas.

— Est-ce que l'Immigration est venue te parler ?

— Quoi ?

— Après qu'ils ont agrafé Dartez et Victor Romero. Ils avaient essayé de faire entrer clandestinement des Colombiens pleins aux as. Tu dois savoir ça. Je l'ai entendu dans la rue.

— Tu parles de quoi, là ? tu veux dire des dos-mouillés, c'est ça ?

— Allez, Bubba.

— Tu veux parler d'espingos, tu te trouves quelqu'un d'autre. Je ne peux pas les encaisser. Et aujourd'hui, ils grouillent dans les rues de La Nouvelle-Orléans. C'est par cargaisons entières que le gouvernement devrait leur expédier les capotes, d'où qu'ils viennent.

— Ce qu'il y a de bizarre dans cette arrestation, c'est que les deux mecs étaient des mules à came. Et ils n'ont même pas fini au trou ou devant un grand jury, en train de dénoncer des mecs du doigt. Et ça, ça te fait penser à quoi ?

— A rien, parce que je me fiche pas mal de ces mecs-là.

— Je crois, moi, qu'ils ont été engagés par les fédés. Et s'ils avaient fait la mule pour moi, je me sentirais nerveux.

— Tu crois que je m'en branle pas un peu, de ces métèques, quand y racontent qu'y z'ont queq' chose sur moi ? Tu crois que je possède cette maison, que je dirige toutes ces affaires parce que j'ai la trouille au ventre, parce que le SRS ou l'Immigration ou ce Minos Dautrieve collé à sa chaise, le pouce enfoncé dans son troufignon tout rose, racontent des tas de conneries qu'y sont incapables de prouver, des conneries qu'y fabriquent de toutes pièces, qu'y racontent aux journaux ou à tous ceux qui sont assez débiles pour les écouter ?

Les yeux brillaient, la peau autour des lèvres était grise et crispée.

— Je ne sais pas. Je ne sais pas ce qui se passe en toi, Bubba, dis-je.

— Peut-être bien que si quelqu'un veut avoir la réponse, y n'a qu'à continuer dans la même voie à foutre sa merde.

— C'est une voie à double sens, podna.

— T'en es sûr ?

— Tu peux y compter. A un de ces quatre. Merci pour le *boudin*.

Je me levai pour prendre congé, et il se leva de table avec moi. Le visage était impassible, embrasé sans la moindre trace de rougeur, aussi indéchiffrable que la gueule d'un requin. Puis, sans prévenir, il sourit, se plia en deux pour reprendre une position de boxeur, sautilla sur place et feinta d'un direct du gauche à la face.

— Hé, ch't'ai eu ! dit-il. Sans déc', t'as tiqué. Dis pas le contraire.

Je le fixai des yeux.

— Qu'est-ce que tu regardes ? dit-il. D'accord, c'est vrai, j'étais à cran. Tu me tombes dessus sans prendre de pincettes. Et je ne suis pas habitué à ça.

— Il faut que j'y aille, Bubba.

— Bon sang, pas question. Allez, on s'enfile les oreillers. On fera ça mollo, l'un comme l'autre. Hé, écoute ça. Je suis allé à ce club à Lafayette, du karaté full-contact, tu vois, là où y boxent avec les pieds, on dirait des vrais kangourous. Je me retrouve sur le ring avec ce mec qui n'arrête pas de pousser des grognements et de balancer son pied crasseux dans les airs, et y'a tous ces mecs qui hurlent parce qu'ils savent qu'il va me faire sauter la tête, alors je lui ai percé sa garde vite et bien fait et je lui avais collé trois pains dans le buffet avant même qu'il touche le tapis. Il a fallu qu'on le ramène au vestiaire comme s'il venait de se faire écrémer la cervelle à la petite cuillère.

— J'ai passé le cap pour ce genre de choses, et il faut encore que je travaille cet après-midi, de toute manière.

— Conneries. Je le vois bien à tes yeux. T'aimerais encore ça, te frotter à moi. T'as la bonne allonge. Et c'est toujours tentant, pas vrai ?

— Peut-être bien.

J'étais pratiquement parvenu à me dégager de l'emprise de Bubba et de sa personnalité aussi changeante que vif-argent, lorsque son épouse franchit la porte-fenêtre et pénétra dans le patio. Elle était plus jeune que lui d'au moins dix ans. Sa chevelure noire était nouée sur la nuque d'un ruban ; elle avait la peau sombre et elle portait un maillot de bain deux pièces à motifs fleuris rouges et jaunes, assorti d'un sarong noué sur la hanche. Elle portait à la main une boîte à chaussures sans couvercle pleine de flacons et de limes à ongles. Elle était jolie, d'une beauté indéfinie, douce et tendre, fréquente chez les filles cajun avant que le corps ne s'alourdisse, l'âge venant. Elle me sourit, s'installa à la table du patio, croisa les jambes et arqua le pied pour en faire glisser la sandale, avant de prendre en bouche un morceau de *boudin*.

— Dave, tu te souviens de Claudette, de New Iberia ? dit Bubba.

— Je suis désolé, mes souvenirs des gens du coin sont parfois un peu vagues, dis-je. J'ai vécu quatorze ans à La Nouvelle-Orléans.

— Je parie que tu te souviens de sa mère, Hattie Fontenot.

— Oh ! oui, je crois bien, dis-je, le regard impassible.

— Je parie que tu as perdu ton pucelage dans une des crèches qu'elle tenait sur Railroad Avenue, dit Bubba.

— Je ne suis pas toujours très doué pour les souvenirs d'enfance, dis-je.

— Toi et ton frère, vous passiez par Railroad Avenue pour vos distributions de journaux. Tu ne vas pas me dire que vous ne vous êtes jamais fait payer en nature ?

— Je crois que je ne m'en souviens plus, tout simplement.

— Elle tenait deux rades à colorés au coin de la rue, dit-il. On y descendait souvent pour casser du négro, avant de tirer notre coup pour deux dollars.

— Il arrive parfois à Bubba de dire des grossièretés. Il aime bien ça et ça ne me gêne pas. Ce n'est pas la peine de vous sentir gêné, dit-elle.

— Je ne le suis pas.

— Je n'ai pas honte de ma mère. Elle avait beaucoup de qualités. Elle n'utilisait pas de mots vulgaires en compagnie, au contraire de certaines personnes que je connais.

Elle avait un fort accent cajun, et ses yeux bruns portaient d'étranges reflets rouges. Ils étaient ronds comme des yeux de poupée.

— Bubba, veux-tu me préparer un gin rickey ? dit-elle.

— Ta Thermos est dans la glacière.

— Et alors ? j'aimerais bien en avoir un verre, s'il te plaît.

— Elle est capable de boire des gin rickey une journée de long sans que ça lui monte à la tête, dit Bubba. A croire que c'est un trou sans fin.

— Je ne pense pas que Dave soit habitué à notre façon de parler, dit-elle.

— Il est marié aussi, pas vrai ?

— Bubba...

— Quoi ?

— Voudrais-tu, s'il te plaît, me servir un verre ?

— D'accord, dit-il en sortant la Thermos et un verre rafraîchi de la glacière. Je me demande bien à quoi je paie Clarence. Bon Dieu, mais c'est tout juste si je dois pas lui faire un croquis quand je veux qu'il fasse la poussière.

Il emplit le verre de sa femme avant de le poser devant elle. Il continua à la regarder d'un air exaspéré.

— Ecoute, dit-il, je ne veux pas me mêler tout le temps de tes affaires, mais que dirais-tu de ne pas te faire les ongles à table. Je me passerais bien de tes rognures dans mon assiette.

Elle épousseta la limaille d'ongles du dessus de table en verre à l'aide d'un Kleenex, avant de poursuivre son travail de lime au-dessus de la boîte à chaussures.

— Bon, il faut que j'y aille. J'ai été heureux de cette visite, dis-je.

— Ouais, il faut que je me prépare, je prends la route, moi aussi. Accompagne-le jusqu'à sa camionnette, Claudette. J'aurai quelques coups de fil à passer quand j'arriverai à La Nouvelle-Orléans. Si je découvre que quelqu'un t'a fait des ennuis, j'y mettrai bon ordre. C'est une promesse. A propos, ton barman ferait bien d'avoir quitté la ville.

Il me regarda un moment, commença à se balancer sur la pointe des pieds avant de serrer les poings en position et de tourner les épaules en biais d'un geste brutal, aussi rapide que le claquement d'un élastique qu'on relâche.

— Hé, dit-il dans un sourire suivi d'un clin d'œil, avant de sortir du patio pour se diriger vers l'escalier en colimaçon. Il avait le dos en trapèze, le derrière plat, les cuisses aussi épaisses que des poteaux télégraphiques.

Son épouse m'accompagna jusqu'à ma camionnette. Le vent se mit à souffler sur la pelouse et plaqua les gouttelettes des arroseurs en un rideau de brume arc-en-ciel parmi les arbres. Au sud se rassemblaient des nuages gris, l'air était chaud et confiné. A l'étage, Bubba avait mis plein pot un disque de Little Richard des années 50.

— Vous ne vous souvenez vraiment pas de moi ? dit-elle.

— Non. Je suis désolé.

— Je suis sortie avec votre frère, Jimmy, à La Nouvelle-Orléans, il y a une dizaine d'années. Un soir, nous sommes allés vous rendre visite à votre camp de pêche. Vous étiez vraiment allumé et vous n'avez pas arrêté de répéter que le train de marchandises vous empêchait de dormir. Alors quand il est passé, vous avez couru dehors pour lui tirer dessus avec votre lance-fusées.

Je me rendis soudain compte que la femme de Bubba n'était pas aussi simpliste que ça, finalement.

— J'ai bien peur, qu'à l'époque, je baignais dans le quarante-cinq degrés la majeure partie du temps, dis-je.

— J'ai pensé que c'était amusant.

J'essayai d'être poli, mais comme la plupart des alcooliques au régime sec, je ne voulais pas parler de mes jours de beuverie avec ceux qui y voyaient quelque chose d'amusant.

— A plus tard. J'espère que je vous reverrai, dis-je.

— Croyez-vous que Bubba soit cinglé ?

— Je ne sais pas.

— Sa deuxième femme l'a quitté il y a deux ans. Il a brûlé tous ses vêtements dans l'incinérateur, là, dehors, derrière la maison. Pourtant, il n'est pas cinglé. Il veut simplement que les gens le croient, parce que ça les effraie.

— C'est bien possible.

— Ce n'est pas le mauvais homme. Je sais tout ce qu'on raconte sur lui, mais il n'y a pas beaucoup de gens qui connaissent la vie difficile qu'il a eue quand il était enfant.

— Nous avons été nombreux à avoir une vie difficile, madame Rocque.

— Vous ne l'aimez pas beaucoup, n'est-ce pas ?

— Je crois simplement que je ne connais pas bien votre mari, et je ferais bien de partir.

— Vous vous sentez gêné un peu vite.

— Madame Rocque, je vous souhaite bonne chance parce que je pense que vous allez en avoir besoin.

— Je l'ai entendu qui vous proposait un travail. Vous devriez accepter. Les gens qui travaillent pour lui se font beaucoup d'argent.

— Oui, c'est vrai, et il y a des tas d'autres gens qui en paient le prix.

— Il ne les oblige à rien qu'ils ne veuillent déjà faire.

— Votre mère a dirigé des bordels, mais elle n'a jamais traité ses gens en esclaves et elle ne vendait pas de came. La chose la plus polie que je puisse dire du Bubba, c'est que c'est une authentique ordure. Je crois même que ça ne le dérangerait pas.

— Je vous aime bien. Venez dîner avec nous un de ces soirs, dit-elle. Je suis souvent chez moi.

* * *

Je redescendis l'allée de petit gravier au volant de ma voiture, avant de prendre la direction de New Iberia où m'attendait le pique-nique dans le parc, en compagnie d'Annie et d'Alafair. Le soleil brillait sur les toits de tôle des granges au milieu des champs de canne à sucre. Les quelques chênes tendus de barbe le long de la route projetaient de profondes flaques d'ombre sur la surface de la route. Je fus obligé de me sentir désolé pour l'épouse de Bubba. Chez les AA, nous appelions cela un refus de voir les choses en face, se mettre l'aspic au sein et sourire devant les regards alarmés autour de vous.

Je l'avais touché au vif lorsque j'avais parlé de l'Immigration qui avait agrafé deux de ses mules. Ce qui me laissait à penser plus encore sur le rôle exact que venait jouer l'Immigration dans tout ceci. Leurs services avaient probablement refusé leurs renseignements à Minos Dautrieve du SRS, et j'avais la conviction qu'ils se trouvaient derrière la disparition du corps de Johnny Dartez, une fois le cadavre récupéré par les gardes-côtes dans l'épave de l'avion. Alors pourquoi, s'il restait encore du flic en moi, n'avais-je pas confronté l'Immigration bille en tête ? Leurs services m'auraient probablement jeté de leurs bureaux, mais je savais aussi la manière d'ennuyer les bureaucrates, à appeler leurs supérieurs à Washington en PCV et à submerger leurs bureaux de plaintes en arguant de la liberté d'accès à l'information, jusqu'à ce que leur carapace commence à se fissurer. Alors pourquoi ne l'avais-je pas fait ? me demandai-je. Et dans la réponse à ma propre question, je commençai à entrevoir un début de conscience de mon propre orgueil et de mon refus de voir les choses en face.

5

Annie et Alafair étaient en train d'envelopper du poulet frit sous papier huilé et de préparer une Thermos de limonade lorsque je rentrai à la maison. Je m'installai à la table de cuisine devant un verre de thé glacé garni de feuilles de menthe et regardai par la fenêtre les geais bleus qui s'agglutinaient autour du mimosa du jardin, à l'arrière de la maison. Les canards de la mare secouaient l'eau de leurs ailes et se dandinaient sur la berge en remontant s'abriter à l'ombre des typhas.

— Je me sens tout bête à propos d'une chose, dis-je.

— Nous réglerons ça ce soir, dit-elle avant de sourire.

— C'est quelque chose de différent.

— Oh !

— Il y a des années, à l'époque où j'étais agent des patrouilles, il existait un personnage célèbre dans le quartier, un gars de la rue dénommé Dock Stratton. Les services d'Assistance sociale lui offraient un ticket de logement-repas dans l'un de leurs hôtels sous contrat, alors il se présentait à l'hôtel en question, prenait possession de la chambre et se mettait à balancer tout le mobilier par la fenêtre : tables, chaises, tiroirs de commode, lampes, matelas, tout ce qu'il réussissait à faire passer par la fenêtre, et ça dégringolait en tas sur le trottoir. Puis il descendait l'escalier au pas de course avant que quiconque ait pu appeler la maison poulaga et traînait le tout jusqu'au magasin d'articles d'occasion. Mais quoi qu'il pût faire, ce mec, nous ne l'arrêtions jamais. J'étais nouveau et je ne comprenais pas. Les autres gars m'ont dit que c'était parce que Dock était un gerbeur. S'il se retrouvait avec un doigt libre sur la banquette arrière, il se l'enfonçait dans le fond de la gorge et dégueulait sur tous les sièges. Il faisait ça partout, au milieu d'une rangée de suspects alignés pour l'identification, dans sa cellule, au tribunal. Il était toujours remonté et prêt à cracher. Ce mec était tellement mauvais qu'un des gardiens de la prison avait menacé de démissionner plutôt que de l'accompagner à bout de menottes à la session du matin au tribunal. Alors, des années durant, on a laissé Dock rendre tout le monde cinglé, des assistantes sociales aux propriétaires des meublés rue de la débine. Et lorsque les bleus comme moi en demandaient la raison, ils avaient toujours droit à une bonne histoire.

Sauf que j'ai découvert ensuite qu'il existait une autre raison pour laisser Dock libre de courir les rues. Non seulement il connaissait la moindre racoleuse, le moindre voleur du centre de La Nouvelle-Orléans, mais il avait été serrurier avant de se brouiller la cervelle au Thunderbird[1], et il était capable d'entrer n'importe où plus rapidement qu'un cambrioleur professionnel. Et il y avait deux ins-

1. Vin de mauvaise qualité.

pecteurs aux Cambriolages et à la Criminelle qui avaient pris l'habitude d'utiliser ses services lorsque ça ne tournait pas comme ils le voulaient dans une enquête. Un jour, ils ont appris qu'un tueur sous contrat de Miami se trouvait en ville pour éliminer un syndicaliste. Ils ont dit à Dock qu'il était promu agent spécial auprès des services de police de La Nouvelle-Orléans et ils lui ont fait ouvrir la chambre de motel du mec en question, voler son arme, sa valise, tous ses vêtements et ses chèques de voyage, puis ils ont embarqué le mec comme suspect – c'était un vendredi, ils pouvaient le garder sous clé jusqu'au lundi matin – et l'ont placé dans une petite cellule pendant deux jours en compagnie de trois travelos.

— Où veux-tu en venir ? dit Annie d'une voix éteinte, le regard tourné vers les jeux de lumière dans les arbres pendant qu'elle parlait.

— Les flics laissent les gens comme les choses en place pour une bonne raison.

— Je sais que les gens dont tu parles sont drôles, originaux, intéressants et tout ça, Dave, mais pourquoi ne les laisses-tu pas dans le passé ?

— Tu te souviens de ce mec de l'Immigration qui est venu rôder par ici ? il n'est jamais revenu, tu es bien d'accord ? il aurait pu nous causer des tas d'ennuis s'il avait voulu, mais il ne l'a pas fait. Je me suis dit que c'était parce que je lui avais donné assez de raisons pour nous éviter.

— Peut-être avait-il autre chose à faire ? Je n'arrive tout simplement pas à croire que le gouvernement puisse s'intéresser à une toute petite fille.

Elle était vêtue d'une paire de Levi's délavés et d'un polo blanc sans manches qui laissait à nu le dos semé de taches de rousseur. Au niveau de la ceinture du pantalon, la chair des hanches se marquait doucement d'un pli tendre alors qu'elle remplissait le panier à pique-nique sur la paillasse de l'évier.

— C'est le gouvernement qui décide des choses auxquelles il va s'intéresser, dis-je. Pour l'instant, je crois qu'ils nous ont mis en attente. Ils m'ont adressé un signal, et je ne l'ai pas vu.

— En toute honnêteté, ça ressemble fort à une invention de ta part.

— Ce mec de l'Immigration, Monroe, s'est renseigné à notre sujet auprès des services du shérif. Il n'avait pas besoin de faire ça. Il aurait pu se faire établir un mandat, venir jusqu'ici, et se comporter comme bon lui plaisait. Au lieu de ça, lui ou alors un de ses supérieurs ont voulu que je comprenne exactement la puissance qui est la leur, au cas où il me viendrait à l'esprit de vouloir leur chercher des ennuis à propos de Johnny Dartez.

— Qui se soucie de ce qu'ils font ? dit Annie.

— Je ne pense pas que tu apprécies à sa juste valeur la nature de la machine bureaucratique une fois qu'elle est en marche.

— Je suis désolée. Je ne vais pas me laisser envahir l'existence par des spéculations gratuites sur tout ce que les gens peuvent me faire.

Le regard d'Alafair allait de l'un à l'autre, le visage assombri par le ton de nos deux voix. Annie l'avait habillée d'un short rose, d'un T-shirt de Mickey Mouse et de chaussures de tennis roses qui portaient en relief, sur le caoutchouc de chaque pied, les mots GAUCHE et DROIT. Annie ébouriffa la chevelure d'Alafair et lui donna le sac plastique où nous gardions le pain rassis.

— Va donner à manger aux canards, dit-elle. Nous partirons dans une minute.

— Manger aux canards ?

— Oui.

— Manger aux canards maintenant ?

— C'est bien ça, oui.

— *Dave viene al parque ?*

— Bien sûr qu'il vient, dit Annie.

Alafair m'adressa un grand sourire et poussa la porte-moustiquaire de derrière pour se diriger vers la mare. Les rayons du soleil au travers des branches d'arbres dessinaient leurs motifs sur ses jambes brunes.

— Je vais te dire une chose, Dave. Peu importe ce que vont faire les gens de l'Immigration, mais ils ne la reprendront pas. Elle est à nous, exactement comme si nous l'avions conçue.

— Je n'ai pas fini mon histoire sur Dock Stratton. Quand il a fini par se faire disjoncter la cervelle avec du vin synthétique et qu'il n'a plus été bon à rien pour quiconque, on l'a expédié à l'asile à Mandeville.

— Et alors, qu'est-ce que ça signifie ? Est-ce que tu vas te transformer en chevalier errant, grand preux prêt à jouter contre le gouvernement américain ?

— Non.

— Veux-tu toujours aller au parc ?

— C'est pour ça que je suis rentré, fillette.

— Je me le demande. Je me le demande vraiment, dit-elle.

— J'aimerais bien que tu t'expliques là-dessus.

— Tu ne comprends donc pas, Dave ? On dirait que tu veux salir jusqu'au plus petit instant de nos existences avec ta manière de voir des conspirations partout. C'est devenu une obsession. Nous ne parlons plus d'autre chose. Soit ça, ou bien alors, tu restes là, les yeux dans le vague. Comment crois-tu que je me sente ?

— J'essaierai de changer.

— Je le sais.

— C'est vrai, je t'assure.

Elle avait les yeux mouillés. Elle s'assit à la table en face de moi.

— Nous n'avons pas pu avoir d'enfant à nous. Et aujourd'hui, nous en avons un, il nous est donné, dit-elle. Ce qui devrait faire de nous les plus heureux du monde. Au lieu de cela, nous nous disputons en nous tourmentant de ce qui n'a pas encore eu lieu. A la maison, nos conversations sont pleines des noms de gens qui ne devraient rien avoir à faire dans nos vies. C'est comme une invite délibérée à faire entrer une présence obscène dans son propre foyer. Dave, tu dis qu'aux AA, on t'enseigne à tout laisser tomber pour t'abandonner à la charge de ton Tout-Puissant. Tu ne peux pas essayer ? laisser tomber, tout simplement, exclure tout ça de ton existence ? Il n'existe pas de problème au monde qui ne trouve sa solution avec le temps, d'une façon ou d'une autre.

— C'est comme si tu disais que la tumeur toute noire que tu as dans le cerveau va s'améliorer si tu refuses d'y penser.

La cuisine était silencieuse. J'entendais les geais bleus dans le mimosa et les canards battre des ailes dans la mare sous la douche de miettes de pain qu'Alafair leur jetait sur la tête. Annie me tourna le dos, finit d'envelopper le poulet frit, referma le couvercle du panier pique-nique, et sortit en direction de la mare. La porte-moustiquaire vint cogner sur l'huisserie après sa sortie.

* * *

Ce soir-là, il y avait foule dans le parc pour assister au match de base-ball, et les pompiers préparaient un grand ragoût d'écrevisses sous leur pavillon en plein air. Le ciel du crépuscule était strié de lilas et de rose, et le vent du sud était frais, annonciateur de pluie. Nous mangeâmes notre pique-nique sur une table en bois sous les chênes, en suivant le match de la Légion américaine, devant les groupes de lycéens et d'étudiants qui allaient et venaient inlassablement entre les gradins en plein air et les hayons des camionnettes où ils se gardaient des bières au frais dans des baquets de glace. Sur le bayou, le bateau à aubes aux ponts tout illuminés glissait doucement et se découpait sur le fond sombre des silhouettes des cyprès et des vieilles maisons coloniales sur l'autre rive. Les arbres étaient pleins de fumée de barbecues, et on sentait l'odeur d'écrevisse en provenance du pavillon et du *boudin* chaud qu'un Nègre vendait dans sa charrette à bras. Puis j'entendis un groupe de violoneux français jouer *Jolie Blonde* dans le pavillon, et j'eus la sensation une fois encore de contempler, comme par un trou dans notre propre dimension, la Louisiane sudiste qui m'avait vu grandir.

Jolie blonde, gardez donc c'est t'as fait.
Tu m'as quit-té pour t'en aller,
Pour t'en aller avec un autre que moi.
Jolie blonde, pretty girl,
Flower of my heart,
I'll love you forever,
My jolie blonde.

Mais rares furent les moments où nous nous adressâmes directement la parole, Annie et moi. C'est à Alafair que nous parlâmes, d'un ton enjoué, en l'emmenant près des balançoires, en lui achetant des sorbets, en évitant soigneusement de croiser le regard de l'autre. Cette nuit-là, dans l'obscurité presque anonyme de notre chambre, nous fîmes l'amour. Acte de nécessité, les yeux fermés, sans un mot prononcé, qui se termina par un seul et unique baiser. Comme j'étais étendu là, le bras posé sur les paupières, je sentis ses doigts qui quittaient le dessus de ma main, son corps se tourner sur le côté en direction du mur opposé, et je me demandai si son cœur était aussi lourd que le mien.

* * *

Je me réveillai une demi-heure plus tard. La chambre était fraîche de tout l'air venteux aspiré par la fenêtre grâce au ventilateur du grenier, mais la peau me brûlait aussi fort que si j'avais reçu un coup de soleil, les agrafes du cuir chevelu me démangeaient, j'avais les paumes moites lorsque je les posai sur les cuisses en m'asseyant au bord du lit.

Sans réveiller Annie, je me lavai la figure et enfilai pantalon de toile kaki et vieille chemise hawaiienne avant de descendre jusqu'à la boutique. La lune était haute, et les saules qui longeaient la berge du bayou semblaient se parer d'argent sous ses reflets. Je m'assis dans l'obscurité du comptoir et fixai mes regards par la fenêtre, à contempler l'eau, les hors-bords, les pirogues qui battaient doucement contre les pilotis du ponton. Puis je me relevai, ouvris la glacière à bière et en sortis une poignée de glace à moitié fondue dont je me frottai le visage et le cou. Les cols ambrés des bouteilles de bière vinrent se mirer aux rayons de la lune. Les capsules d'aluminium brossé, les étiquettes humides et brillantes, les bulles cuivrées à l'intérieur des bouteilles ressemblaient à une nature morte au paysage de nuit illuminée. Je refermai la caisse, allumai l'ampoule au-dessus du comptoir et appelai les renseignements à Lafayette pour obtenir le numéro personnel de Minos P. Dautrieve.

Quelques minutes plus tard, je l'eus au bout du fil. Je regardai l'horloge. Il était minuit.

— Quoi de neuf, Dunkenstein ? dis-je.

— Oh ! Seigneur, dit-il.

— Désolé pour l'heure.

— Que voulez-vous, Robicheaux ?

— Où se trouvent les clubs dont Eddie Keats est propriétaire ?

— Vous m'avez appelé pour me demander ça ?

Je ne répondis pas, et je l'entendis inspirer bruyamment.

— La dernière fois que nous nous sommes parlé au téléphone, vous avez interrompu notre communication brutalement, dit-il. Et je n'ai pas apprécié. Je crois que vous avez un problème de bonnes manières.

— Très bien, excusez-moi. Voulez-vous me dire où se trouvent ces clubs ?

— Je serai franc également sur un autre point. Etes-vous en train de boire ?

— Non. Et ces clubs, alors ?

— J'ai l'impression que les choses n'avancent jamais assez vite à votre gré, on dirait. Alors comme ça, vous allez jouer au cow-boy avec notre ami de Brooklyn ?

— Faites-moi un peu confiance.

— C'est ce que j'essaie de faire. Croyez-moi, dit-il.

— Je connais une douzaine de personnes à Lafayette qui accepteront de me donner le renseignement.

— Ouais, ce qui ne laisse pas de m'interroger sur les raisons qui vous ont poussé à me réveiller.

— Vous devriez connaître la réponse à cette question.

— Je ne la connais pas. Je suis complètement perdu. Vous êtes à mes yeux un véritable mystère. Vous n'entendez pas ce que l'on vous dit, vous vous fabriquez vos propres règles, vous croyez que votre expérience passée d'officier de police vous autorise à mettre le nez dans les affaires fédérales.

— Je m'adresse à vous parce que vous êtes le seul mec du coin avec suffisamment de cervelle et de pouvoir pour coller ce beau monde à l'ombre, dis-je.

— Je ne me sens pas flatté.

— Alors, comme ça, y'a pas mèche, hein, on refuse de jouer ?

Il resta silencieux.

— Ecoutez, Robicheaux, je crois que vous avez un gros parpaing à la place du crâne, mais, au fond, vous êtes le mec correct et honnête, dit-il. Ce qui signifie que nous ne voulons plus vous faire de mal. Restez en dehors de ça. Ayez un peu foi en nous. Je ne sais pas pourquoi vous vous êtes rendu chez Bubba Rocque cet après-midi, mais je suis d'avis que ce n'était pas très intelligent de votre part. Nous ne...

— Comment savez-vous que j'y suis allé ?

— Nous avons quelqu'un qui nous relève toutes les plaques d'immatriculation. Ces mecs-là, on ne s'en débarrasse pas comme ça, à coups de pichenette, en les asticotant. Quand ça arrive, c'est eux qui choisissent le moment et l'endroit, et on perd. De toute façon, rentrez vous coucher et oubliez Eddie Keats, au moins pour cette nuit.

— A-t-il de la famille ?

— Non, il aime la chatte fraîche.

— Merci, Minos. Désolé de vous avoir réveillé.

— Ce n'est pas grave. A propos, que pensez-vous de l'épouse de Bubba Rocque ?

— Je crois que c'est surtout une grande ambitieuse.

— Quel romantique vous faites. Elle marche à la voile et à la vapeur, podna. Il y a cinq ans de ça, elle a tiré trois ans pour avoir lardé une autre gouine. Le Bubba en question, il sait se les choisir, pas vrai ?

J'appelai un vieil ami barman à Lafayette. Minos m'avait fourni plus de renseignements qu'il ne le croyait. Le barman me dit que Keats était propriétaire de deux bars, un bar d'hôtel du côté de Canal à La Nouvelle-Orléans, l'autre sur la grand-route de Breaux Bridge à l'extérieur de Lafayette. S'il traînait dans l'un de ses bars et si ce que m'avait dit Minos était exact, je savais sans trop me tromper lequel des deux aurait sa préférence. C'est là que je pourrais probablement le trouver.

Lorsque j'étais à l'université, la route de Breaux Bridge était une longue filée de bars canailles ouverts toute la nuit, entrepôts de matériel de forage, tavernes de routiers, hippodrome avec piste de quatre cents mètres, boîtes de jeux et bordel nègre. On y trouvait maquereaux, truands, putes, anciens taulards, et tous les givrés de votre choix au coup de poing facile tous les samedis soirs. Des fusées de signalisation d'urgence marquaient les épaves des voitures accidentées, sur le goudron de la route à deux voies jonchée de débris de verre. Les pistes de danse grondaient de décibels électroniques et des bruits de bagarre. On pouvait y tirer son coup, on pouvait se faire tabasser ou larder à coups de lame, on pouvait y attraper la chtouille, tout ça en une seule nuit et pour moins de cinq dollars.

Je me rangeai contre le trottoir face au Jungle Room. Eddie Keats avait conservé la tradition intacte. Son bar était une large bâtisse à toit plat, construite en parpaings peints en mauve surchargés de motifs de palmes de cocotier de couleur verte illuminés par les projecteurs suspendus aux branches du chêne en façade. Mais je vis à l'arrière du bâtiment, sur le parc de stationnement plongé dans l'obscurité, deux caravanes d'habitation, qui, de toute évidence, abritaient les passes des entreprises de coucherie express d'Eddie Keats. J'attendis une demi-heure sans voir de Corvette blanche.

Je n'avais pas de plan, en fait, et je savais que j'aurais dû écouter les conseils de Minos. Mais j'avais toujours la même sensation de brûlure sur la peau, le souffle plus précipité qu'il n'aurait dû l'être, les mâchoires serrées et les dents soudées sans même en avoir conscience. A 1 h 30 du matin, je fourrai le 45 dans la ceinture du pantalon, sortis ma chemise hawaiienne pour en masquer la crosse et traversai la route.

La porte d'entrée, peinte d'un rouge de vernis à ongles, était entrouverte et laissait filer la fumée venant de l'intérieur. Seules étaient éclairées la zone du bar et une table de billard dans une salle latérale, ainsi que la piste de danse au fond de la salle, petit enclos bordé d'une rambarde de bois, où une fille rousse, au corps chargé de poudre qui masquait ses taches de rousseur, se dévêtait en souriant au rythme violent d'un groupe de rockabilly installé en coin. Les hommes accoudés au bar étaient pour la plupart poseurs de pipe-lines, ouvriers et manœuvres du pétrole. Les caves en costard-cravate préféraient la pénombre des tables et des box. Les serveuses portaient des chemisiers noirs échancrés qui laissaient le ventre nu, des hauts talons noirs et des shorts roses tellement collants qu'ils dessinaient au travers du tissu jusqu'au plus petit détail de leur anatomie.

Deux racoleuses à plein temps étaient installées au bar. D'un coup d'œil en biais, sans interrompre leurs conversations avec les ouvriers du pétrole, elles firent l'inventaire de ma personne lorsque je passai à côté d'elles pour me diriger vers l'un des box. Au-dessus du bar, un singe dans une petite cage gigotait sur son petit trapèze au milieu d'un tas d'épluchures de cacahuètes mêlées de ses propres crottes.

Je savais que j'allais devoir commander un verre. Ce n'était pas le genre d'endroit où je pourrais commander un 7-Up sans leur révéler aussitôt que j'étais flic ou un mec du même genre, annonciateur de mauvaises nouvelles. C'était simple, je n'allais pas le boire. Je n'allais pas le boire. La serveuse m'apporta une Jax[1] qui me coûta trois dollars. Elle était jolie, elle me sourit et me remplit le verre.

— Pour le spectacle, c'est un minimum de deux consommations, dit-elle. Je repasserai lorsque vous serez prêt pour votre second verre.

— Est-ce que Toot est passé ? dis-je.

— Qui ?

— L'ami de Teddy, le Noir.

— Je suis nouvelle. Je ne crois pas le connaître, dit-elle avant de s'éloigner.

Quelques minutes plus tard, trois des ouvriers sortirent et l'une des racoleuses se retrouva seule au bar. Elle finit son verre, prit sa cigarette posée dans le cendrier et se dirigea vers mon box. Vêtue d'un short blanc et d'un chemisier bleu foncé, elle avait noué ses cheveux noirs d'un bandanna bleu qui lui dégageait le cou. Elle avait le visage rond et souffrait d'un léger embonpoint. Lorsqu'elle s'assit à côté de moi, je sentis la laque de ses cheveux, son parfum et une odeur de nicotine née des profondeurs des poumons. A la lumière rasante de l'éclairage du bar, le duvet de ses joues apparut plâtré de maquillage. Les yeux, qui ne réussissaient jamais tout à fait à se fixer sur mon visage, étaient voilés par l'alcool, et les lèvres donnaient l'impression de contenir perpétuellement un sourire qui ne nous concernait l'un et l'autre en rien.

La serveuse arriva immédiatement à sa suite. Elle commanda un champagne-cocktail. Elle avait un accent du Nord. Je l'observai qui allumait sa cigarette et soufflait sa fumée dans les airs comme un exercice artistique très épuré.

— Est-ce que Toot est passé ici récemment ?

1. Marque de bière fabriquée à Jacksonville, Floride.

— Tu veux dire le rigolo complètement fêlé ? dit-elle. Son regard souriait alors qu'elle regardait distraitement le bar.

— Ça y ressemble.

— Pour quelle raison t'intéresses-tu à lui ?

— Simplement parce que je ne l'ai pas vu, et Eddie non plus, depuis un moment.

— Les filles, ça t'intéresse ?

— De temps en temps.

— Je te parierais qu'un joli petit lot dans ta vie, ça te plairait bien, pas vrai ?

— Peut-être bien.

— Si tu n'as pas ton petit lot, ça te retourne complètement les intérieurs, non ? Ça te fait la vie bien difficile.

Elle plaça la main sur ma cuisse et vint serrer mon genou de ses doigts.

— A quelle heure Eddie va-t-il passer ?

— Tu essaies de me tirer les vers du nez, mon mignon. Et ça va me donner une très mauvaise opinion de toi.

— Ce n'est qu'une question.

Elle eut une moue exagérée et leva la main pour en toucher ma joue avant de la glisser sur ma poitrine.

Puis sa main descendit et toucha la crosse du 45. Son regard se riva au mien. Elle voulut se lever, mais je posai la main sur son bras.

— Tu es flic, dit-elle.

Ses yeux avaient perdu leur éclat d'alcool, et son visage avait l'apparence de quelqu'un qui hésiterait entre la peur et une vieille colère.

— Où est Eddie ? dis-je.

— Il va de temps en temps aux combats de chiens à Breaux Bridge, puis il repasse par ici et compte les recettes. Tu cherches vraiment des ennuis, va lui casser les pieds et tu verras ce qui va t'arriver.

— Mais cela ne te concerne pas, pas vrai ? Tu n'as rien à gagner à te soucier des problèmes d'autrui, ou bien je me trompe ? Est-ce que tu as une voiture ?

— Quoi ?

— Une voiture.

Je lui pressai légèrement le bras.

— Ouais, qu'est-ce que tu crois ?

— Lorsque j'enlèverai ma main de ton bras, ce sera le moment de ta pause. Tu vas sortir par la porte pour aller prendre le frais, et tu ne parleras à personne, tu monteras dans ta voiture et tu emprunteras la route pour aller manger un morceau quelque part, un petit souper tardif en quelque sorte, et le téléphone que tu vois sur le bar ne devra pas non plus sonner.

— T'es qu'un tas de merde.

— Fais ton choix, poupée. Je crois que ce soir, cet endroit va grouiller de flics. Tu veux être de la partie, super, à toi de voir.

J'ôtai ma main de son bras.

— Espèce de salaud.

Je tournai les yeux vers la porte d'entrée. Elle m'adressa un dernier regard chargé de colère, puis se glissa de la banquette en vinyle avant de se diriger vers le bar, l'arrière des cuisses marqué d'être restée assise dans le box. Elle demanda au barman de lui donner son sac à main. Il le lui tendit et se remit à laver ses verres tandis qu'elle sortait par une porte latérale vers le parc de stationnement.

Dix minutes plus tard, le téléphone sonna malgré tout, mais le barman ne m'adressa pas un seul regard pendant la conversation. Après avoir raccroché, il se servit un scotch au lait avant de se mettre à vider les cendriers du comptoir. Je savais pourtant qu'il ne me restait pas longtemps avant que les nerfs de la fille ne craquent. Elle avait peur de moi ou des flics en général, mais elle avait aussi peur d'Eddie Keats, et au bout du compte, elle finirait par passer un coup de fil pour savoir s'il y avait eu descente de flics ou fusillade, afin de tirer son épingle du jeu à son meilleur avantage.

J'avais également un autre problème. Le spectacle suivant était sur le point de démarrer, et la serveuse commençait son circuit à se faufiler entre les tables pour s'assurer que tout le monde avait eu son minimum de deux consommations. Je me retournai dans mon box et fis volontairement tomber la bouteille de bière de la table.

— Je suis désolé, dis-je lorsqu'elle arriva près de moi. Servez m'en une autre, vous voulez bien ?

Elle ramassa la bouteille tombée au sol et se mit en devoir d'essuyer la table. Les lueurs du bar se reflétaient en mèches brillantes sur ses cheveux blonds. Le corps était ferme, de lignes musclées, le corps de quelqu'un qui avait beaucoup travaillé physiquement.

— Vous ne vouliez pas de compagnie ? dit-elle.

— Pas maintenant.

— De la gnôle bien chère et un coup pour rien.

— Ce n'est pas si grave.

Je regardai le profil de son visage tandis qu'elle essuyait devant moi la table de sa lavette.

— Ce n'est pas le bon endroit pour chercher les ennuis, mon coco, dit-elle paisiblement.

— Est-ce que j'ai l'air de chercher les ennuis ?

— Des tas de gens ont cet air-là. Mais le mec qui est propriétaire de cet endroit n'en a pas que l'air. Rien que pour le plaisir, il chauffe la grille de la cage à singe avec son briquet.

— Pourquoi travaillez-vous ici ?

— Je n'ai pas pu trouver de place au couvent, dit-elle en s'éloignant, le plateau à la main, comme si une porte venait de se fermer derrière elle.

Un peu plus tard, un homme musclé, d'allure puissante, fit son entrée, s'installa au comptoir, se fit servir un collins par le barman et se mit à éplucher des cacahuètes posées dans une coupe, qu'il croquait tout en bavardant avec l'une des racoleuses. Il portait des bottes western en daim mauve, un pantalon coûteux de couleur crème, une chemise marron en crépon de coton à col en V, avec, autour du cou, chaînettes et médaillons en or. Il avait les cheveux longs teints en blond coiffés en arrière à la manière d'un lutteur professionnel. Il sortit un paquet de cigarettes Picayune de sa poche de pantalon et le posa sur le bar, tout en décortiquant les cacahuètes de la coupe. Il ne pouvait pas me voir parce que je m'étais reculé dans la pénombre et il n'avait aucune raison de regarder dans ma direction, mais je distinguais clairement son visage ; en dépit du fait que je ne l'eusse jamais vu auparavant, le détail de ses traits avait la familiarité d'un rêve oublié.

La tête était grosse, le cou aussi épais qu'une souche d'arbre, les yeux verts chargés d'énergie ; derrière le maxillaire roulait un cartilage lorsqu'il écrasait les cacahuètes entre ses molaires. La peau hâlée autour de la bouche était tellement tendue qu'on aurait pu à la voir y frotter une allumette de ménage. Les mains étaient grosses, elles aussi – des doigts comme des saucisses, les poignets noués de veines. La racoleuse fumait en essayant de prendre un air détaché lorsqu'il s'adressait à elle, suivant du regard les rougeurs de sa cigarette en reflets dans le miroir du bar, mais à chacune de ses réponses, sa voix n'était plus qu'un murmure.

Je n'avais cependant aucun problème pour entendre la voix de l'homme. Elle résonnait comme au travers de fosses nasales encombrées ; c'était une voix qui ne parlait pas, elle disait. Dans le cas présent, elle disait à la racoleuse de régler son ardoise, car elle picolait trop, parce que le Jungle Room n'était pas le genre de rade où une nana pouvait se siroter ses limonades à l'œil.

J'ai dit précédemment que je n'avais pas de plan. Ce n'était pas vrai. Les ivrognes ont toujours un plan. Un plan dont le scénario est inscrit dans l'inconscient. Un plan que nous reconnaissons le moment venu, à notre convenance.

Je me glissai latéralement sur le vinyle pour sortir du box. L'instant précédent, j'avais failli boire mon verre plein de bière. Au cours de mes années d'alcoolique pratiquant, jamais je n'avais laissé à ma table un restant de boisson dans mon verre ou ma bouteille, et je séchais toujours la dernière gorgée avant de virer de direction sur mon itinéraire à sens unique. Difficile de faire mourir les vieilles habitudes.

Je décrochai une queue de billard du râtelier mural, à l'entrée de la salle de jeu. Elle était effilée, en bois de frêne poli, et bien lourde du côté du manche. Il ne me prêta aucune attention lorsque je m'avançai vers lui. Il s'adressait maintenant au barman, écorçant ses cacahuètes d'un pouce épais avant de les enfourner dans la bouche. Puis il tourna le regard dans ma direction, le sourcil froncé par la concentration, les yeux verts essayant d'y voir dans la pénombre, comme si la racine du nez portait le pli d'un point de suture. Puis il se brossa les mains et fit pivoter son tabouret, l'air de rien, pour me faire directement face.

— T'es sur mes plates-bandes, trou duc', dit-il. Essaie et tu perdras. Passe la porte et t'es rentré chez toi sain et sauf.

Je continuai à avancer vers lui sans répondre. Je vis changer l'expression de son regard, à la manière dont les eaux vertes s'obscurcissent soudain sous un ressac sableux. Il tendit la main derrière le comptoir pour saisir une bouteille de collins, dans un tintement de monnaie au fond des poches du pantalon, une botte vrillée, coincée par la barre en laiton du bar. Mais il comprit qu'il était trop tard et le bras gauche se levait déjà pour protéger la tête.

La plupart des gens pensent à la violence comme à une chose abstraite. La violence n'est jamais abstraite. Elle est toujours laide, elle avilit et déshumanise toujours, elle choque toujours, elle répugne et laisse les témoins qui y sont confrontés nauséeux et secoués. C'est le but recherché.

Je tenais la queue de billard par son extrémité effilée, à deux mains, et j'en fouettai l'air d'un mouvement latéral comme d'une batte de base-ball, avec la même force, la même énergie, le même mouvement sec du poignet, et la poignée alourdie vint se fracasser sur l'œil gauche et la racine du nez. Je sentis le bois entrer au contact des os avec violence, je vis la peau craquer, je vis l'œil vert sortir presque de l'orbite, j'entendis le corps claquer contre le comptoir avant de s'effondrer sur le rail de laiton, les mains en coupe sous le nez, un flot de sang surgissant en cascades au travers des doigts.

Il remonta les genoux contre le menton au milieu des mégots et des épluchures de cacahuètes qui jonchaient le sol. Il n'arrivait plus à parler, le corps tremblant tout entier de la tête aux pieds. Le silence dans le bar était absolu. Le barman, les racoleuses, les ouvriers du pétrole toujours casqués, les serveuses en shorts roses et chemisiers boléros, les musiciens de rockabilly, la mulâtresse à demi dévêtue sur sa piste de danse, ils étaient tous là, pétrifiés comme des statues au milieu des panaches de fumée de cigarettes qui flottaient dans les airs.

J'entendis qu'on composait un numéro de téléphone lorsque je sortis dans la nuit.

* * *

Le lendemain matin, je me rendis à New Iberia et fis provision de vers de vase, vers de terre et vifs. La journée était chaude et claire, il y avait peu de vent, et je louai presque toutes nos barques. Tout le temps que je passai à servir derrière mon comptoir, puis ensuite à allumer le barbecue pour les clients du déjeuner, je gardai les yeux fixés sur le chemin de terre à attendre l'arrivée d'une voiture du shérif. Mais il n'en vint aucune. A midi, j'appelai Minos Dautrieve au SRS de Lafayette.

— J'ai besoin de vous voir. Je veux vous parler, dis-je.

— Non, c'est moi qui viendrai. Ne mettez pas les pieds à Lafayette.

— Et pourquoi ça ?

— Je ne pense pas que la ville soit prête pour le retour de Wyatt Earp ce matin.

Une heure plus tard, il arriva sous les grands chênes par le chemin de terre, au volant d'une voiture de fonction. Il se rangea près du bassin et entra dans la boutique.

Il se baissa instinctivement en franchissant le seuil. Il était vêtu d'un pantalon de toile de coton, mocassins cirés, chemise de sport bleu ciel avec cravate rayée rouge et gris au nœud desserré au col. Le crâne et les cheveux blonds coupés en brosse courte luisaient à la lumière. Il jeta un regard à la boutique et hocha la tête, le visage souriant.

— Belle petite affaire que vous avez là, dit-il.

— Merci.

— Il est malheureux que vous ne puissiez vous contenter de la diriger tranquillement en cessant une fois pour toutes de repousser vos limites au-delà du raisonnable.

— Vous voulez un soda ou une tasse de café ?

— Ne soyez pas sur la défensive. Vous êtes une légende vivante ce matin. Je suis arrivé tard au bureau, parce qu'on m'a réveillé au milieu de la nuit, et tout le monde se payait une bonne tranche de rire en parlant du spectacle offert aux clients du Jungle Room. Je vous ai déjà dit que nous avions rarement droit à ce genre de rigolade. Nous nous contentons de remplir des formulaires et de conseiller les raclures sur leurs droits constitutionnels en nous assurant qu'ils bénéficient d'un conseil légal suffisant pour leur garantir de rester libres. J'ai entendu dire qu'il leur a fallu prendre la serpillière pour éponger tout le sang.

— Est-ce qu'ils font partir un mandat ?

— Il a refusé de signer sa plainte. Un inspecteur du shérif la lui a présentée sur une tablette à l'hôpital.

— Mais il m'a identifié ?

— Ce n'était pas la peine. L'une de ses racoleuses a relevé votre numéro de plaque. Eddie Keats n'aime pas les salles de tribunal. Vous allez sortir de là blanc comme neige et sans même l'avoir cherché. Mais ne venez plus vous frotter aux flics de Lafayette. Ils se sentent provoqués lorsqu'on débarque dans leur paroisse avec la conviction qu'on peut se mettre à démolir les crânes à coups de queue de billard.

— C'est vraiment pas de chance. Ils auraient dû l'agrafer lorsque je me suis fait défoncer la figure.

— Je me fais du souci pour vous. Vous n'entendez pas bien ce qu'on vous dit.

— Je n'ai pas beaucoup dormi ces temps derniers. Gardez ça pour une prochaine fois, vous voulez bien ?

— Je me sens également perplexe. Je sais qu'il vous est arrivé par le passé de vous retrouver dans la merde, champ de bataille et gros calibre, mais je vous imaginais mal en cow-boy. Vous savez, ce mec, vous auriez pu l'étendre pour le compte, définitivement.

Deux pêcheurs entrèrent pour acheter un carton de vers et une douzaine de canettes de bière pour leur glacière. Je fis tinter ma vieille caisse enregistreuse en laiton en rangeant leur argent et les suivis du regard lorsqu'ils sortirent sous le soleil brillant.

— Allons faire un tour, dis-je.

Je laissai la boutique à la charge de Batist pendant que j'emmenai Minos dans mon pick-up sur le chemin de terre. Les rayons du soleil donnaient l'impression de cliqueter au travers de l'épaisse frondaison de vert au-dessus de nos têtes.

— Je vous ai appelé ce matin pour une raison précise, dis-je. Si vous n'appréciez pas ma manière de faire les choses, vous m'en voyez désolé. Ce n'est pas vous qui êtes sur la sellette, collègue. Je n'ai jamais demandé à ce qu'il m'arrive toutes ces conneries, je n'ai invité personne, mais le résultat est le même, elles me sont tombées dessus. Aussi je ne pense pas que ce soit tellement super de votre part de venir faire vos petites remarques au milieu de ma boutique, devant mon employé et mes clients.

— Okay. Vous marquez un point.

— Je n'ai jamais éclaté un mec comme ça auparavant. Et je ne m'en sens pas très fier.

— C'est toujours stupide de se placer sur le même terrain que les petits marioles. Mais s'il vous fallait absolument transformer quelqu'un en purée, vous avez fait le bon choix avec Keats. Je vous ai dit qu'il avait fait cramer une pute à La Nouvelle-Orléans. Mais croyez-le si vous voulez, nous avons dans nos dossiers une ou deux choses bien pires à son actif. Le môme d'un témoin fédéral a disparu il y a un an de cela. Nous l'avons retrouvé dans un...

— Alors pourquoi ne mettez-vous pas ce fumier à l'ombre ?

Il ne répondit pas. Il orienta l'ouïe d'aération sur son visage et se mit à regarder les familles de Nègres en train de pêcher à l'ombre des cyprès.

— Est-ce qu'il vous balance des tuyaux ? dis-je.

— Nous n'utilisons pas les tueurs comme informateurs.

— Arrêtez de me faire courir, Minos. Vous utilisez ce qui marche.

— Pas les tueurs. Jamais. Pas dans mon bureau.

Il se tourna vers moi et me regarda droit dans les yeux. Le rouge lui était monté aux joues.

— Alors placez-le en tête de liste prioritaire, collez-le au trou et soudez la porte.

— Vous croyez que vous vous démenez comme un beau diable pendant que nous passons le temps à jouer au billard ? Mais peut-être que nous faisons justement des trucs que vous ignorez complètement. Ecoutez, nous ne courons jamais un seul lièvre à la fois. Vous le savez. C'est au filet que nous prenons ces merdeux, et pas au coup par coup. C'est le seul moyen que nous ayons pour les amener à témoigner les uns contre les autres. Essayez d'apprendre la patience.

— Vous voulez Bubba Rocque. Vous avez un dossier sur tous ceux qui l'entourent. Et entre-temps, ses clowns sont libres comme l'air, la batte de base-ball à la main.

— Je crois qu'il est impossible de vous enseigner quoi que ce soit. Pourquoi m'avez-vous appelé, tout compte fait ?

— Au sujet de l'Immigration.

— Je n'ai pas pris de petit déjeuner ce matin. Arrêtez-vous quelque part dans le coin.

— Vous connaissez Monroe, le mec qui est venu renifler du côté de New Iberia ?

— Ouais, je le connais. Vous vous faites du souci pour la petite fille que vous gardez chez vous ?

Je le regardai.

— Vous avez une manière de vous attirer constamment toute notre attention, dit-il. Arrêtez-vous ici. J'ai vraiment très faim. Et en plus, vous pourrez même régler. J'ai laissé mon portefeuille sur la commode, ce matin.

Je m'arrêtai près d'un étal de bois tenu par un Nègre, où l'on servait à déjeuner. Il était en retrait de la route, au milieu d'un bouquet de chênes. Nous nous installâmes à l'une des tables à l'ombre où nous commandâmes des côtes de porc en sandwichs, accompagnées de gros riz brun. La fumée du fourneau stagnait dans les branches éclairées de soleil.

— Quel est le problème avec l'Immigration ? dit Minos.

— J'ai entendu dire qu'ils avaient arrêté Johnny Dartez et Victor Romero.

— Où êtes-vous allé chercher ça ?

Il suivit du regard quelques enfants noirs en train de jouer à balle-attrape près de l'étal. Mais je voyais bien à ses yeux qu'il était troublé.

— D'un barman de La Nouvelle-Orléans.

— Un peu foireuse, votre source de renseignements.

— On ne joue pas. Vous saviez qu'une agence gouvernementale quelconque avait affaire avec Dartez, sinon son cadavre n'aurait pas disparu. Quant à Victor Romero, vous n'en étiez pas sûr, tout simplement.

— Et alors ?

— Je crois que l'Immigration se servait de ces mecs-là pour infiltrer le mouvement pour le droit d'asile.

Il mit la main sur le menton et étudia les enfants qui se lançaient la balle de base-ball.

— Que sait aujourd'hui votre ami barman, de Victor Romero ? dit-il.

— Rien.

— Comment s'appelle-t-il, ce mec ? nous aimerions bien bavarder avec lui.

— Bubba Rocque aussi. Ce qui signifie que Jerry – c'est son nom, et il travaille au Smiling Jack sur Bourbon – est probablement en train de se chercher une maison de vacances en Afghanistan.

— Vous ne me décevez jamais. Ainsi donc, vous avez réussi à faire quitter la ville à un informateur en lui faisant peur. Par pure curiosité, comment se fait-il que les gens vous racontent toutes ces choses qu'ils ne se soucient guère de partager avec nous ?

— Je lui ai fourré un 45 armé sous le nez.

— C'est vrai, j'oubliais. Vous avez appris tout un tas de procédures très constitutionnelles lors de votre séjour aux services de police de La Nouvelle-Orléans.

— Et pourtant, je suis dans le vrai, n'est-ce pas ? D'une manière ou d'une autre, l'Immigration a bien fait passer les personnages en question aux oubliettes, direction le métro souterrain, quel que soit le nom que lui donnent les mecs du droit d'asile.

— C'est bien comme ça qu'ils l'appellent. Et peu importe ce que vous avez cru pouvoir comprendre, ce n'est toujours pas de votre ressort. Naturellement, pour vous, ça n'y change rien. Alors je vais m'exprimer autrement. Au SRS, nous sommes des mecs très gentils. Nous essayons d'offrir un logement au plus grand nombre de raclures possible dans notre chaîne d'hôtels à barreaux gris. Et nous respectons les mecs comme vous qui agissent avec les meilleures intentions du monde, mais qui ont la cervelle prise dans un bloc de béton. Mais si j'ai un conseil à vous donner, c'est de ne pas déconner avec l'Immigration, en particulier lorsque vous abritez chez vous une clandestine.

— Vous ne les aimez pas beaucoup.

— Je ne pense pas à ces gens-là. Mais vous, vous devriez. J'ai rencontré un jour un commissaire régional de l'INS, les services d'Immigration et de Naturalisation, un homme important directement branché sur la Maison-

Blanche. Il a dit : “Quand vous les attrapez, vous devriez les nettoyer avant de les faire passer directement à la casserole.” Je n’aimerais pas qu’un bonhomme comme lui mette le nez dans mes affaires.

— Moi, ça me paraît des conneries dignes du folklore, dis-je.

— Robicheaux, vous êtes absolument délicieux.

— Je ne voudrais pas vous gâcher le déjeuner, mais est-ce que cela ne vous tracasse pas de savoir que c’est peut-être une bombe qui a fait s’écraser cet avion à Southwest Pass, que quelqu’un a assassiné un prêtre catholique et deux femmes qui tentaient d’échapper à la boucherie que nous avons aidé à créer au Salvador ?

— Etes-vous expert en politique de l’Amérique centrale ?

— Non.

— Etes-vous déjà allé là-bas ?

— Non.

— Et malgré ça, vous me donnez l’impression du contraire. Comme si vous teniez une franchise avec exclusivité de sympathie.

— Je crois qu’il vous faudrait respirer quelques bonnes bouffées d’un village passé au lance-flammes.

— Arrêtez de me servir vos conneries de mec pur et dur. J’y étais aussi, podna.

La bouchée de pain qu’il avait sous la joue faisait une boule de colère contre le maxillaire.

— Alors cessez de vous laisser mener à la laisse par les petits péteux de l’Immigration.

Il reposa son sandwich sur l’assiette, but une gorgée de thé glacé, et détourna le regard, l’air pensif, en direction des enfants qui jouaient sous les arbres.

— Avez-vous jamais réfléchi au fait que vous seriez peut-être bien mieux ivre que sobre ? dit-il. Je suis désolé. Ce n’est pas du tout ce que je voulais dire. Ce que je voulais dire, c’est que je viens de me rappeler que j’avais un chèque dans ma poche de chemise. Et c’est moi qui réglerai aujourd'hui. Non, ne discutez pas. Ce fut un réel plaisir que de sortir avec vous.

* * *

Il faisait frais et sombre à l'intérieur de l'église où se mêlaient les odeurs de pierre, de cierges allumés, d'eau et d'encens. Par la porte latérale, je vis le jardin fermé où, gamin, je m'alignais en rang avec les autres enfants au départ du chemin de croix du Vendredi saint. Le soleil éclairait le jardin et les sténotaphrums[1] étaient taillés et bien verts, à côté des parterres garnis de roses jaunes et mauves. A l'extrémité du jardin, à l'ombre d'un pithécolobium[2] aux floraisons rouge sang, se trouvait une grotte de rochers avec, en contrebas, une petite cascade et, enchâssée en ses profondeurs, une statue en pierre du Christ sur sa croix.

Je pénétrai dans le confessionnal et attendis que le prêtre fasse coulisser la petite fenêtre de bois de la cloison. Je le connaissais depuis vingt-cinq ans et j'avais confiance dans ses instincts de prolétaire en lui pardonnant ses excès de charité et son manque d'admonestations, de la même manière qu'il me pardonnait mes péchés. Il fit coulisser la petite porte et je vis au travers du grillage sa tête ronde, son cou de taureau, ses larges épaules en silhouette. Il avait avec lui dans le confessionnal un petit ventilateur à pales en caoutchouc dont le souffle faisait doucement voler ses cheveux gris coupés en brosse.

Je lui parlai d'Eddie Keats. Je racontai tout. Les coups que j'avais pris, l'humiliation, la queue de billard qui avait volé en éclats en plein dans son visage, le sang qui lui filait entre les doigts en coupe sur le nez.

Le prêtre resta un instant silencieux.

— Avais-tu l'intention de tuer cet homme ? dit-il.

— Non.

1. Plante herbacée utilisée pour la formation des gazons et des pâturages.

2. Genre de mimosacées dont les fleurs forment des épis.

— En es-tu sûr ?
— Oui.
— Envisages-tu de lui faire encore du mal ?
— Non, s'il me laisse tranquille.
— Alors oublie, laisse tout ça derrière toi.

Je ne répondis pas. Nous étions l'un et l'autre silencieux dans la pénombre du cagibi.

— Tu en as toujours lourd sur le cœur ? dit-il.
— Oui.
— Dave, tu as fait ta confession. N'essaie pas de juger le bon et le mauvais de ce que tu as fait. Laisse aller. Peut-être que tu t'es mal conduit, mais tu as réagi à la provocation. Cet homme a menacé ton épouse. Tu ne penses pas que le Seigneur est capable de comprendre tes sentiments dans une telle situation ?
— Ce n'est pas pour ça que je l'ai fait.
— Je suis désolé, je ne comprends pas.
— J'ai fait ça parce que je veux boire. Je brûle du désir de boire. Je veux boire tout le temps.
— Je ne sais quoi dire.

Je sortis dans le jardin par la porte latérale. J'entendais le bruit de la cascade dans la grotte, l'odeur des roses jaunes et mauves et des fleurs rouges du pithécolobium était lourde et doucereuse dans l'air chaud clos de murs. Je m'assis sur le banc de pierre près de la grotte et contemplai le bout de mes chaussures.

* * *

Je retrouvai Annie qui désherbait le potager derrière notre vieux fumoir. Elle était pieds nus, vêtue d'un blue-jean et d'une chemise de toile bleue sans manches. Elle était à quatre pattes et nettoyait une rangée de tomates, arrachant les mauvaises herbes qu'elle mettait dans un seau. Elle avait le visage tout rouge. Je lui avais dit ce matin-là ce qui était arrivé à Eddie Keats. Elle n'avait rien répondu, se contentant d'aller préparer le petit déjeuner dans la cuisine.

— Je pense que tu ferais peut-être bien d'aller rendre visite à ta famille dans le Kansas et d'emmener Alafair, dis-je.

J'avais à la main un verre de thé glacé.

— Pourquoi ?

Elle ne leva pas les yeux.

— Ce mec Keats.

— Tu crois qu'il va revenir par ici ?

— Je ne sais pas. Parfois, les mecs de son acabit, quand tu leur tapes dessus assez fort, ne reviennent plus t'embêter. Mais parfois, c'est impossible à dire. Et ça ne sert à rien de tenter le diable.

Elle laissa tomber une poignée de mauvaises herbes dans le seau et se redressa. Elle avait le front en sueur, barbouillé de terre. Je sentais l'odeur chaude et musquée des plants de tomates au soleil.

— Pourquoi n'as-tu pas réfléchi à ça avant ? dit-elle en regardant droit devant elle.

— J'ai peut-être fait une erreur. Je continue à penser que vous devriez aller au Kansas, Alafair et toi.

— Je ne veux pas paraître mélodramatique, Dave. Mais je ne prends pas de décisions sur ma vie ou celle de ma famille à cause de gens comme ça.

— Annie, c'est très sérieux.

— Bien sûr que c'est sérieux. Tu essaies à la fois de faire le flic dur et méchant et d'avoir une famille. Alors tu aimerais bien voir une partie de ton problème loin de la Louisiane.

— Au moins, réfléchis à ma proposition.

— C'est tout réfléchi. Ce matin, et ça a duré à peu près cinq secondes. Oublie ça, dit-elle, en allant jusqu'à la goulotte avec son seau plein de mauvaises herbes qu'elle vida sur le flanc de la ravine.

Lorsqu'elle revint, elle continua à me regarder avec sérieux avant d'éclater soudain de rire.

— Dave, tu es vraiment trop, dit-elle. Tu aurais au moins pu nous offrir Biloxi ou Galveston. Tu te souviens de ce que tu as dit du Kansas quand tu es allé là-bas ?

"C'est probablement le seul endroit des Etats-Unis qui se trouverait amélioré par une guerre nucléaire." Et c'est là-bas que tu voudrais me réexpédier aujourd'hui ?

— D'accord, Biloxi dans ce cas.

— Ça ne marche pas, mon coco.

Elle s'en repartit vers les ombrages du potager, le seau battant d'avant en arrière contre la jambe du pantalon.

Ce soir-là, nous allâmes à un *fais dodo*[1] à St Martinville. La rue principale était bloquée à la circulation et réservée aux danseurs, et un groupe de violoneux acadien et un orchestre de rock'n'roll se relayaient tour à tour sur une estrade de bois érigée en retrait sur fond de Bayou Teche. Les cimes des arbres étaient vertes aux lumières du ciel lavande et rose, et la brise du soir soufflait entre les chênes du cimetière où étaient enterrés Evangeline et son amant. Pour une raison inconnue, le rock'n'roll du sud de la Louisiane n'avait jamais changé depuis les années cinquante. On croyait toujours entendre Jimmy Reed, Fats Domino, Clifton Chénier et Albert Ammons. Je m'installai à une table en bois, non loin de l'estrade, devant une assiette en carton garnie de riz, haricots rouges et *sac-à-lait*[2] frit, regardai les danseurs et écoutai la musique pendant qu'Annie descendait la rue, accompagnée d'Alafair, à la recherche de toilettes.

Puis les nuages de pluie vinrent voiler un instant le soleil couchant et le vent se leva avec force, chassant feuilles, journaux, gobelets à bière et assiettes en carton le long des rues. Mais l'orchestre continua à jouer, comme si la menace de pluie ou même une tempête élec-

1. Nom familier donné par les Cajuns aux bals populaires, à cause de la chambre contiguë à la salle de danse, aménagée pour permettre de coucher les enfants que l'on ne peut garder à la maison.

2. Nom local du bachelier blanc.

trique ne présentaient guère plus d'importance pour les pauvres mortels que les considérations sur le temps qui passe. Pour quelque raison inconnue, je me mis à rêvasser sur les raisons qui nous poussent à être ce que nous sommes, en bien comme en mal. Je n'avais pas choisi d'être alcoolique, d'avoir cette faiblesse infantile d'oralité pour la bouteille, mais malgré cela, cette passion autodestructrice, cette plaie innée ou acquise s'envenimait chaque jour, ouverte au centre de mon existence. Puis je pensai à un sergent de mon peloton, peut-être le meilleur homme que j'eusse jamais connu. Si l'environnement était le facteur formateur déterminant de nos vies, la sienne n'avait alors aucun sens.

Il avait grandi dans une ville métallurgiste de l'Illinois, au milieu de fonderies couvertes de suie, l'un de ces endroits où le ciel est à jamais desséché par les fumées, l'horizon bouché par les toits noircis des usines, la rivière tellement polluée de produits chimiques et de bourbe qu'elle avait un jour pris effectivement feu. Il avait vécu avec sa mère dans un bloc de corons, alignés, rangée par rangée, un monde qui se limitait à une extrémité par le rade à bière du samedi soir avec sa salle de billard et à l'autre, par son boulot comme aiguilleur aux chemins de fer. Statistiquement, en toute logique, il aurait dû être un de ces êtres qui vivent leur existence dans la grisaille et l'anonymat, sans fait marquant, avec pour seule ambition, un mariage sans joie et une augmentation qui rattraperait le coût de la vie. Au lieu de cela, il était à la fois brave et chaleureux, soucieux de ses hommes, sans l'ombre d'un compromis quant à des loyautés ; son intelligence et son courage nous avaient portés l'un et l'autre lorsqu'il arrivait que les miens faiblissent. Mais bien que nous eussions servi ensemble pendant sept mois, je garderai toujours de lui une image essentielle, qui paraissait définir à la fois l'homme et ce qu'il est de meilleur chez les gens de notre pays.

Nous venions de revenir à notre base, un endroit étouffant, balayé par le vent, après deux journées passées en territoire indien à combattre arme au poing, avec les Viet-cong parfois à deux mètres de nous. Nous avions perdu quatre hommes, nous étions vidés, malades, épuisés, de cet épuisement qui vous saisit même pendant votre sommeil, lorsque vous éprouvez la sensation d'être roulé en boule dans le caisson de vos propres douleurs, lorsque votre âme vibre de secousses comme un élastique. J'avais emmené ma section sur la piste, une nuit, acte stupide et irresponsable, pour tomber en plein dans leur embuscade ; j'avais perdu tout de suite mon homme de pointe pour me retrouver débordé sur les flancs, et il n'y avait qu'une seule personne à blâmer pour tout – moi. Il était midi, le soleil brûlait, chaud et lumineux comme un arc électrique au-dessus de nos têtes, et dans l'œil de ma mémoire, je voyais toujours les éclairs des AK-47 contre les feuillages verts et noirs de la jungle.

C'est alors que je regardai Dale, mon sergent, en train d'essorer sa chemise au sortir d'une barrique métallique pleine d'eau. Il avait le dos bruni, où les vertèbres étaient autant de crêtes, où les côtes tendaient la peau comme des bâtons, et les pointes des mèches de cheveux noirs luisaient de sueur. Puis son visage mince de Tchécoslovaque me sourit, avec plus de tendresse et d'affection dans le regard qu'il m'en fût donné de voir depuis chez une femme.

Il fut tué huit jours plus tard lorsqu'un Huey[1] bascula après avoir accroché la cime des arbres, près d'une aire d'atterrissage, avant de s'écraser soudain sur le flanc dans la clairière.

Mais cet aparté sur les origines de ma personnalité et les mystères de l'âme ne concernent pas mon ami mort. Ils concernent quelqu'un d'autre. Une demi-douzaine de Harley désossées, montées par des femmes deux par deux, vinrent se ranger au bord de la barrière qui fermait la rue. Claudette Rocque et ses amies s'engagèrent dans la foule. Elles avaient revêtu jeans crasseux, T-shirts

1. Modèle d'hélicoptère de la compagnie Bell.

Harley de couleur noire sans soutien-gorge et larges ceinturons cloutés, le front enserré de bandannas comme les Indiens, avec chaînes, tatouages et demi-bottes à boucles de métal. Elles avançaient, les doigts crochés dans des packs de six canettes, des cahiers de feuilles à cigarette Zig-Zag dépassant des pochettes des T-shirts. Elles arboraient leur étrange forme de sexualité comme des guerriers wisigoths en cotte de maille et cuirasse.

Mais pas l'épouse de Bubba. Ses seins lourds pendaient sous le maillot noir sans manches décoré de cœurs rouges, et le jean taille basse laissait à nu la peau douce et bronzée du ventre, révélant aux regards un papillon orange et mauve tatoué près du nombril. Elle m'aperçut au milieu des danseurs et s'avança vers ma table, un léger sourire à la commissure des lèvres, roulant et ondulant des hanches, le haut du jean tout moite de transpiration à force de frotter contre la peau.

Elle se pencha sur la table et me sourit droit dans les yeux. Le haut de ses seins était semé de taches de rousseur. Je sentis la bière dans son haleine et un faible relent de marijuana dans ses cheveux. Les yeux étaient indolents et joyeux tout à la fois, et elle se mordit la lèvre comme si elle venait d'arriver à une conclusion très sensuelle qui nous concernerait tous les deux.

— Où est la bourgeoise ? dit-elle.

— Un peu plus loin.

— Vous laissera-t-elle danser avec moi ?

— Je ne danse pas très bien, madame Rocque.

— Alors je parierais que vous êtes doué pour autre chose. Nous avons tous nos petits talents particuliers.

Elle se mordit à nouveau la lèvre.

— Je crois que je suis peut-être l'un de ceux à n'en avoir aucun depuis le berceau. Il en est parmi nous qui n'ont pas à se forcer pour être modestes.

Elle eut un sourire ensommeillé.

— Le soleil est derrière les nuages, dit-elle. Je voulais bronzer encore un peu. Pensez-vous que je sois assez hâlée ?

Je pris une bouchée de mon assiette en carton et essayai de sourire avec bonne humeur.

— Certaines personnes disent qu'il y a du sang indien et noir dans ma famille, dit-elle. Mais je m'en fiche. Comme le disaient les filles de couleur de ma mère, "c'est les baies noires les plus sucrées".

Puis elle ôta une perle de sueur de mon front du bout d'un doigt qu'elle mit ensuite dans la bouche. Je me sentis rougir sous les regards des gens installés de chaque côté.

— La danse de la dernière chance, dit-elle avant de croiser les mains derrière la tête et d'onduler des hanches au son d'une chanson de Jimmy Clanton que le groupe de rock'n'roll interprétait sur scène. Elle remua les seins, roula du ventre en me fixant droit dans les yeux. Elle passait la langue autour de la bouche entrouverte, à croire qu'elle mangeait un cornet de glace. Une famille assise près de moi se leva et s'éloigna. L'épouse de Bubba fléchit les genoux, tendant le tissu du jean contre la croupe, les coudes serrés contre les seins, mains ouvertes, doigts tendus, une moue humide aux lèvres, et elle se baissa, de plus en plus, exposant aux regards des gens assis à la table la chair pâle du haut des seins. Je détournai les yeux vers l'estrade et vis Annie qui traversait la foule, la main d'Alafair dans la sienne.

Les regards de Claudette et d'Annie se croisèrent, avec cette reconnaissance d'intention et ce savoir très intime que seules les femmes semblent avoir en partage. Mais le visage de Claudette ne manifesta pas la moindre trace d'embarras, rien qu'une lueur joyeuse et indolente au fond des yeux couleur ocre rouge. Puis elle nous sourit à tous deux, posa une main distraite sur l'épaule d'un homme avant de s'éloigner l'instant d'après avec lui vers le milieu de la rue.

— Qui était-ce ? dit Annie.

— L'épouse de Bubba Rocque.

— On dirait qu'elle a pris plaisir à te divertir.

— Je crois qu'elle a têté de la *muta* cet après-midi.

— La quoi ?
— La marijuana.
— J'ai beaucoup aimé le papillon dansant. Elle te le trémousse avec un tel art.
— Elle a appris ça à Juilliard[1]. Allez, Annie, pas de scène aujourd'hui.
— Papillon ? Un papillon qui danse ? dit Alafair. Elle avait sur la tête une casquette de Donald Duck à bec jaune qui caquetait quand on le pressait. Je la soulevai sur mon genou et fit caqueter le bec de la casquette, heureux de pouvoir me distraire du regard inquisiteur d'Annie. Du coin de l'œil, je vis Claudette Rocque qui dansait avec celui qu'elle s'était trouvé dans la foule, le ventre collé contre les reins de l'homme.

* * *

Le lendemain, le docteur ôta les agrafes de mon cuir chevelu et de ma bouche. Lorsque je fis glisser la langue à l'intérieur de la bouche, j'eus l'impression de toucher une rustine de chambre à air meurtrie. Un peu plus tard dans l'après-midi, je me rendis à une réunion des AA. Le climatiseur était cassé, la pièce était chaude et enfumée et j'avais l'esprit qui vagabondait sans cesse.

Nous étions presque en été, et j'avais l'impression qu'il faisait de plus en plus chaud comme le jour tirait à sa fin. Nous avons soupé sur la table de séquoia dans l'arrière-cour, au milieu des crissements des cigales et des grondements du tonnerre qui claquait dans le lointain. J'essayai de lire le journal sous la véranda, mais il m'était impossible de me concentrer sur les mots sur plus d'un paragraphe. Je descendis jusqu'au ponton pour voir combien de barques étaient encore de sortie avant de retourner à la maison et de m'enfermer dans la pièce du fond, là où je gardais mes haltères et ma collection historique de disques de jazz. Je mis un vieux 78 de Bunk

1. Ecole de musique de New York, équivalente au Conservatoire.

Johnson et lorsque le son clair de son cornet, aussi net qu'un tintement de cloche, jaillit des crachotements et de la gadoue sonore qui l'entouraient, j'entamai une série de levers debout, la barre chargée à quarante kilos, sentant la poitrine et les biceps se gonfler de sang, de tension, de puissance chaque fois que je relevais les haltères des cuisses au menton.

En quinze minutes, je dégoulinai de sueur sur le plancher de bois. J'ôtai ma chemise, enfilai short de gym et chaussures de course et courus cinq kilomètres sur le chemin de terre le long du bayou. La douleur aux parties génitales avait presque complètement disparu, là où Eddie Keats m'avait frappé d'un coup de pied, le souffle était bon et le rythme cardiaque régulier pendant tout le parcours. J'aurais pu courir trois kilomètres supplémentaires. En temps normal, je me serais senti heureux et fier devant l'énergie, la résistance et la souplesse de mon corps de quadragénaire, mais je connaissais bien la mécanique qui œuvrait en moi ; elle n'avait rien à voir avec la santé, le soir étouffant aux lueurs de crépuscule, les lucioles qui étincelaient sous les frondaisons d'un vert sombre ou les brèmes qui venaient gober à la surface de l'eau près des feuilles de nénuphars. L'été du sud de la Louisiane est pour moi un morceau de chant d'éternité. Ce soir, je voyais simplement le rouge étincelant du soleil qui s'affadissait sur l'horizon comme la fin du printemps.

C'était un soir étrange. Dans le ciel noir, les étoiles donnaient l'impression de brûler. Il n'y avait pas le moindre brin de vent, et l'on aurait dit que la moindre des feuilles des pacaniers avait été gravée dans le métal. La surface du bayou était plane et paisible, les saules et les typhas immobiles le long des berges. Lorsque la lune se leva, les nuages qui se détachaient dans le ciel se mirent à ressembler à des queues de cheval panachées d'argent.

Je pris une douche froide et restai allongé en caleçon au-dessus des draps dans l'obscurité. Annie me caressa l'épaule du bout des doigts. Son visage me faisait face sur l'oreiller et je sentais le souffle de son haleine sur ma peau.

— Nous sommes capables de nous en sortir, Dave. Tous les mariages connaissent des moments difficiles, dit-elle. Ce n'est pas la peine de nous laisser dominer par eux.

— Très bien.

— J'ai peut-être été égoïste. J'ai peut-être été trop exigeante de mon côté.

— Que veux-tu dire ?

— J'ai voulu que tu sois quelqu'un que tu n'es pas. J'ai essayé pour nous deux de prétendre que tu en avais fini avec le travail de police qui avait été le tien quand tu étais à La Nouvelle-Orléans.

— Je l'ai quitté de mon propre gré. Tu n'avais rien à y voir.

— Tu as présenté ta démission, mais tu n'as rien quitté, Dave. Tu ne le quitteras jamais.

Je levai les yeux au plafond dans l'obscurité et attendis. Les rayons de lune dessinaient sur nos corps des motifs de lumière au travers des pales de l'aérateur de fenêtre.

— Si tu veux y retourner, c'est peut-être ce que nous devrions faire, dit-elle.

— Pas question.

— Parce que tu crois que je ne suis pas capable de l'assumer ?

— Parce que c'est une fosse d'aisance.

— Tu dis ça, mais je ne suis pas certaine que ce soit ce que tu penses.

— Mon premier partenaire était quelqu'un que j'admirais beaucoup. Il avait du cran, il avait des tripes, intègre et honnête comme pas un. Un jour sur Canal, une petite fille a eu le bras sectionné en passant à travers un pare-brise. Il a couru jusqu'au premier bar, rempli son blouson de glace et en a enveloppé le bras, un bras que les médecins ont pu recoudre en place. Mais avant qu'il ne prenne sa retraite, ce même mec se faisait arroser, il...

— Quoi ?

— Il touchait des pots-de-vin. Il secouait les putes. Il a fait sauter le caisson d'un gamin de quatorze ans, un jeune Noir, sur le toit d'un immeuble de l'Assistance.

— Ecoute la colère que tu as dans la voix. C'est comme un feu qui te brûlerait de l'intérieur.

— Ce n'est pas de la colère. C'est un simple état de fait. Tu restes là-dedans et tu te mets à parler et à penser comme une raclure. Un jour, tu te retrouves en train de faire quelque chose dont tu ne te croyais pas capable, et c'est à ce moment-là que tu te retrouves en terrain de connaissance, tu touches au but. Ce n'est pas un moment agréable.

— Tu n'as jamais été comme ça, et tu ne le seras jamais.

Elle mit le bras en travers de ma poitrine et posa un genou sur ma cuisse.

— Parce que je suis sorti de là.

— Tu crois en être sorti, mais ce n'est pas vrai.

Du genou et de l'intérieur de la cuisse, elle se frotta contre ma jambe en me caressant la poitrine et le ventre du plat de la main.

— Je connais un officier de police dont la condition physique nécessiterait quelque attention.

— Demain, je veux aller voir les bonnes sœurs pour leur parler de l'inscription d'Alafair en maternelle.

— C'est une bonne idée, patron.

— Ensuite nous irons à la piscine avant d'aller déjeuner à St Martinville.

— Comme tu veux.

Elle se colla tout contre moi, soufflant son haleine dans mes cheveux, emprisonnant mes cuisses de sa jambe.

— Qu'as-tu d'autre comme projet ?

— Il y a un match de la Légion américaine demain soir. Nous pourrions peut-être nous prendre la journée.

— Est-ce que je peux te toucher là ? Oh ! Seigneur, et moi qui te croyais si stoïque, insensible aux charmes féminins. C'est un acteur de première, mon petit coco, pas vrai ?

Elle m'embrassa la joue, puis la bouche, avant de s'installer sur moi à sa façon coutumière si maternelle, et de caresser mon visage en me souriant droit dans les yeux. Le clair de lune éclairait sa peau hâlée et ses seins blancs et lourds. Elle se redressa légèrement sur les genoux, me prit dans la main et m'enfonça en elle, la bouche soudain arrondie en O, les yeux soudain tournés vers l'intérieur, comme pour se contempler. J'embrassai ses cheveux, son oreille, le haut de ses seins, je laissai courir les mains le long de son dos et de ses cuisses dures et tremblantes, et finalement, je sentis les colères et les chaleurs du jour disparaître, ces colères et ces chaleurs qui avaient semblé vivre en moi comme un soleil brûlant prisonnier d'une bouteille de whisky, je les sentis disparaître sous ses halètements rythmés contre ma joue, sous ses mains, sous ses bras qui me pressaient et me caressaient tout entier, comme s'ils craignaient de me voir échapper de dessous d'elle, de cette mer d'amour aussi chaude, aussi inépuisable, aussi prenante que l'océan.

* * *

Mes rêves m'emportaient toujours loin en des endroits variés. Parfois je me retrouvais en pirogue, en compagnie de mon père, dans les profondeurs des marais d'Atchafalaya, au milieu des arbres noirs noyés d'épais brouillard. Aux premières lueurs du soleil qui venait pointer ses rayons à l'horizon, perçant le rebord de la terre, j'envoyais ma cuillère Mepps[1] près des genoux des cyprès et une perche soleil à grande bouche fondait droit dessus pour la crocheter, avant de jaillir des eaux paisibles, éclaboussée de lumière vert doré. Cette nuit-là, je rêvai de Huey en rase-mottes au-dessus du couvert de la jungle et de ses rivières d'un brun laiteux. Dans mon rêve, ils ne faisaient aucun bruit. Ils ressemblaient à des insectes sur le ciel de lavande, et au fur et à mesure de

1. Marque célèbre de leurres.

leur approche, j'apercevais les tireurs qui faisaient feu dans les arbres. Les masses d'air des pales de rotor barattaient les cimes sous leur souffle de tempête, et les balles des mitrailleuses faisaient gicler l'eau des rivières sous leur impact, ratissant les villages de pêcheurs vides d'habitants, ballet de lignes géométriques qui dansaient au travers des fossés d'irrigation et des rizières. Mais je n'entendais pas le moindre bruit, il n'y avait personne sous les appareils. Je vis le visage d'un tireur de flanc, un visage tendu, serré par la peur, fouetté par les rafales de vent, animé des tressautements de l'arme qui crachait ses balles. Je ne réussis à voir qu'un seul de ses deux yeux – un œil plissé, piqué par la cordite, mouillé des reflets d'images qui s'y étaient inscrites, les buffles d'eau morts dans la fournaise, les villages partis en fumée, la campagne vitreuse, où les gens s'étaient enfouis sous la terre pour se terrer comme des rats. Il avait les mains rouges et enflées, le doigt noué autour de la gâchette, au milieu du kaléidoscope des douilles de laiton giclant dans la lumière. Il n'avait plus personne sur qui tirer, mais c'était sans importance – son contrat était clair. Il avait à jamais consommé ses épousailles avec ce morceau de terre qu'il avait contribué à dévaster, ce sol qui était sa drogue et sa Némésis. Le silence de mon rêve hurlait comme un cri.

Je m'éveillai au bruit des éclairs qui claquaient sans qu'il plût encore, d'une voiture longeant le bayou par le chemin de terre, des grenouilles-taureaux qui coassaient près de la mare à canards. Je n'éprouvais aucun intérêt à analyser et interpréter mes rêves. Les sentiments et les mécanismes étranges qu'ils représentaient disparaissaient toujours avec l'aube, et c'était là tout ce qui importait. J'espérais qu'un jour viendrait où même les rêves disparaîtraient totalement eux aussi. J'avais lu quelque part qu'Audie Murphy, le soldat le plus décoré de toute la Seconde Guerre mondiale, dormait avec un 45. Je suis convaincu que c'était un homme bien, bon et brave, mais il est des êtres pour lesquels le paysage des nuits vient se hanter de créatures forgées dans les chaudrons de l'enfer.

Les Grecs en avaient appelé à Morphée pour apaiser les Furies. Je me contentai simplement d'attendre et de veiller en cette aube factice, et parfois, avec de la chance, je parvenais à m'endormir à nouveau avant le lever du jour vrai.

Mais cette nuit vivait trop fort, de son trop-plein de bruits, de toutes ces esquilles de mémoire qui venaient agacer les frontières de mon souvenir comme autant de rats en train de le grignoter, pour que je puisse facilement retrouver le sommeil. J'enfilai une paire de sandales, me versai un verre de lait dans la cuisine et allai jusqu'à la mare à canards en caleçon. Les canards s'étaient blottis en groupe à l'ombre des typhas, la lune et les nuages qu'elle éclairait se reflétaient à la surface de l'eau immobile aussi parfaitement que si on les avait enchâssés sous un globe de verre sombre. Je m'assis sur le banc près de la grange effondrée qui marquait la limite de ma propriété, et contemplai au clair de lune les pâturages et les champs de canne à sucre de mon voisin. Sur le mur de la grange derrière moi, un mur dont la peinture rouge s'était depuis longtemps écaillée, était accrochée une enseigne Hadacol en fer-blanc, vieille de trente-cinq ans. L'Hadacol était jadis fabriqué par un sénateur de l'Etat originaire d'Abbeville : non seulement contenait-il suffisamment de vitamines et d'alcool pour réveiller un mort, mais la capsule de la bouteille vous donnait une entrée gratuite au chapiteau itinérant Hadacol, qui, une année, avait présenté au public Jack Dempsey, Rudy Vallee et un géant canadien de deux mètres quarante. J'étais émerveillé par l'innocence de l'époque qui m'avait vu grandir.

Puis je vis au sud le ciel s'illuminer d'un éclair de chaleur et une brise soudaine se leva, venant briser les reflets de lune dans l'eau et denteler les feuilles de pacaniers de la cour à l'avant de la maison. Les vaches dans la prairie s'étaient déjà agglutinées, l'air avait une odeur de pluie et de soufre mêlés et je sentis la pression atmosphérique qui tombait. Je terminai mon verre de lait, m'adossai au mur de la grange, les yeux fermés, respirant le vent chargé de fraîcheur humide et je compris que, sans même essayer, j'allais surmonter mon insomnie et retourner au lit pour m'endormir près de ma femme, accompagné du tiquetis de la pluie sur l'aérateur de la fenêtre.

Mais lorsque je rouvris les yeux, je vis deux silhouettes sombres aussi vives et silencieuses qu'un daim des bois sortir des pacaniers jusque dans la cour, avant de disparaître de mon champ de vision en se glissant sous la véranda. Même lorsque je me remis debout, écarquillant les yeux dans l'espoir futile d'avoir été le jouet d'une simple vision, je sentis mon cœur sombrer avec cette conscience terrible dont je n'avais fait l'expérience qu'une seule fois par le passé, le jour où j'avais entendu le *klatch* de la mine sous mon pied au Viêt-nam. Même lorsque je me mis à courir vers la maison obscure, avant même que j'entende la pince-monseigneur mordre le bois du chambranle, avant que les mots n'explosent au sortir de ma gorge, je compris que mes frayeurs nocturnes allaient vivre leur accomplissement cette nuit, sans le recours d'une aurore illusoire qui viendrait les chasser, une aurore que seuls les imbéciles pouvaient encore attendre. Je trébuchai dans mes sandales avant de m'en libérer d'un coup de pied et me mis à courir pieds nus sur le sol dur jonché des restes des planches de la grange et des clous rouillés du toit, par-dessus les typhas qui poussaient sur la berge de la mare, en hurlant : "Je suis là, dehors ! Je suis là, dehors !", pareil à un homme saisi d'hystérie, abandonné sur une parcelle du sol lunaire.

Mais mes paroles se perdirent dans le grondement du tonnerre, le vent, le fracas des gouttes de pluie qui s'écrasaient sur le toit de tôle, le claquement de la pince-monseigneur qui faisait éclater le bois du chambranle avant d'en faire sauter et les gonds et le verrou, pour finir par déchiqueter la porte qui s'ouvrit droit sur le salon. Puis j'entendis une nouvelle fois ma voix, pareille au cri d'un animal échappé d'une bulle mouillée, et j'entendis le rugissement des fusils de chasse et je vis rebondir dans la chambre à coucher les flammes des décharges comme des éclairs dans un ciel d'orage. Ils tirèrent, ils tirèrent encore et encore, accompagnés par le claquement sonore des culasses des fusils à pompe à chaque nouvelle cartouche, disséquant à chaque nouvelle explosion les ténèbres où ma femme gisait, seule, sous son drap. Leurs chevrotines déchiquetaient les fenêtres, faisant voler vitres et tissu des rideaux jusque dans la cour, arrachant les nœuds du bois des planches extérieures, résonnant en ricochets sur les pales de l'aérateur. Quelque part derrière moi, un éclair de tonnerre éclata soudain, illuminant ma propre peau d'une blancheur de cadavre.

Ils avaient arrêté de tirer. Je restai là, hors d'haleine, pieds nus, vêtu de mon seul caleçon, sous la pluie, et regardai par la fenêtre brisée et ses rideaux déchiquetés la silhouette d'un homme qui me dévisagea en retour, immobile, la poitrine barrée par le fusil qu'il tenait. Puis j'entendis la culasse qui claquait à nouveau pour faire monter une nouvelle cartouche dans la chambre.

Je courus sur le côté de la maison, me collai contre les planches de cyprès, me baissai au passage sous les fenêtres pour me diriger vers le devant de la maison où je m'accroupis dans l'obscurité. J'entendis l'un des hommes se cogner dans un mur ou une porte dans le noir, trébucher sur le fil du téléphone, arracher l'appareil de sa prise et le balancer dans l'entrée. J'avais des traces de sang sur le pied, une plaie à la cheville, mais mon corps n'avait plus de sensation. Ma tête était prise de vertige comme si on l'avait cognée violemment à coups de journal roulé, et je sentais la bile qui me remontait de l'estomac en nausées incontrôlables. Je n'avais pas d'arme ; mes voisins étaient loin ; il n'y avait rien que je pusse faire pour aider Annie. La sueur et l'eau de pluie dégoulinaient de mes cheveux, courant sur ma peau comme des insectes.

Il n'y avait rien d'autre à faire que de courir vers le téléphone de la boutique. C'est alors que j'entendis la porte-moustiquaire qui se reclaquait contre le mur et ils sortirent tous les deux sous la galerie. Leurs pas résonnèrent sur le plancher de bois, d'abord dans un sens, puis dans l'autre. Je me plaquai contre le mur latéral de la maison et j'attendis. Il suffisait à l'un d'eux d'enjamber la rambarde de côté d'un bond pour m'aligner à bout portant. Puis leurs bruits de pas s'arrêtèrent et je compris que leur attention se concentrait sur autre chose. Une camionnette à plateau brinquebalait sur le chemin de terre en direction du bassin, la lumière de son unique phare éclairant la pluie chassée à l'oblique avant de rebondir sur les arbres. Je savais que ce devait être Batist. Il vivait quatre cents mètres plus loin sur la route et dormait l'été sur sa galerie protégée de moustiquaires. Il aurait entendu et reconnu le bruit des coups de feu, même au milieu du tonnerre.

— Et merde. On se tire d'ici, dit un des deux hommes.

L'autre dit quelque chose, mais sa voix se perdit dans le fracas de la pluie sur le toit de tôle et un claquement de tonnerre.

— Alors tu reviens et tu lui fais sa fête. De toute façon, c'est un contrat foireux. T'avais pas parlé d'une nana, dit le premier. Le fils de pute, la camionnette tourne par ici. Je me casse. La prochaine fois, tu nettoieras tes merdes tout seul.

J'entendis un homme sauter du perron et se mettre à courir. Le deuxième attendit, hésita un moment, les pieds raclant le planchage de bois, puis la marche fléchit en craquant sous son poids, et quelques instants plus tard, je les vis tous deux qui couraient, coupant à travers les arbres en direction d'une voiture garée plus loin près du bayou. Le fusil barrant la poitrine, ils ressemblaient à des fantassins fuyards en pleine nuit au milieu des bois.

Je franchis la porte d'entrée en courant, pénétrai dans la chambre, basculai l'interrupteur, le cœur cognant la poitrine dans un bruit de tonnerre. Des douilles de cartouches de couleur rouge jonchaient l'entrée ; le bois d'acajou, à la tête et au pied du lit, portait les marques de la fusillade, creusé, éclaté d'esquilles aux points d'impact de la chevrotine et des balles à gros gibier ; le papier peint fleuri au-dessus du lit était couvert de trous de la taille de pièces de un franc toutes noires. Le drap, qui la couvrait toujours, était détrempé de son sang, la toile déchiquetée enchassée à cœur de la chair éclatée, comme arrachée par les mâchoires d'un loup. Sa tête aux boucles blondes était tournée sur l'oreiller. Une main blanche immaculée pendait sur le rebord du matelas.

Je lui touchai le pied. Je lui touchai la cheville constellée de sang. Je lui enserrai les doigts de mes mains. Je frôlai de la paume ses cheveux bouclés. Je m'agenouillai auprès du lit comme un enfant et lui embrassai les yeux. Je soulevai une main et mis ses doigts dans ma bouche. Puis je me mis à trembler, comme si les muscles, les os, les tendons cherchaient à se séparer en moi, et j'enfonçai le visage dans l'oreiller, mes cheveux mouillés pressés contre son front.

Je ne sais combien de temps je suis resté agenouillé là. Je ne me rappelle pas m'être relevé. Je sais que la peau me brûlait comme si on l'avait peinte d'une couche d'acide, j'étais incapable d'inspirer suffisamment d'air dans les poumons. La lumière jaune de la chambre était comme une flamme dans mes yeux, la moindre de mes articulations me semblait atrophiée par les années, mes mains étaient des blocs de bois lorsque je me mis à fouiller le tiroir de la commode, trouvai le 45 et engageai le lourd chargeur dans la crosse. En esprit, je me voyais déjà traversant la cour au pas de course avant de franchir les pâtures du voisin et les pentes boisées de chênes et de pins à leur extrémité la plus éloignée, là où passait le chemin de terre avant qu'il ne rejoigne le pont mobile qui franchissait le bayou. J'entendis un môme de ma section, un jeune Noir, hurler : *"Charlie y veut pus jouer. Y cavale vers le tunnel. Foutez-les en l'air, ces connards, lieutenant."* Je vis des débris d'êtres humains se dissoudre sous mes rafales, et lorsque la culasse claqua à vide et que je dus recharger, j'avais les mains qui tremblaient d'anticipation.

Mais ce n'était pas la voix d'un jeune Noir de ma section, et je n'étais pas le jeune lieutenant capable de forcer les petits hommes jaunes en pyjamas noirs à se terrer dans leurs trous. Batist me tenait le bras de ses deux mains, sa poitrine nue pareille à une plaque de blindage, ses yeux marron qui me faisaient face, écarquillés, plongeant dans les miens sans un battement de cil.

— Sont partis, Dave. Té peux rien y faire d'bon avec et' n'arme, ti, dit-il.

— Le pont mobile. On peut couper.

— *C'est pas bon. Ils sont pa'tis.*

— On prendra la camionnette.

Il secoua la tête pour dire non avant de glisser son énorme main le long de mon bras et de prendre l'automatique posé au creux de ma paume. Puis il passa le bras autour de mes épaules et me fit entrer au salon.

— Té restes assis là. Té peux rin pus faire, ti, dit-il.

Le 45 sortait de la poche revolver de son blue-jean.

— Alafair l'est où ?

Je le regardai d'un air stupide. Il souffla par la bouche et se mouilla les lèvres.

— Té reste là. Et té bouge pon, nan. T'comprends, Dave?

— Oui.

Il entra dans la chambre d'Alafair. Les pacaniers de la cour chatoyaient des blancheurs de l'éclair qui bondissait à travers ciel, et le vent chassait la pluie sous la galerie jusque dans la maison par la porte déchiquetée. Lorsque je fermai les yeux, je vis la lumière danser au milieu du carré sombre d'une fenêtre comme un arc électrique pris au piège d'une boîte noire.

Je me levai du canapé comme une statue pétrifiée et avançai jusqu'à l'entrée de la chambre d'Alafair. Je m'arrêtai, une main appuyée au chambranle, presque comme si j'étais devenu soudain un étranger à me préoccuper de mes propres chagrins. Batist était assis sur le côté du lit, Alafair sur les genoux, enveloppée de ses bras puissants. Elle avait le visage très blanc, le corps secoué de sanglots contre sa poitrine noire.

— Al' va bien. Té vas bien aller, ti aussi, Dave. Batist, y va s'occuper d'tout. Té verras, dit-il. Seigneur, Seigneur, tout ce que l'monde y y'a fait, à c'te p'tite infant.

Il secoua la tête, de gauche à droite, avec, dans les yeux, une tristesse sans voile.

6

Il plut le jour de l'enterrement d'Annie. En fait, il plut toute la semaine. L'eau dégoulinait des arbres, coulait en petites rigoles des avant-toits pour former dans la cour des flaques brunes où flottaient des feuilles, couvrant les champs et les canneraies d'une lumière gris-vert sans éclat. Les parents d'Annie étaient arrivés en avion du Kansas, et j'allai les chercher à l'aéroport de Lafayette avant de les conduire sous la pluie jusqu'à un hôtel de New Iberia. Son père, gros homme aux cheveux blond-roux, cultivait les céréales ; il avait les mains carrées, couvertes de cals, les poignets épais, et il regardait en silence par la fenêtre de la voiture la campagne détrempée, le cigare aux lèvres, n'ouvrant la bouche que pour se montrer poli. Sa mère était une paysanne mennonite au corps lourd, le cheveu d'un blond lumineux, les yeux bleus et les joues rouges. Elle essayait de compenser l'attitude distante de son mari en parlant de son voyage au départ de Wichita, sa première expérience d'un trajet en avion, mais elle ne réussissait pas à se concentrer sur ses paroles, et déglutissait fréquemment, détournant sans cesse ses regards de mon visage.

Ils avaient émis des réserves à mon sujet lorsque j'avais épousé Annie. J'étais plus âgé qu'elle, divorcé au passé d'alcoolique, et de par mes fonctions d'inspecteur à la Criminelle, j'avais vécu dans un univers de violence encore plus étranger à ce Kansas rural que mon accent cajun et mon nom français. Je sentais qu'ils me tenaient responsable pour la mort d'Annie. Son père tout au moins, j'en étais persuadé. Et je n'avais pas la force de disputer cette accusation muette, fût-ce avec moi-même.

— Les funérailles sont à quatre heures, dis-je. Je vous déposerai au motel où vous pourrez vous reposer et je repasserai vous prendre à trois heures et demie.

— Où se trouve-t-elle en ce moment ? dit le père.

— A la maison funéraire.

— Je veux aller là-bas.

Je restai un instant silencieux et contemplai son gros visage résolu, aux yeux gris largement écartés.

— Le cercueil est fermé, monsieur Ballard, dis-je.

— Vous nous emmenez là-bas maintenant, dit-il.

Nous enterrâmes Annie dans mon caveau de famille du vieux cimetière de St Peter's Church à New Iberia. Les cryptes étaient bâties en briques recouvertes de plâtre blanc, et les plus anciennes étaient toutes craquelées, enfoncées dans la terre et enveloppées de lierre vert enraciné dans le mortier. La pluie tombait du ciel gris et dansait sur la rue au sol briqueté près du cimetière, martelant la marquise en toile de bâche au-dessus de nos têtes. Avant que les employés des pompes funèbres ne glissent le cercueil d'Annie dans le tombeau avant de le sceller d'une plaque de marbre gravée, l'un d'eux dévissa le crucifix de métal qui ornait le couvercle pour me le mettre entre les mains.

Je ne me rappelle pas être revenu à la limousine. Je me souviens des gens sous la marquise de toile – ses parents, Batist et son épouse, le shérif, mes amis de la ville – mais je ne me rappelle pas avoir quitté le cimetière. J'avais vu la pluie tomber du ciel en tourbillons, je l'avais vue luire sur les briques rouges de la chaussée et la clôture noire en fers de lance qui entourait le cimetière, j'avais entendu un train siffler quelque part et les wagons de marchandises cliqueter sur la voie ferrée qui traversait la ville, et puis je m'étais retrouvé debout, au milieu de la pelouse manucurée de la maison funéraire, avec ses colonnes en bois évidé et sa pseudo-façade d'avant-guerre aux couleurs de carton-pâte dans la lumière grise, devant les voitures qui s'éloignaient de moi sous la pluie.

— La camionnette est là-bas, Dave, me disait Batist. Viens, le souper est prêt. T'as mangé rien d'la journée.

— Il faut qu'on ramène ses parents au motel.

— Y z'ont fait déjà partir. Hé, mets c'te veste sur et' tête. Té veux rester là et t'transformer en canard, dis ?

Il me sourit, sa tête en boulet de canon emperlée de gouttes de pluie, ses grosses dents pareilles à des fanons de baleine sculptés. Je sentis sa main m'envelopper le bras, serrer la chair du muscle et me conduire jusqu'au pick-up, où se tenait sa femme, vêtue d'une robe de coton imprimé, le parapluie ouvert, debout près de la porte déjà ouverte. Je restai assis paisiblement entre tous les deux sur le chemin de retour jusqu'à la maison. Ils avaient renoncé à essayer de me parler, et je fixais la route à travers le pare-brise, les yeux rivés sur les flaques boueuses du chemin de terre, l'écorce brillante des troncs humides des chênes, l'eau qui dégoulinait bruyamment de leurs branchages, les nuages de brume suspendus à la surface du bayou qui venaient se déchirer sur le capot de la camionnette comme une offrande de sommeil. Dans la lumière grise, les rangées d'arbres de part et d'autre du chemin ressemblaient à un tunnel où je pourrais plonger en toute sécurité pour en ressortir à l'autre extrémité, au sein d'une chambre close et froide dans les profondeurs de la terre, là où les blessures se cicatrisaient d'elles-mêmes, là où la chair ne s'abandonnait pas aux morsures des vers, là où un cercueil scellé pourrait s'ouvrir sur un visage radieux.

* * *

Je me remis au travail sur mon bassin. Je louais des barques, emplissais les boîtes à vifs des clients, préparais les déjeuners au barbecue, ouvrais bouteilles de soda ou de bière avec le sourire et les gestes mécaniques d'un homme perdu dans un rêve. Comme toujours dans ces cas-là, lorsque l'on perd brutalement un être proche, je découvris combien les gens pouvaient être gentils. Mais au bout d'un moment, j'en étais arrivé à vouloir presque me cacher de leurs paroles, de leurs gestes qui voulaient bien faire, toutes ces condoléances, ces poignées de mains, ces tapes dans le dos. J'appris que le chagrin était une émotion individuelle et prenante ; une fois qu'il avait choisi en vous son réceptacle, il devenait difficile à partager avec les autres.

Et peut-être que je ne voulais pas non plus le partager. Une fois que les hommes de labo des services du shérif eurent ensaché les draps sanglants du lit et dégagé les chevrotines des murs et de la table de nuit, je refermai la porte que je verrouillai comme si je scellais un mausolée de douleur que je pourrais ressusciter à volonté par un simple tour de clé. Lorsque je vis la femme de Batist se diriger vers la maison avec seaux et brosses pour nettoyer les taches de sang sur le bois éclaté, je sortis de la boutique au pas de course en hurlant en français à son adresse, avec dans la voix, toute la sécheresse du Blanc s'adressant à une Négresse, pour la suivre des yeux qui s'en retournait vers sa camionnette, le visage blessé et déconcerté.

Cette nuit-là, je fus réveillé par un bruit de pieds nus sur le parquet et d'une poignée de porte qui tournait. Je me relevai et m'assis sur le canapé où je m'étais endormi devant la télévision toujours allumée et je vis Alafair assise près de la porte de chambre fermée au verrou. Elle ne portait qu'un pantalon de pyjama et tenait entre les mains le sac de Cellophane dans lequel nous gardions les restes de pain rassis. Elle avait les yeux ouverts, mais son visage portait encore toute l'opacité du sommeil. J'avançai jusqu'à elle sous le clair de lune qui tombait par la fenêtre de façade. Ses yeux bruns se levèrent vers moi d'un regard vide.

— A manger aux canards avec Annie, dit-elle.

— Tu es en train de rêver, mon petit gars, dis-je.

J'essayai de lui retirer doucement le sac plastique des mains. Mais elle avait verrouillé et les mains et les yeux à l'intérieur de son rêve. Je lui touchai la joue et les cheveux.

— On te ramène au lit, dis-je.

— A manger aux canards avec Annie ?

— Nous leur donnerons à manger demain matin. *En la mañana.*

J'essayai de lui sourire au visage, puis je la remis debout. Elle mit la main sur le bouton de porte qu'elle tordit d'un côté puis de l'autre.

— *Dónde esta ?*

— Elle est partie, mon petit gars.

Il n'y avait pas de mots pour le dire. Je la soulevai, la posai sur ma hanche et la portai jusque dans sa chambre. Je l'allongeai sur le lit, tirai les draps sur ses pieds, m'assis à côté d'elle et caressai de la main ses cheveux aussi doux qu'un duvet. Sa poitrine nue paraissait petite au clair de lune. Puis je vis sa bouche qui se mettait à trembler, tout comme à l'église, et ses yeux se plonger dans les miens, chargés du savoir que j'étais impuissant à l'aider, que personne ne pouvait l'aider, que le monde qui l'avait vue naître était bien plus terrifiant que tous ses univers de cauchemars.

— *Los soldados llegaron en la lluvia y le hicieron daño a Annie ?*

Les seuls mots d'espagnol que je compris dans sa question furent "soldats" et "pluie". Mais même si j'avais tout compris, je n'aurais de toute façon pas pu lui répondre. J'étais bien plus perdu qu'elle ne l'était elle-même, à jamais prisonnier du savoir qu'à l'instant où ma femme avait eu besoin de moi plus qu'à tout autre, j'avais abandonné la maison pour aller m'asseoir près d'une mare à canards dans l'obscurité, afin de m'y complaire aux évocations du passé et à mes névroses d'alcoolique.

* * *

Puis, un après-midi chaud et lumineux, une semaine exactement après avoir enterré Annie, sans drame particulier qui aurait pu me tarauder, sous un ciel bleu barré de nuages floconneux, je fis sauter la capsule d'une bouteille de Jax, observai la mousse qui coulait sur la bouteille ambrée avant de s'écraser en gouttes plates sur le plancher de la boutique, et je la vidai en moins d'une minute.

Deux pêcheurs de mes amis installés à une table me jetèrent un bref regard, le visage figé, et dans le silence de la pièce, j'entendis Batist qui frottait une allumette sur le bois pour en allumer un cigare. Lorsque je le regardai, d'une pichenette par la fenêtre ouverte, il balança l'allumette que j'entendis grésiller dans l'eau. Il me tourna le dos et fixa le soleil, une volute de fumée s'échappant d'entre ses dents largement écartées.

Je dépliai d'un geste sec un sac en papier double, y plaçai deux cartons de Jax, versai un petit seau de glace pilée par-dessus les bouteilles et plaçai le sac sous mon bras.

— Je prends un hors-bord pour descendre le bayou, dis-je. Ferme dans deux heures et garde Alafair avec toi jusqu'à ce que je rentre.

Il ne répondit pas et continua à regarder le soleil qui se reflétait sur les feuilles de nénuphars et les cannes qui poussaient le long de la berge.

— Tu m'as entendu ? dis-je.

— Fais c'que t'as donc à faire, ti. Ch'est pas à ti dem' dire comment s'occuper d'c'te petiote.

Il se dirigea vers la maison où Alafair était en train de colorier un livre sous le porche, et ne se retourna pas.

J'ouvris la manette des gaz du hors-bord et observai mon sillage blanc-jaune qui venait clapoter contre les genoux de cyprès sur la berge. Chaque fois que je faisais basculer une bouteille de Jax contre mes lèvres, le soleil dansait comme un brasier ocre à l'intérieur du verre. Je n'avais pas de destination, nul endroit où faire aboutir toute l'énergie qui palpitait au creux de ma main, pas la moindre prévision pour ma journée ou ma vie ou même les cinq minutes à venir. De toute manière, quelle importance les prévisions pouvaient-elles avoir, songeai-je. Un incendie de forêt ne prévoyait rien, pas plus que l'inondation qui avait enterré sous la boue une ville du Kentucky, ou bien l'éclair qui avait fendu le ciel jusqu'à un champ détrempé avant de souffler un fermier en le faisant jaillir de ses chaussures. Ces choses arrivaient et le monde continuait. Pourquoi fallait-il que Dave Robicheaux voulût à toute force imposer ordre et forme à son existence ? Alors tu perds tout contrôle et pendant un moment, tu n'es plus toi-même, me dis-je. Chose que comprenait parfaitement l'armée américaine. On déclare zone franche une région géographiquement et politiquement difficile, et on se retrouve quelque temps plus tard au milieu des cendres qui volent dans une odeur de napalm, ce qui permet de définir la nature passée du problème avec une clarté bien plus grande.

Le réservoir d'essence se retrouva vide vers le soir et à mes pieds gisait un tas de glace fondue, de papier marron détrempé et de bouteilles de Jax vides. J'atteignis la berge à la rame, balançai le bloc de ferraille me servant d'ancre sur la berge et partis à pied dans le crépuscule, le long d'un chemin de terre, jusqu'à un rade à musique tenu par un Nègre, auquel j'achetai un autre pack de six canettes de bière et une demi-pinte de Jim Beam. Puis je repoussai le bateau jusqu'au milieu du bayou et me laissai dériver par le courant parmi les traînées des lucioles et les traces sombres d'un alligator juste sous la surface de l'eau. Je sirotais le whisky à même le goulot, faisais passer chaque gorgée d'une bière et j'attendais. Parfois le whisky m'ouvrait brutalement les portes d'un brasier qui pouvait me consumer comme un morceau de Cellophane. A d'autres moments, je pouvais continuer à fonctionner des jours durant, plein d'une euphorie paisible et d'un semblant de maîtrise qui pouvait passer pour de la sobriété. Parfois aussi, je replongeais dans mes souvenirs pour y découvrir des moments oubliés que j'aurais alors aimé réduire en cendres comme un négatif photo sur des charbons ardents.

Je me souvins d'une partie de chasse aux canards en compagnie de mon père alors que j'avais treize ans. Nous étions à couvert dans un gabion, par un jour gris et froid balayé par le vent, tout près de Sabine Pass, à l'endroit de sa jonction avec le golfe. Les cols-verts et les poules avaient croisé bas dans le ciel toute la matinée depuis l'aube et nous les avions nettoyés comme autant de barbouillis qui auraient couvert le ciel. Puis mon père s'était montré imprudent, peut-être parce qu'il s'était soûlé la nuit précédente ; de la boue avait pénétré dans le canon de son automatique calibre douze, et lorsque trois oies sauvages du Canada passèrent au-dessus de nous, en fait bien trop haut pour un tir correct, il se leva rapidement, se tourna, le fusil à l'oblique au-dessus de ma tête, et fit exploser le canon de son arme dans une pluie de bourre, de cordite, de plombs de chasse et d'aiguilles d'acier à la surface de l'eau. J'avais les oreilles qui résonnaient à cause de l'explosion, et des parcelles de poudre brûlante me couvrirent le visage, semblables à des grains de poivre noir. Je vis son regard chargé de honte, je sentis son haleine chargée de bière éventée pendant qu'il me lavait la peau de son mouchoir humide. Il essaya de prendre l'incident à la légère, disant que c'était ce qui arrivait quand on avait manqué la messe la veille, mais son regard était lourd d'une conscience trouble autant que de honte, ce même regard qui était le sien chaque fois qu'il se retrouvait enfermé dans la prison de la paroisse pour tapage dans un bar.

Le campement n'était qu'à quatre cents mètres, juste de l'autre côté de la baie, le long d'un canal qui coupait droit à travers les cannes et les laîches, cahute bâtie sur pilotis qui faisait face au golfe. Il ne serait pas parti longtemps, rien qu'un aller et retour pour ramener son calibre seize. Je pouvais me mettre à vider les canards, entassés à mes pieds, couleur vert tendre mêlé de bleu, sur l'herbe jaunie tout aplatie au fond du gabion. “D'tout' façon, les oies, al' reviennent, ouais”, avait-il dit.

Mais engagé dans le canal, il fit passer le hors-bord au-dessus d'une souche immergée et sectionna l'axe de l'hélice qui cassa comme une brindille.

Je l'attendis deux heures durant, avec mon couteau sanglant des entrailles chaudes des canards. Le vent se leva au sud, de petites vaguelettes vinrent mordiller les parois du gabion, sous le ciel couleur de fumée d'incinérateur. Sur le versant texan du rivage, j'entendis les claquements assourdis d'un autre fusil de chasse.

Une pirogue était attachée à l'arrière du gabion. J'ouvris mon calibre douze, canon cassé, ramassai la série de leurres que j'avais installés en formation en J, remplis la gibecière en toile des dépouilles raidies et éviscérées des canards, chargeai le tout à la proue de la pirogue, et m'élançai direction le canal et les longues étendues de cladions.

Mais le vent avait tourné et soufflait maintenant avec force en provenance du nord-est, et malgré tous mes efforts à pagayer de toutes mes forces de chaque côté de la pirogue, je dérivais droit sur l'embouchure de la Pass et les eaux d'un vert ardoise du golfe du Mexique. Je pagayai jusqu'à avoir les mains pleines d'ampoules qui éclataient contre le grain du bois, puis je balançai mon poids d'ancre par-dessus bord avant de comprendre, lorque la corde se tendit bien droite, que le fond était trop loin pour qu'il pût s'amarrer. Et je contemplai avec désespoir les marais de Louisiane s'éloigner doucement.

L'écume des vagues me volait à la figure, et j'avais à la bouche le goût de l'eau salée. La pirogue tanguait avec tant de force dans les creux que j'étais obligé de m'agripper au plat-bord, les fesses serrées par la peur chaque fois que le fond de bois venait cogner contre mon coccyx. J'essayai d'écoper avec une boîte à conserve, je perdis ma pagaie et la suivis des yeux qui s'éloignait de moi à la surface des flots comme un fétu jaunâtre balayé par les vagues. La filée de leurres, mon fusil, et la gibecière remplie de canards flottaient dans l'eau à l'avant de la pirogue ; les cyprès déracinés et une cabane de bois retournée tourbillonnaient dans le courant sombre juste sous la surface à mon aplomb. La cabane avait un petit porche qui remontait briser les vagues dans la lumière d'hiver, pareil à une bouche gigantesque crachant l'eau.

Le bateau des gardes de l'Etat me récupéra dans l'après-midi. Mon père se trouvait à bord. On me sécha, on me donna des vêtements chauds, on me servit des sandwichs aux crevettes grillées accompagnés d'Ovaltine dans la cambuse. Mais je refusai de parler à mon père et ne lui adressai la parole que le lendemain parce que le sommeil m'avait permis de retrouver cette complicité familière à laquelle ses explications sur l'hélice cassée n'étaient pas parvenues à aboutir.

— C'est pasque t'étais tout seul là-bas, dit-il. Quand quelqu'un t'laisse tout seul, on se fiche des raisons. T'es comme qui dirait furieux contre eux. Quand ta maman s'est sauvée avec un joueur de *bourée*, j'm' fichais pas mal qu'c'était à cause de moi, non. Le mec, je l'ai étalé sur le plancher du bar en face d'elle. Quand y s'est relevé, j'l'ai étalé une nouvelle fois. Après j'ai trouvé qu'il avait un pistolet dans sa veste. Il aurait pu m'tuer sur place, ce mec. Mais elle l'a pas laissé faire, pasqu'el' savait qu'ç'allait m'passer. C'est pour ça qu'moi, ch'sus pas furieux après toi, pasque ch'sais qu'te dois êt' bien déçu pasque j'ai fait.

— C'qui est mal, c'est quand tu fais tout pour êt' tout seul. Fais jamais ça, Dave, pasqu'alors, c'est comme le raton laveur qui préfère se couper la patte à coups de dent quand y se la colle dans un piège.

Assis dans mon hors-bord sur le bayou, alors que je contemplais le ciel rouge et les nuages mauves à l'ouest, dans l'air immobile aussi chaud que le whisky que je portais à mes lèvres, je compris ce que mon père avait voulu dire.

Un raton peut déchiqueter muscles et os à coups de dent en quelques minutes. J'avais une nuit entière à ma disposition pour me mettre à l'ouvrage sur mon propre démembrement. Je me trouvai aussi le bon endroit pour ça – un bar nègre bâti de brique, installé en retrait d'un chemin jaunâtre et poussiéreux, au milieu d'un bouquet de chênes, le genre d'endroits où l'on portait le rasoir sabre dans la poche, où le bourbon se mélangeait au Thunderbird, où la musique *zydeco*[1] jouait si fort qu'elle secouait les vitres fendues tenues à l'adhésif de la fenêtre de façade.

Deux jours plus tard, une Négresse à la poitrine imposante, vêtue d'une robe mauve, me souleva la tête d'une flaque de bière. Le soleil était encore bas à l'est et brillait comme une flamme blanche à travers la fenêtre.

— Ta figure, c'est pas un torchon, mon mignon, dit-elle en me regardant une main sur la hanche, la cigarette entre les doigts.

Puis de son autre main, elle sortit mon portefeuille de ma poche revolver. Je tendis le bras sans force, d'un geste impuissant, tandis qu'elle l'ouvrait.

— Ch'sus pas le genre à voler de l'argent d'Blanc, dit-elle. J'attends juste qu'on m'le donne et qu'y m'tombe dans l'escarcelle. Mais t'as le choix, c'est la fesse ou le biberon, sinon tu dégages, et toi, mon mignon, on dirait qu'y faut qu'tu dégages.

Elle remit mon portefeuille dans ma poche de chemise, écrabouilla sa cigarette dans le cendrier en face de moi, et composa un numéro sur le téléphone du bar pendant que je restais là, affalé dans mon fauteuil, le côté du visage trempé de bière, le cerveau plein d'une sarabande de boules de lumière rouge. Dix minutes plus tard, une voiture des services du shérif de la paroisse St Martin me ramena au bayou où j'avais attaché mon bateau et m'y laissa, malade, seul, pareil à une statue solitaire au milieu des herbes humides de la berge.

1. Musique cajun noire, croisement entre le blues et les “danses carrées” des Blancs, dont le plus célèbre représentant est le chanteur-accordéoniste Clifton Chénier.

* * *

Je revins finalement au ponton à bateaux dans l'après-midi, et demandai à Batist de garder Alafair jusqu'au soir. Je dormis trois heures sur le canapé sous un ventilateur électrique, avant de me lever pour un coup de rasoir et une douche en me disant que je pourrais redonner un certain degré de normalité à ma journée. Tout au contraire, je me mis à trembler tout entier, saisi de nausées incontrôlées et me retrouvai à genoux devant le lavabo, en train de vomir ma bile.

Je retournai sous la douche, où je m'assis sous l'eau froide pendant quinze minutes. Je me brossai ensuite les dents avant de revêtir un pantalon de toile kaki propre et une chemise de coton et de m'obliger à manger un bol de céréales aux noisettes et aux raisins. Même dans le courant d'air du ventilateur électrique, ma chemise de toile bleue était tachée de sueur.

Je récupérai Alafair chez Batist et je l'emmenai chez ma cousine, une institutrice à la retraite à New Iberia. J'avais déjà abandonné Alafair pendant les deux jours de ma beuverie, et je me sentais coupable de la changer de foyer, mais Batist et sa femme travaillaient tous deux et ne pouvaient la surveiller à plein temps. En outre, à ce moment-là, je ne me sentais pas, physiquement ni émotionnellement, en condition suffisante pour être responsable, ne fût-ce que de moi-même, et moins encore de quelqu'un d'autre, sans oublier l'éventualité toujours possible que les tueurs puissent revenir à la maison.

Je demandai à ma cousine de garder Alafair pendant les deux jours suivants, puis je me rendis au tribunal pour y retrouver le shérif. Mais lorsque je garai ma camionnette, je suais déjà à grosses gouttes, mes mains laissaient leurs empreintes moites sur le volant, les veines de mon cerveau me donnaient l'impression de se tordre comme des cordages. Je me rendis à la salle de billard de Main Street, m'installai au frais dans le bar sous le ventilateur à pales de bois et bus trois vodka collins, jusqu'à ce que je sente la morsure aigre du whisky d'hier libérer ma poitrine et mon diapason intérieur cesser de vibrer à l'intérieur de moi.

Mais je ne faisais qu'hypothéquer aujourd'hui pour demain, et demain, je repousserais probablement la dette à nouveau, et le surlendemain, et le jour qui suivrait, jusqu'à ce que mes arriérés de dettes soient tellement importants qu'ils viendraient finalement, un jour ou l'autre, se présenter à moi pareils à un serpent affamé à qui l'on offrirait les morceaux de choix d'un lapin blessé. Mais je crois qu'à ce moment-là tout m'était égal. Annie était morte parce que j'étais incapable de laisser les choses suivre leur cours. J'avais quitté les services de police de La Nouvelle-Orléans, moi, le chevalier errant au parfum de bourbon, qui disait ne plus pouvoir supporter l'hypocrisie politique et la laideur brutale, aussi prenante qu'une drogue, du maintien de l'ordre tel qu'il se pratiquait par la police métropolitaine. Mais la vérité, c'était que j'aimais cela, j'en tirais plaisir, je prenais mon pied à reconnaître vicissitudes et iniquités humaines, je méprisais l'ennui du monde normal et ses routines si prévisibles, autant que mon étrange métabolisme d'alcoolique adorait les poussées d'adrénaline annonciatrices de danger et ce sentiment de puissance et de pouvoir sur un monde malfaisant qui, à bien des égards, se retrouvait en miroir dans le microcosme des profondeurs de mon âme.

J'achetai une bouteille de vodka que j'emportai à la maison et je ne la touchai pas jusqu'au lendemain matin.

* * *

Les quatre bons doigts que j'avalai en guise de petit déjeuner me restèrent sur l'estomac comme un bloc en fusion. Une demi-heure durant, je ne cessai de m'éponger le visage d'une serviette, jusqu'à ce que mes suées s'arrêtent, puis je me brossai les dents, me douchai, enfilai pantalon de couleur crème, chemise de sport anthracite, cravate à rayures rouges et grises et une heure plus tard, j'étais assis dans le bureau du shérif, lequel écoutait d'un air indécis ce que j'avais à lui dire en me lançant au visage des regards bizarres.

— Est-ce que tu as chaud ? tu as le visage tout rouge, dit-il.

— Sors un peu dehors. Il doit déjà faire près de quarante degrés.

Il hocha la tête d'un air absent. Il gratta du bout de l'ongle les plis bleus et rouges de sa joue molle en repoussant distraitement un trombone sur le sous-main de son bureau. A travers la vitre de la porte fermée de son bureau, je voyais ses adjoints à leurs bureaux, occupés à leurs dossiers. L'immeuble était neuf et avait cette odeur fraîche, neutre et réfrigérée des bureaux modernes, l'image même de ce qu'il était censé offrir, alors que les adjoints ressemblaient toujours aux péquenots et coonass un peu frustes d'un temps dépassé, avec leurs crachoirs à côté de leurs bureaux.

— Comment savais-tu qu'un poste du service venait de se libérer ? dit le shérif.

— C'était dans le journal.

— C'est un poste d'inspecteur, Dave, mais dix-huit mille, c'est loin de ce que tu te faisais à La Nouvelle-Orléans. Ce n'est plus la première division. On dirait que tu repars au bas de l'échelle.

— Je n'ai pas besoin de beaucoup. J'ai mon affaire de location de bateaux et ma boutique, et je suis propriétaire de ma maison, sans hypothèque ni rien.

— Il y a deux adjoints là-bas qui veulent le poste. Ils vont t'en vouloir.

— C'est leur problème.

Il ouvrit le tiroir de son bureau, y laissa tomber le trombone et me regarda. Les lignes molles de son visage s'animèrent sous l'effet des pensées troublantes qui le tracassaient depuis qu'il savait que je voulais le poste.

— Je ne vais pas donner un insigne à quelqu'un pour qu'il se transforme en exécuteur, dit-il.

— Je n'aurais pas besoin d'insigne pour ça.

— Tu te fiches de moi, ou quoi ?

— J'ai été un bon flic. Je n'ai jamais lâché la soudure sans y avoir été obligé.

— Tu n'as pas besoin de me convaincre de tes faits d'armes. Je connais ton dossier. Nous parlons d'aujourd'hui. Vas-tu me dire que tu es capable d'enquêter sur le meurtre de ta propre femme avec un minimum d'objectivité ?

Je me passai la langue sur les lèvres. Je sentais la vodka qui me bourdonnait dans tout le corps. Du calme, doucement, du calme, tu touches presque au but, me dis-je.

— Je n'ai jamais été objectif au cours de mes enquêtes de meurtres, dis-je. Tu vois le travail, tu y reconnais la patte et tu te mets en chasse pour retrouver les salopards. Puis comme le disait mon vieux partenaire, "tu te les agrafes, ou tu les laisses filer". Mais je ne les ai jamais refroidis, shérif. Je les ramenais toujours quand j'aurais pu les laisser sur le trottoir, sans le moindre problème côté Affaires internes. Ecoute, tu as là-bas quelques adjoints qui te font froid dans le dos de temps à autre. C'est parce que ce sont des amateurs. Un jour, ils se retrouveront propriétaires de bars ou bien au volant d'un camion ou bien ils se contenteront de continuer à tabasser leurs épouses. Mais ce ne sont pas vraiment des flics.

Il cligna des yeux.

— Ils te racontent qu'un mec a résisté au cours d'une arrestation ou bien qu'il est tombé quand ils l'ont fait monter en voiture, dis-je. Ils sont censés ramener une racoleuse au poste, mais on dirait qu'elle est devenue introuvable. Tu les envoies dans un quartier nègre et tu te demandes si la ville ne va pas être mise à feu ou à sang avant le premier coup de minuit.

— Ce n'est pas le seul problème. Il y en a un autre. Sous forme de bouteilles.

— Si je ne suis plus maître de moi, tu me vires.

— Tout le monde ici t'aime bien et te respecte, Dave. Ça ne me fait pas plaisir de voir un homme revenir à ses manières passées, simplement parce qu'il essaie de décoller en surcharge.

— Je vais très bien, shérif.

Je le regardai droit dans les yeux, sans tiquer. Je n'aime pas monter le coup à quelqu'un d'honnête, mais la plupart des cartes que je tenais en mains n'étaient que du vide.

— On dirait à te voir que tu es resté trop longtemps au soleil, dit-il.

— Je m'en accommode. Il m'arrive de gagner comme il m'arrive de perdre. Si je débarque ici en te soufflant mes vapeurs à la figure, débranche-moi du circuit. Je ne peux pas te dire mieux. Où crois-tu que se trouvent les tueurs en question en ce moment ?

— Je ne sais pas.

— Ils sont en train de se faire quelques lignes, ou de tirer un coup, ou de siroter des juleps[1] sur le champ de courses. Ils éprouvent un sentiment de puissance, là, en ce moment, que ni toi ni moi ne pouvons même soupçonner. J'en ai entendu qui le décrivaient comme un coup de fouet après une décharge d'héroïne.

— Pourquoi me racontes-tu ça ?

— Parce que je connais leur manière de fonctionner. Je ne crois pas que tu la connaisses. Pas plus que tous tes mecs, là, derrière la vitre. Tu veux savoir ce qu'ils ont fait après avoir assassiné Annie ? Ils ont roulé jusqu'à un bar. Pas le premier ou le deuxième qu'ils aient vus, mais un bar plus loin en chemin, là où ils se sont sentis en sécurité, là où ils ont pu boire du Jack Daniel's et fumer leurs cigarettes sans se dire un mot, jusqu'à cet instant où le sang s'est mis à courir moins vite dans leurs veines, où leurs regards se sont croisés, où ils se sont mis à rire.

Considère le problème d'un autre point de vue. Qu'est-ce que tu as comme indices à ta disposition ?

— Le plomb que nous avons sorti des murs, les douilles des cartouches par terre, la pince-monseigneur qu'ils ont abandonnée sous le porche, dit-il.

— Mais pas une seule empreinte.

1. Mint julep : cocktail à base de bourbon et de sirop de menthe.

— Non.

— Ce qui signifie que tu n'as presque rien. Moi excepté. Ils sont venus là-bas pour me tuer, moi, pas Annie. L'enquête jusque dans ses moindres détails va finalement tourner autour de ce fait. Tu finiras par venir m'interroger tous les deux jours.

Il alluma une cigarette qu'il fuma, le coude posé sur le sous-main. Il regarda ses adjoints dans le bureau d'à côté par la porte vitrée. L'un d'eux se pencha sur le côté de son bureau et lança une giclée de jus de chique dans le crachoir.

— Il va falloir que je consulte une ou deux autres personnes, mais je ne pense pas qu'il y ait le moindre problème, dit-il. Mais tu n'auras pas que cette seule et unique affaire dans ton assiette. Tu auras la même charge d'affaires courantes que les autres inspecteurs et tu obéiras aux mêmes règles.

— Très bien.

Il tira une bouffée de sa cigarette et écarquilla les yeux au milieu de la fumée, comme s'il se libérait l'esprit de quelque souci personnel, puis il m'observa attentivement et dit :

— Qui est le responsable, à ton avis ?

— Je ne sais pas.

— Tu m'as dit cela le jour qui a suivi le meurtre, et je l'ai accepté. Mais ces dix derniers jours, tu as eu largement le temps d'y réfléchir. Je ne peux pas croire que tu ne sois pas arrivé à une conclusion quelconque. Je ne voudrais pas avoir l'impression que tu ne te montres pas honnête avec moi pour, au bout du compte, essayer de travailler tout seul sur cette affaire.

— Shérif, je peux trouver des mobiles à n'importe qui, seul ou avec des complices. Le barman de chez Smiling Jack, c'est le genre de petit salopard vicieux capable de te faire sauter le crâne tout en dégustant une bière. Non seulement je lui ai passé la tête à travers un ventilateur de fenêtre en lui collant un 45 armé entre les deux yeux, mais je lui ai lâché Bubba Rocque aux trousses, ce qui l'a obligé à quitter La Nouvelle-Orléans. J'ai démoli Eddie Keats devant toutes ses putes avec une queue de billard, et je me suis rendu chez Bubba Rocque pour lui dire que je lui ferais sauter un œil si jamais j'apprenais que c'était lui qui m'avait envoyé Keats et l'Haïtien.

C'était peut-être Toot et un mec que je ne connais pas. C'était peut-être deux tueurs sur contrat que Bubba ou Keats ont fait venir d'un autre Etat. C'était peut-être quelqu'un du passé. De temps à autre, ils sortent d'Angola et tiennent leurs promesses.

— La Nouvelle-Orléans croit que le barman est parti pour les îles.

— Peut-être bien, mais j'en doute. C'est un rat, et les rats, ça se terre dans leur trou. Il est bien plus effrayé par Bubba que par les flics. Je ne pense pas qu'on le retrouve en train de se balader sur une plage quelconque. Qui plus est, c'est un fils à sa maman. Il n'ira probablement pas très loin de la maison.

— Je vais être sincère avec toi, Dave. Je ne sais où commencer sur cette affaire. C'est simple, on n'a pas de meurtre de ce genre-là par ici. J'ai envoyé deux adjoints interroger Keats ; Keats a commencé à se curer le nez à leur barbe et il leur a dit de l'arrêter ou de se casser. Son barman et l'une de ses racoleuses ont déclaré qu'il se trouvait au club quand Annie a été assassinée.

— Ont-ils interrogé le barman et la racoleuse séparément ?

— Je ne sais pas, dit-il après avoir détourné les yeux.

— Ce n'est pas grave. Nous pouvons les interroger à nouveau.

— Je me suis rendu en personne chez Bubba Rocque. Je ne sais quoi penser d'un mec de son genre. On pourrait craquer une allumette sur les yeux de cet homme et je ne crois pas qu'il cillerait. Je me souviens quand il était môme, il y a trente ans de ça ; il avait laissé tomber une balle en cloche pour son camp dans le parc de la ville et son équipe avait perdu le match. Après la partie, il mangeait un cornet de sorbet et son père le lui a fait sauter des mains en lui collant une claque sur l'oreille. Son regard n'a pas reflété plus d'expression que des pièces de dix sous en zinc.

— Que t'a-t-il dit ?

— Il était chez lui et il dormait.

— Qu'a dit sa femme ?

— Elle a dit qu'elle se trouvait à La Nouvelle-Orléans cette nuit-là. Donc Bubba ne possède pas d'alibi.

— Il sait que pour l'instant il n'en a pas besoin. Bubba est beaucoup plus intelligent qu'Eddie Keats.

— Il a dit qu'il était désolé pour Annie. Je crois qu'il était peut-être sincère, Dave.

— Peut-être.

— Tu crois qu'il est mauvais à cœur, n'est-ce pas ?

— Ouais.

— Alors disons que j'ai moins de kilomètres au compteur que toi pour ces choses-là.

J'étais sur le point de lui dire que le flic qui accorderait sa confiance à des mecs de l'engeance de Bubba Rocque risquerait vraisemblablement de ne pas faire beaucoup de kilomètres, mais je choisis heureusement de garder mon conseil pour moi et me contentai de demander quand je pourrais avoir mon insigne.

— Deux ou trois jours, répondit-il. Entre-temps, laisse un peu aller. Ces mecs-là, nous les aurons tôt ou tard.

Comme je l'ai dit, c'était un honnête homme, mais le Rotary Club avait sur son âme une emprise bien plus grande que les services du shérif. Le fait est que la plupart des criminels ne sont pas punis pour leurs crimes. Pour la ville de New York, environ deux pour cent des crimes sont sanctionnés, et à Miami, le chiffre tourne autour de quatre pour cent. Si vous désirez rencontrer un groupe de personnes qui éprouvent pour notre système législatif un profond dégoût mêlé d'hostilité, ne perdez pas votre temps auprès des extrémistes politiques ; choisissez au hasard un certain nombre de victimes et interrogez-les ; vous vous apercevrez probablement qu'à côté d'eux, les extrémistes font figure d'idéalistes utopistes.

Je lui serrai la main et sortis sous le soleil brumeux de midi baigné d'humidité. Dans les pâturages au bord de la route, le bétail s'était regroupé à l'ombre surchauffée des chênes, et les hérons argentés picoraient les bouses de vaches séchées dans l'herbe. Je dénouai ma cravate, m'essuyai le front de ma manche de chemise et regardai les longues traînées humides sur le tissu.

Quinze minutes plus tard, j'étais dans la pénombre fraîche d'un bar du sud de la ville, avec, à la main, un verre de collins enveloppé d'une serviette. Mais je ne pouvais pas m'arrêter de transpirer.

* * *

La vodka est une vieille amie pour la plupart des ivrognes qui boivent en cachette. Elle n'a ni couleur ni odeur, on peut la mélanger à pratiquement n'importe quoi sans que le buveur se trahisse. Mais pour un fidèle du whisky, elle a le désavantage de descendre avec une telle facilité, une telle innocuité, en verres remplis de glace pilée où se mêlent tranches de fruit, sirop et cerises confites, que j'étais capable d'en boire trois quarts de litre avant de me rendre compte que j'étais engourdi par l'alcool de la racine des cheveux à la plante des pieds.

— Ne m'avez-vous pas dit que vous deviez partir d'ici à quatre heures ? me demanda le barman.

— Si, si.

Il leva les yeux vers l'horloge lumineuse sur le mur au-dessus du bar. J'essayai de focaliser mon regard sur les aiguilles et les chiffres. Je tâtai d'une main distraite ma poche de chemise.

— Je crois que j'ai dû laisser mes lunettes dans la camionnette, dis-je.

— Il est cinq.

— Appelez-moi un taxi, voulez-vous ? Ça vous dérange si je laisse ma camionnette un moment sur votre parking ?

— Combien de temps ?

Il lavait ses verres, et il ne leva pas les yeux sur moi lorsqu'il m'adressa la parole. Il avait ce ton neutre des barmen qui ne veulent pas faire montre du mépris qu'ils éprouvent pour certains des clients qu'ils servent.

— Je viendrai probablement la rechercher demain.

Il ne prit pas la peine de répondre. Il appela un taxi et retourna laver ses verres dans l'évier d'aluminium.

Dix minutes plus tard, mon taxi arriva. Je terminai mon verre et le posai sur le bar.

— J'enverrai quelqu'un chercher ma camionnette, podna, dis-je au barman.

Je retournai à la maison en taxi, mis deux changes de vêtement dans une valise, demandai à Batist de me conduire à l'aéroport et, à six heures et demie, je me retrouvai à bord d'un vol à destination de Key West, escale à Miami, sous les rougeurs du soleil couchant qui se reflétaient dans les nuages comme des flaques de feu.

* * *

J'avalai une gorgée de mon deuxième bourbon soda et regardai sous moi les vastes étendues d'eau bleu foncé et turquoise au large de la pointe occidentale de l'île, là où le golfe rencontrait l'Atlantique. J'observai les vagues qui glissaient au-dessus des récifs de corail à fleur d'eau, avant de venir se briser contre les plages, aussi blanches que de la poudre de diamant. Le quadrimoteur piqua et fit un large cercle au-dessus des flots avant d'aplatir sa trajectoire pour son approche de l'aéroport. Je vis l'étroit ruban de la grand-route qui reliait Key West à Miami, les palmiers le long des plages, les lagons pleins de voiliers et de yachts, le varech soulevé par les lames de fond, les vagues qui éclataient en geysers d'écume au bout des jetées et, finalement, les rues de Key West éclairées de néon et bordées d'arbres dans les dernières lueurs rougeâtres du crépuscule.

C'était la ville des ficus et des coccolobas[1], de l'acajou et des palmiers, des cocotiers et des palmiers royaux, des géraniums suspendus, du jasmin et des bougainvillées aux fleurs aussi rouges que le sang. La ville s'était bâtie sur le sable et le corail, cernée de toutes parts par la mer, et ses constructions en bois toutes grises ne portaient plus trace de peinture sous l'action de l'air salin. A un moment ou à un autre de l'Histoire, elle avait été le refuge des Indiens, des pirates de Jean Lafitte, des naufrageurs qui attiraient délibérément les bateaux de commerce sur les récifs pour faire ripaille avec la cargaison de l'épave, de James Audubon[2], des contrebandiers de rhum, des exilés politiques cubains, peintres, homosexuels, passeurs de drogue, et déchets d'humanité lessivés par la came que la vie a poussés si bas dans leurs derniers retranchements, qu'il ne leur reste nulle part où aller.

C'est une ville de rades à bière, façades en bardeaux et moustiquaires, bars de dégustation d'huîtres, restaurants aux odeurs de beignets de conques, crevettes bouillies et serrans frits, clairières au milieu des pins où les pêcheurs empilent leurs pièges à langoustes, entrepôts et armureries gouvernementales du dix-neuvième bâties en brique, rues ombragées où s'alignent des masures décolorées aux volets de bois et aux galeries affaissées. Les touristes n'étaient plus là à cause des chaleurs estivales, et les rues étaient presque vides sous le crépuscule ; la ville était redevenue elle-même. Le chauffeur dut refaire le plein au cours du trajet jusqu'au motel, et je regardai par la fenêtre quelques Nègres âgés assis sur des caisses devant une minuscule épicerie, les crêtes de béton sur les trottoirs craquelés par les racines de ficus, les lumières mauves du couchant sur les rues de brique et leurs arbres en voûte qui allaient s'obscurcissant, et l'espace d'un

1. Arbre et arbrisseau de Floride et de l'Amérique tropicale, aux feuilles rondes et aux baies bleuâtres comestibles.
2. Ornithologiste américain, 1780 – 1851.

bref instant, j'eus l'impression d'être resté à New Iberia sans avoir fait le pas qui me plongeait plus avant au cœur de mes problèmes.

Mais, ce pas, je l'avais fait.

Je m'installai dans un motel à la pointe sud de l'île et me fis servir dans ma chambre une demi-pinte de Beam et un petit seau de glace. J'avalai deux petites doses coupées d'eau avant de me doucher et de m'habiller. A travers ma fenêtre, je voyais les palmes battre la plage désertée et la lumière qui se mourait à l'horizon. L'eau avait viré au sombre, d'un rouge profond de vin de Bourgogne, et les vagues remontaient contre un récif de corail en forme de petit port où s'abritaient une demi-douzaine de bateaux à voile. J'ouvris en grand les jalousies de verre pour laisser la brise rafraîchir la chambre, puis je traversai le centre ville à pied en direction de Duval Street et le restaurant de mon ami, là où Robin travaillait comme serveuse.

Mais mon métabolisme tournait à vide avant même d'arriver au pied de Duval. Je m'arrêtai chez Sloppy Joe et pris un verre au bar en essayant d'examiner toutes les pensées vagues et les mouvements étranges de ma journée. C'est vrai, de mes faits et gestes, tous ne s'étaient pas accomplis sur l'impulsion de l'instant. Robin était toujours le meilleur lien qui me restait pour entrer en rapport avec l'assortiment de tarés de La Nouvelle-Orléans au service de Bubba Rocque, et j'avais passé un coup de fil longue distance à mon ami pour m'assurer qu'elle travaillait bien au restaurant. Mais j'aurais pu interroger Robin par téléphone, tout au moins, j'aurais pu essayer, avant de décider de prendre l'avion pour Key West.

Ce qui m'obligea à regarder en face, du moins temporairement, les véritables raisons de ma venue : c'est dégueulasse d'être tout seul, en particulier quand on ne fait rien de bien. En particulier quand on est soûl et qu'on recommence à déconner à pleins tubes et à foirer sa vie sur une grande échelle. Et aussi parce que quelqu'un passait *Baby Love* sur le juke-box.

— Pourquoi ne passez-vous pas autre chose sur ce juke-box, des disques qui ne remontent pas à vingt ans ? dis-je au barman.

— Quoi ?

— Mettez ici de la musique moderne. On est en 1987.

— Le juke-box est cassé, mon pote. Tu ferais mieux de repasser au point mort.

Je ressortis dans la rue, le visage chaud de tout le bourbon avalé, sous les rafales soufflant du bout de l'île. Sur le ponton près du restaurant, je regardai les vagues se glisser entre les blocs des soubassements, accompagnées des lueurs incandescentes des petits poissons pareils à de petites lumières vert fumé sous la surface de l'eau. Le restaurant était bourré de clients, et le bar se présentait comme un endroit bien tenu et bien éclairé où les gens se faisaient servir un ou deux verres avant le dîner. En entrant, j'éprouvai la même sensation que le plongeur qui sort d'une bathysphère dans un monde de lumière crue et hostile.

Le maître d'hôtel me regarda attentivement. J'avais resserré la cravate et essayé de lisser les plis de ma veste de coton, mais j'aurais dû mettre les lunettes de soleil.

— Avez-vous réservé, monsieur ? dit-il.

— Dites à Robin que Dave Robicheaux est ici. J'attendrai au bar.

— Je vous demande pardon ?

— Dites-lui Dave de La Nouvelle-Orléans. Le nom de famille est parfois difficile à prononcer.

— Monsieur, je crois qu'il serait préférable que vous la voyiez en dehors de ses heures de travail.

— Dites, vous m'avez l'air de savoir juger les gens. Est-ce que je vous donne l'impression de vouloir m'en aller ?

Je commandai un verre au bar, et cinq minutes plus tard, je la vis franchir le seuil de la porte. Elle portait une courte robe noire avec un petit tablier de dentelle blanche, et sa silhouette comme sa démarche, à croire qu'elle se déhanchait toujours sur la scène d'un burlesque, firent tourner les regards de tous les hommes assis au bar. Elle me souriait mais ses yeux brillaient aussi d'une lueur indécise.

— Wow, tu en as fait du chemin pour venir contrôler une fille, dit-elle.

— Comment ça va, fillette ?

— Pas mal. Finalement, ce n'était pas le mauvais truc, ici. Hé, reste assis.

— Combien de temps avant que tu aies fini ?

— Trois heures. Viens t'asseoir dans le box avec moi. T'as l'air de gîter sérieux à babord.

— Y'a un front d'ivrognes qui a traversé New Iberia ce matin.

— Bon, eh bien, viens ici avec maman et on va se commander un morceau à manger.

— J'ai mangé dans l'avion.

— Ouais, ça se voit, dit-elle.

Nous nous installâmes dans un box aux sièges de cuir beige, tout contre le mur au fond du bar. Elle lâcha quelques bouffées d'air de ses lèvres boudeuses.

— Dave, qu'est-ce que tu fabriques ? dit-elle.

— Quoi ?

— Eh bien, *ça,* en faisant tinter son ongle d'une pichenette contre mon verre de whisky à l'eau.

— Il m'arrive de me nettoyer la cervelle de temps en temps.

— Tu as lâché bobonne ou quoi ?

— Je vais me prendre un autre Beam. Tu veux une tasse de café ou un coke ?

— Est-ce que *moi,* je veux un café ? Seigneur, c'est la meilleure, Dave. Ecoute, après le coup de feu du dîner, je peux partir tôt. Prends la clé de mon appartement et je te retrouve là-bas, disons dans une heure. C'est juste au coin.

— T'as de la gnôle ?

— Un peu de bière, c'est tout. Je me conduis bien, Dave, et ça fait un moment. Finies les petites pilules blanches, finies les rasades au goulot avant de partir au travail. Je n'arrive pas à croire moi-même à quel point je me sens bien le matin.

— Passe me prendre chez Sloppy Joe.

— Qu'est-ce que tu veux aller faire là-bas ? C'est plein d'étudiants camés qui s'imaginent qu'Ernest Hemingway a écrit sur les murs des toilettes ou quelque chose du genre.

— Je te verrai dans une heure, fillette. T'es une chouette fille.

— Oui, c'est ce que me disaient toujours les mecs chez Smiling Jack. Tout en essayant de se payer un coup de paluche à l'œil sous la table. Je crois que la foudre t'est tombée sur la tête ce matin.

Lorqu'elle revint un peu plus tard me chercher chez Sloppy Joe, j'étais assis seul à une table du fond, avec le souffle d'un ventilateur au sol qui me remontait une jambe de pantalon, en faisant voleter la manche humide de ma veste de coton qui pendait sur le côté de la table. Les grandes portes coulissantes sur deux côtés du bâtiment étaient grandes ouvertes, et les lumières de néon coloraient le trottoir de mauve. Au coin de la rue, deux flics étaient en train de secouer un ivrogne. Ils ne lui faisaient pas de cadeau, il était bon pour le trou.

— Allons-y, lieutenant, dit Robin.

— Attends que l'homme se lève. J'ai l'horizon qui n'arrête pas de tanguer. Key West, ce n'est pas le bon endroit pour avoir des ennuis.

— Tout ce que j'ai à faire, c'est de remuer les doudounes et ils me saluent de la casquette. De vrais messieurs. Finie la gnôle, mon mignon.

— Il faut que je te dise quelque chose. A propos de ma femme. Et après, il faudra que tu m'en dises un peu plus sur ces mecs de La Nouvelle-Orléans.

— Demain matin. Maman va te préparer un bon steak ce soir.

— Ils l'ont tuée.

— Quoi ?

— Ils l'ont réduite en charpie avec leurs fusils de chasse. C'est ça qu'ils y ont fait. Voilà.

Elle me regarda, yeux écarquillés, bouche entrouverte. Je vis le bord de ses narines se décolorer.

— Tu veux dire que Bubba Rocque a tué ta femme ? dit-elle.

— Peut-être que c'était lui. Peut-être pas. Ce bon vieux Bubba, c'est pas le mec facile à déchiffrer.

— Dave, je suis désolée. Seigneur Jésus. Est-ce que j'ai quelque chose à y voir ? Mon Dieu, je n'arrive pas à le croire.

— Non.

— Et pourtant, si. Puisque tu es là.

— Je veux simplement voir si tu peux te rappeler certaines choses. Et peut-être aussi que je voulais simplement te voir, toi.

— Je crois que c'est pour ça que tu en pinçais pour moi quand tu étais célibataire. Tu pourras me parler de ça quand tu n'auras plus la tête imbibée de quarante-cinq degrés.

Elle regarda autour d'elle dans le bar. Le ventilateur au sol ébouriffait sa courte chevelure noire.

— Cet endroit, c'est le trou. La ville entière est un trou. C'est plein de gouines et de pédales minables qui viennent atterrir ici après New York. Pourquoi m'as-tu expédiée ici ?

— Tu m'as dit que tu t'en sortais bien dans le coin.

— Qui s'en sort bien quand il y a des gens qui tuent la femme d'un mec ? Tu as fourré le nez dans leurs affaires, Dave, pas vrai ? Tu n'as pas voulu m'écouter.

Je ne répondis rien. A la place, je soulevai mon verre de whisky à l'eau.

— Oublie ça. La vache à lait est à sec pour ce soir, dit-elle en me prenant le verre de la main avant de le retourner sur la table au milieu d'une flaque de whisky et de glace.

Elle vivait au rez-de-chaussée d'un vieux bâtiment de stuc à un étage avec toit de tuiles rouges, juste à côté de Duval Street. Un énorme banian avait crevassé l'un des murs, et le minuscule jardinet était envahi de mauvaises herbes et de bananiers abandonnés à eux-mêmes. Son appartement comprenait une petite cuisine et une chambre à coucher séparée par un rideau coulissant, avec canapé, table de petit déjeuner et chaises dont on aurait dit qu'ils sortaient tous d'un entrepôt des chiffonniers d'Emmaüs.

Robin avait bon cœur, et elle voulait se montrer gentille, mais sa cuisine était vraiment un défi de tous les instants, en particulier pour quelqu'un en pleine bringue. Elle calcina le steak sur un côté et fit frire les pommes de terre dans un centimètre de graisse en répandant fumée et odeur d'oignons brûlés à travers tout l'appartement. J'essayai de manger sans y arriver. J'avais touché le fond de mon ivresse. Les pignons de mes petits rouages avaient sauté, tout mon câblage avait disjoncté, et la peau de mon visage était épaisse et morte au toucher. J'eus soudain l'impression d'avoir vieilli d'un siècle, comme si l'on avait glissé une lame le long de mon sternum pour me vider de tous mes organes vitaux.

— Est-ce que tu vas être malade ? dit-elle.

— Non. J'ai uniquement besoin d'aller me coucher.

Elle me regarda un moment à la lumière de l'ampoule nue qui pendait au plafond. Elle avait les yeux verts, et au contraire de la plupart des effeuilleuses de Bourbon, elle n'avait jamais éprouvé le besoin de porter des faux cils. Elle sortit une paire de draps de son placard de chambre et les étendit sur le canapé. Je m'assis lourdement, ôtai mes chaussures et me frottai le visage des deux mains. Je commençai déjà à me déshydrater, et je sentis l'alcool sur les paumes de mes mains comme une odeur au sortir d'un puits de ténèbres. Elle rapporta un oreiller jusqu'au canapé.

— Robin ? dis-je.

— Qu'est-ce que tu as derrière la tête, lieutenant ?

Elle me regarda de toute sa hauteur, éclairée par l'ampoule dans son dos qui brillait à hauteur de la tête.

Je posai la main sur son poignet. Elle s'assit à côté de moi et regarda droit devant elle. Elle avait les mains au creux des genoux serrés sous l'uniforme noir de serveuse.

— Es-tu sûr que c'est bien ça que tu désires ? dit-elle.

— Oui.

— Est-ce que tu as fait tout ce trajet rien que pour tirer un coup ? Il doit bien exister des disponibilités plus proches de chez toi.

— Tu sais bien que ce n'est pas comme ça que je te considère.

— Non, je ne le sais pas. Je ne sais rien de tout ça, Dave. Mais tu es un ami, et je ne te refuserai rien. Je veux tout simplement que tu ne mentes pas sur ce point.

Elle éteignit la lumière et se dévêtit. Ses seins ronds étaient doux contre moi, sa peau hâlée et lisse dans la pénombre. Elle crocheta une jambe dans les miennes, fit courir ses mains dans mon dos, m'embrassa sur la joue, son souffle dans mon oreille, et elle me fit l'amour comme à un enfant perturbé. Mais cela m'était égal. J'étais usé, fini, aussi mort au fond de moi que le jour où ils avaient descendu le cercueil d'Annie au tombeau. Je voyais par la fenêtre les jeux d'ombre des lumières de la rue sur le banian et les bananiers du jardin. Ma tête résonnait du bruit que ferait l'océan dans une conque.

Le lendemain matin, une aurore grise baignait les rues, puis le soleil se leva rouge à l'horizon. Les feuilles de bananiers qui cliquetaient contre la moustiquaire de la fenêtre étaient perlées d'humidité. Je remplis une cruche d'eau du robinet et en bus un demi-litre que j'allai vomir dans les toilettes. Mes mains tremblaient, l'arrière de mes jambes palpitait, des éclairs de couleur éclataient derrière mes yeux comme des lésions sur la rétine. En caleçon, debout devant le lavabo, je m'aspergeai le visage d'eau et me brossai les dents d'un doigt garni de pâte dentifrice, avant d'aller vomir à nouveau, l'estomac vrillé de spasmes, si fort que ma salive finit par se rosir de sang au fond du lavabo. Les larmes me coulaient sur la figure sans que je puisse les arrêter, j'avais le visage glacé et dévoré de tics ; sur un côté de la tête, une zone me comprimait le cerveau comme si on m'avait frappé d'un livre épais et j'avais l'haleine amère, le souffle tremblant dans la gorge, chaque fois que j'essayais de respirer.

J'essuyai la sueur et l'eau de mon visage à l'aide d'une serviette et me dirigeai vers la glacière.

— Y'a rien qui t'aidera là, chéri, dit Robin depuis son fourneau où elle préparait des œufs à la coque. J'ai vidé toute la bière à quatre heures ce matin.

— Tu as des amphets ?

— Je t'ai déjà dit que maman était propre comme un sou neuf.

Elle était pieds nus et portait un short noir et une chemise de coton bleu déboutonnée par-dessus son soutien-gorge.

— Et des calmants pour règles douloureuses ? Allez, Robin. Je ne suis pas camé. J'ai simplement la gueule de bois.

— Tu ne devrais pas essayer de monter le coup à une autre picoleuse. Je t'ai aussi pris ton portefeuille. Tu t'es fait michetonner, lieutenant.

La matinée allait être très longue. Et elle avait raison quand elle parlait d'arnaquer une pro. En temps normal, un alcoolique est capable de rouler pratiquement n'importe qui, à l'exception d'un autre ivrogne. Et Robin connaissait toutes les ficelles que je pourrais éventuellement utiliser pour me procurer un verre.

— Va te mettre sous la douche, Dave, dit-elle. Le petit déjeuner sera prêt quand tu en sortiras. Tu aimes le bacon avec des œufs mollets ?

Je mis l'eau aussi chaude que je pouvais le supporter, relevai la tête bouche ouverte vers la pomme de la douche, me lavai les cheveux pour les débarrasser de toutes les fumées de cigarettes du bar, et me frottai la peau jusqu'à en devenir tout rouge. Puis j'ouvris le robinet d'eau froide à pleine puissance, écartai les bras pour me coincer entre les parois de la cabine en métal galvanisé, et tins bon en comptant lentement jusqu'à soixante.

— Je crois que le bacon est croquant comme qui dirait, dit-elle une fois que je me fus habillé et que nous fûmes assis à la table.

Le bacon ressemblait à des bandes de caoutchouc qu'on aurait arrachées à un pneu. Et elle avait cuit les œufs durs avant de les écraser à la fourchette.

— Tu n'es pas obligé de manger ça, dit-elle.

— Non, vraiment, c'est très bon, Robin.

— Te sens-tu plein de remords, ce matin ? C'est bien ce que disent tes potes des AA, pas vrai ?

— Non, je ne ressens aucun remords.

Mais je détournai mon regard du sien.

— Je faisais déjà des passes quand j'avais dix-sept ans. Tu as eu droit à une passe à l'œil. Alors, ne te sens pas coupable à mon égard, Dave. Sors-moi de tes remords.

— Ne parle pas de toi comme ça.

— Je n'aime pas les conneries du lendemain.

— Ecoute-moi, Robin. Je suis venu te voir hier soir parce que je me sentais plus seul qu'à un aucun autre moment de ma vie.

Elle but son café et reposa sa tasse dans la soucoupe.

— Tu es gentil comme mec, mais j'ai trop d'expérience dans ce domaine. Ce n'est pas un problème.

— Pourquoi refuses-tu de te faire quelques compliments ? Je ne connais personne d'autre au monde qui m'aurait accepté comme tu l'as fait la nuit dernière.

Elle mit les plats dans l'évier avant de revenir dans mon dos et de m'embrasser les cheveux.

— Contente-toi de soigner ta gueule de bois, Belle-Mèche. Il y a bien longtemps que maman se bat contre ses propres dragons, dit-elle.

Ce n'était pourtant pas une simple gueule de bois. Mon dérapage avait fichu en l'air douze mois d'abstinence, et au cours de cette année de santé et de soleil, à lever mes haltères et courir des kilomètres le soir venu, mon organisme avait perdu toute tolérance pour l'alcool. C'était comme si l'on déversait deux kilos de sucre dans le réservoir d'essence d'une voiture avant d'ouvrir les gaz à fond. Il faut peu de temps pour que les soupapes et les segments soient réduits en purée.

— Puis-je avoir mon portefeuille ? dis-je.

— Il est sous le coussin sur le canapé.

Je le trouvai et le remis dans ma poche revolver avant d'enfiler mes mocassins.

— T'es parti pour un rade à bière ? dit-elle.

— C'est une idée.

— Alors, fais ça tout seul. Ne compte pas sur moi pour t'aider à te démolir encore plus.

— C'est parce que c'est toi la meilleure, Robin.

— Garde ta brosse à reluire. Je n'en ai pas besoin.

— Tu te trompes complètement, fillette. Je vais m'acheter un slip de bain et nous descendons sur la plage. Ensuite, je t'emmène déjeuner.

— On dirait que tu t'es trouvé un moyen pour te refaufiler en douce dans un bar avec maman à tes basques.

— Pas de bars. C'est promis.

Son regard fouilla le mien et je vis son visage s'éclairer.

— Je peux nous préparer à manger ici. Ce n'est pas la peine que tu dépenses ton argent, dit-elle.

Je lui souris.

— J'aimerais vraiment beaucoup t'inviter à déjeuner, dis-je.

Ce fut une matinée d'abstinence pendant laquelle je m'efforçai de penser par tranches de cinq minutes à la fois. J'avais l'impression d'être un débris de céramique craquelée. Dans le magasin de vêtements, mes mains tremblaient toujours, et je vis le vendeur reculer devant l'odeur de mon haleine. Sous un étal en plein air sur la plage, je bus un verre de café glacé en avalant quatre aspirines. Je plissai les yeux en levant la tête vers le ciel, sous le soleil qui brillait au travers des branches du palmier. J'aurais avalé une lame à rasoir rien que pour une rasade de Jim Beam et les frissons qui m'auraient secoué l'organisme.

Les serpents étaient sortis de leurs paniers, mais j'espérai qu'ils se contenteraient d'un repas léger avant de repartir. Je payai un dollar à un gosse cubain en échange de son masque et de son tuba et pataugeai au milieu des vagues chaudes du lagon, avant de m'élancer à la nage vers les eaux profondes au-dessus d'un récif de corail. L'eau verte était aussi transparente que la vaseline, et dix mètres sous moi, je voyais le corail rouge du récif, les colonies de poissons-clowns, les crabes bleus dériver sur le sable, un requin aussi immobile qu'une souche dans l'ombre du récif, les algues fines comme des fils de la vierge ployer sous le courant, les oursins noirs dont les piquants pouvaient traverser un pied de part en part. Je retins ma respiration et plongeai aussi profond que je le pouvais, pénétrant une couche d'eau froide où un barracuda me regarda directement dans le masque de son groin osseux recourbé avant de filer en me frôlant l'oreille, telle une flèche d'argent relâchée par un archer.

Je me sentais mieux au retour, lorsque je remontai sur le sable où Robin était étendue sur une serviette, au milieu d'un bouquet de cocotiers. Il est vrai que j'avais aussi investi une trop grande partie de la journée à me complaire dans mes misères. Il était temps de me remettre au travail, même en sachant qu'elle n'allait pas aimer ça.

— Les flics de La Nouvelle-Orléans pensent que Jerry se trouve dans les îles, dis-je.

Elle ouvrit son sac, sortit une cigarette et l'alluma. Elle ramena une jambe devant elle et se mit à brosser le sable de son genou.

— Allez, Robin, dis-je.

— La page est tournée, j'ai fermé la porte sur tous ces fouille-merde.

— Non, c'est moi qui vais refermer la porte sur eux. Et comme on disait dans le Premier District, “je vais te la souder à demeure et leur brûler l'extrait de naissance”.

— Tu es un grand comique, Dave.

— Où est-il ? dis-je avec un sourire, en faisant sauter quelques grains de sable sur son genou du bout de l'ongle.

— Je ne sais pas. En tout cas, oublie les îles. Il avait une poule à Bimini jadis, une mulâtresse. C'était la seule raison de ses visites là-bas. Puis un jour, il s'est complètement défoncé en fumant du gania[1] et il a lâché le bébé de la fille, sur la tête. Sur le béton. Il a dit qu'ils avaient une prison là-bas bâtie en blocs de corail, une prison tellement noire qu'elle te changerait un Nègre en homme blanc.

— Où va sa mère quand elle n'est pas à La Nouvelle-Orléans ?

— Elle a de la famille dans le nord de la Louisiane. Ils venaient souvent dans le bar et demandaient des gobelets en polystyrène en guise de crachoirs.

— Où ça, dans le nord de la Louisiane ?

— Comment le saurais-je ?

— Je veux que tu me répètes tout ce qu'ont dit Eddie Keats et le Haïtien lorsqu'ils sont venus à ton appartement.

Son visage s'assombrit, et elle regarda au loin, en direction des rouleaux où des adolescents se lançaient un Frisbee au-dessus des vagues. Au-delà de l'embouchure du lagon, les pélicans plongeaient dans une grande flaque de mer bleue aussi sombre que l'encre.

— Tu crois que j'ai un magnéto à la place du crâne ? demanda-t-elle. Comme si je devais noter scrupuleusement ce que ces mecs disaient pendant qu'ils me brisaient le petit doigt dans la porte ? Tu sais ce que c'est, pour une femme, de sentir leurs pattes sur elle ?

Elle avait toujours le visage tourné loin de moi, mais je voyais le voile brillant sur ses yeux.

— Qu'est-ce que ça peut te faire, après tout, ce qu'ils ont dit ? dit-elle. Ça n'a aucun sens, jamais. Ce sont des êtres stupides qui ont quitté l'école à la limite d'âge, et ils essaient de se comporter comme les marioles qu'ils voient à la télé. Ainsi que le disait toujours Jerry, “Ch'sus pas du genre à frétiller du gland pour ramener

1. Marijuana.

ma fraise, moi. Ch'sus pas du genre à ramener ma fraise, moi." Wow, c'est peu de le dire, c'est un euphémisme. Je parierais qu'il avait droit à la suite nuptiale tous les soirs à Angola.

J'attendis qu'elle continue. Elle tira sur la cigarette et garda la fumée comme si elle se prenait une biffe d'un joint de marijuana.

— Le bougnoule voulait me découper la figure en morceaux, dit-elle. L'autre, c'est quoi son nom, Keats, lui a dit : "Le bonhomme ne veut pas qu'on lui balance son bifteck à l'as. Tu te contentes de lui laisser un petit souvenir, au pied ou à la main, et je te parie qu'elle sera fière de le montrer à tout le monde. Malgré les apparences, Robin, c'est une fille réglo." Alors le négro a dit "Mec, quand tu l'ouvres, c'est pour dire que des conneries."

Machin a pensé que c'était drôle. Alors il se met à rire et il allume une Picayune et dit : "Au moins, moi je m'oblige pas à habiter dans un putain de taudis pour être tout près d'une sorcière morte."

— Alors, que penses-tu de ça, comme conversation intelligente ? Ecouter ces mecs se parler entre eux, c'était comme de boire à même un crachoir.

— Répète ce que tu as dit sur la sorcière.

— Le mec habite dans un taudis pas loin d'une sorcière. Ou une sorcière décédée ou quelque chose comme ça. N'essaie pas d'y trouver un sens caché. Ces mecs-là se sont payé une cervelle dans un dépotoir. Qui d'autre accepterait de travailler pour Bubba Rocque ? Ils finissent tous au trou à sa place. J'ai entendu dire que quand ils sortent d'Angola, il refuse même de leur donner un boulot de nettoyeur de chiottes. Quelle classe, ce mec.

Je lui pris la main et la serrai. Elle était petite et brune dans la mienne. Elle me regarda dans l'ombre chaude et ses lèvres s'écartèrent pour me laisser entrevoir ses dents blanches.

— Il faut que je reparte cet après-midi.

— C'est le grand flash spécial des infos.

— Ne fais pas ta petite futée, fillette. Veux-tu venir à New Iberia avec moi ?
— Si ta conscience te tracasse, va faire un tour à l'église.
— J'ai un commerce d'appâts de pêche et un coup de main serait le bienvenu. J'ai aussi une petite fille qui vit avec moi.
— La vie au fin fond du bayou, ce n'est pas mon genre, Belle-Mèche. Reviens me voir quand tu seras sérieux.
— Tu crois toujours que je te mène en bateau ?
— Non, tu es simplement un mec qui se donne des règles impossibles à tenir. C'est pour ça que ça foire toujours. Tu veux bien offrir à déjeuner à une pauvre fille ?
Il y a des moments où on laisse les gens tranquilles. C'était un de ces moments-là.
Au large, au-dessus de l'océan, un pélican prit son envol au sortir d'un creux de vagues vertes et passa au-dessus de nous, avec, dans le bec, un poisson dégoulinant d'eau et de sang.

7

Le lendemain, lorsque je m'éveillai, de retour à New Iberia, j'entendis les geais bleus et les moqueurs dans les pacaniers. J'enfilai mon short et mes chaussures de tennis et courus jusqu'au pont mobile dans la lumière bleutée du petit matin ; je bus un café avec l'employé du pont puis revins à la maison à vive allure. Je me douchai et m'habillai, avant de déjeuner de fraises et de céréales aux raisins et aux noisettes sur la table de pique-nique dans l'arrière-cour, en regardant les feuilles délicates du mimosa s'ébouriffer sous la brise. Il s'était écoulé trente heures depuis mon dernier verre. J'étais toujours faible, les extrémités de mes nerfs me donnaient l'impression d'avoir été touchées par la flamme d'une allumette, mais je sentais que le tigre commençait à lâcher prise.

J'allai à Lafayette et parlai aux deux prêtres qui avaient travaillé avec le pilote de l'avion qui s'était écrasé à Southwest Pass. Ce qu'ils me dirent était prévisible : le père Melancon, le prêtre qui s'était noyé, avait bien été un étonnant personnage. Il avait organisé en syndicats les travailleurs saisonniers de Texas et de Floride, s'était fait tabasser à coups de manche de pioche par des vigiles d'entreprise à l'extérieur de Florida City, et avait fait une peine de trois mois dans la prison du comté à Brownsville pour avoir tailladé les pneus d'un fourgon du shérif, chargé de grévistes arrêtés par la police. Puis il était passé aux choses sérieuses et avait pénétré par effraction dans une usine de la General Electric pour y jouer au vandale en démolissant la tête porteuse d'un missile nucléaire. Prochain arrêt, pénitencier fédéral de Danbury pour trois ans.

J'avais toujours été fasciné par les tentatives gouvernementales pour essayer de garder la haute main sur les mouvements politiques d'opposition de la part du clergé de ce pays. Habituellement, les services du procureur essayaient de faire passer les prêtres pour des idéalistes naïfs, des gaffeurs radoteurs qui s'étaient égarés en quittant leurs chaires et leurs abbayes. Et lorsque cela ne marchait pas, on les expédiait en compagnie des pervers, des tarés et des fondus de la casquette, qui restent aujourd'hui à peu près parmi les seuls à finir au pénitencier. Cependant, une fois sous les verrous, ils avaient la façon pour faire passer leur message à la population carcérale.

Mais les prêtres de Lafayette ne reconnurent pas les noms de Johnny Dartez et de Victor Romero. Ils déclarèrent simplement que le père Melancon avait été un homme confiant avec des amis inhabituels, et qu'il arrivait que ces amis inhabituels l'accompagnent lorsqu'il faisait sortir des réfugiés de leurs villages du Salvador ou du Guatemala.

— Romero est un petit mec à la peau sombre, avec des boucles de cheveux noirs qui lui retombent sur la figure. Il porte un béret, dis-je.

L'un des prêtres se tapota la joue d'un doigt.

— Vous vous souvenez de lui ?

— Il ne portait pas de barbe, mais pour le reste, il ressemble à ce que vous dites. Il était ici il y a un mois avec le père Melancon. Il a dit qu'il était de La Nouvelle-Orléans, mais qu'il avait de la famille au Guatemala.

— Savez-vous où il se trouve aujourd'hui ?

— Non, je suis désolé.

— S'il repasse vous voir, appelez Minos Dautrieve au Service de Répression des Stupéfiants ou appelez-moi à ce numéro.

J'écrivis le nom de Minos et mon numéro de téléphone personnel sur un bout de papier que je lui donnai.

— Est-ce que cet homme a des ennuis ? dit le prêtre.

— Je ne suis pas certain de savoir ce qu'il est au juste, mon père. Il était jadis passeur de drogue et revendeur de rue. Aujourd'hui, il se peut qu'il soit devenu informateur pour les Services d'Immigration et de Naturalisation. Je ne suis pas sûr de savoir s'il progresse ou s'il régresse dans l'échelle de ses propres valeurs morales.

Je retournai à New Iberia par Breaux Bridge pour me permettre un arrêt-déjeuner chez Mulate. Je m'offris une friture de crabes mous avec une salade de crevettes et un petit bol d'*étouffée* accompagnée de pain français et de thé glacé. *Chez Mulate* était devenu aujourd'hui un endroit familial où seuls le long bar d'acajou et la piste de danse cirée me rappelaient la boîte de nuit et la salle de jeux qui occupaient la place à l'époque où j'étais étudiant. Ces vingt-cinq dernières années avaient beaucoup changé le sud de la Louisiane, en mieux la plupart du temps. Les lois sur la ségrégation avaient disparu ; les jeunes n'allaient plus casser du négro le samedi soir ; le Ku Klux Klan ne brûlait plus ses croix sur tout le territoire de la paroisse de Plaquemines ; les démagogues comme le juge Perez[1] étaient de l'histoire ancienne. Mais autre chose avait également disparu : cette atmosphère de doux paganisme qui avait existé au beau milieu d'une culture française et catholique. Oh ! tout le sordide n'avait pas totalement disparu, il en restait beaucoup – de même que les stupéfiants, là où jadis on n'en trouvait pas trace – mais les machines à sous, les appareils de jeux avec courses de chevaux, leurs lumières clignotantes et leurs rangées de cerises, de prunes et de clochettes dorées, avaient disparu des restaurants pour être remplacées par des jeux vidéo ; les salles de billard, les bars pour ouvriers avec table ouverte pour les parties de *bourrée* se faisaient plus rares ; les rades à musique pour métis, à la porte desquels les Nègres et les Cajuns à peau sombre abandonnaient leur identité raciale en en franchissant le seuil, étaient aujourd'hui fréquentés par des touristes blancs qui amenaient leurs magnétophones pour enregistrer la musique *zydeco*. Les vieux hôtels de passe – chez Margaret à Opelousas, l'hôtel Column à Lafayette, les bouis-bouis de Railroad Avenue à New Iberia – avaient fermé.

J'aimerais pouvoir en rejeter la faute sur les membres du Rotary ou des Kiwanis. Mais ce ne serait pas juste. Nous sommes devenus des représentants de la classe moyenne, voilà tout.

Mais un anachronisme local avait tenu bon, enraciné dans le passé avec succès et vivace encore aujourd'hui, et c'était Bubba Rocque. Le gamin qui vous mangeait une ampoule électrique pour un dollar, qui vous arrangeait le coup avec une jeune blanchisseuse métisse pour deux dollars, qui balançait un chat dans la calandre d'une voiture en mouvement pour rien, celui-là s'était modernisé. Je me doutais bien qu'il devait reverser une grosse partie de ses gains illicites à la pègre de La Nouvelle-Orléans et que celle-ci tirait de temps à autre sur la laisse avec peut-

1. Bigot et raciste, personnage politique puissant dans la Louisiane des années 40 et 50.

être en tête l'idée de cannibaliser un jour toutes ses entreprises, mais toujours est-il qu'entre-temps, il s'était mis au trafic de drogue et au maquereautage à grande échelle à la manière d'un chien de dépotoir qui se ruerait sur des côtelettes d'agneau.

Mais était-ce lui qui avait envoyé chez moi deux tueurs armés de fusils ? J'avais le sentiment qu'il me faudrait prendre beaucoup de monde dans mes filets avant de le découvrir. Bubba n'avait pas pour habitude de laisser traîner ses cordons ombilicaux.

Cet après-midi-là, ma nomination comme inspecteur auprès des services du shérif fut officialisée. On me donna une plaque d'identité avec photo et un insigne doré, à l'intérieur d'un portefeuille de cuir souple ; une liasse de papiers sur les procédures du service et les bénéfices de ma charge, papiers que je jetai au panier par la suite sans même les lire ; et un revolver Smith et Wesson calibre 38, à l'acier bleui terni par l'usage et deux encoches à la lime sur la poignée. Je devais me présenter le lendemain matin à huit heures au bureau du shérif pour prendre mes fonctions.

Je passai chercher Alafair chez ma cousine à New Iberia, nous achetai des glaces en cornets et jouai avec elle sur les balançoires du jardin public. C'était une belle petite fille lorsque les nuages de souvenirs de violence mêlés de questions sans réponse disparaissaient de son regard. Elle avait le visage rouge, brillant d'excitation lorsque je poussais la balançoire suspendue à ses chaînes assez haut pour qu'elle aille toucher les branches du chêne, et sa peau était tellement brunie de soleil qu'elle semblait presque se fondre dans les ombres du feuillage ; elle redescendait alors à me frôler dans la lumière du soleil, au milieu d'un concert de couinements de plaisir, ses pieds nus pleins de poussière venant tout juste effleurer le sol.

Nous rentrâmes à la maison où je préparai des sandwichs au poisson-chat pour le souper, puis j'allai rendre visite à une mulâtresse âgée, que je connaissais depuis l'enfance. Je l'engageai comme baby-sitter à demeure. Ce soir-là, je fis ma valise.

Je me réveillai tôt le lendemain matin au bruit de la pluie qui tombait sur les pacaniers et tambourinait sur le toit de la véranda. Alafair et la baby-sitter dormaient encore. Je vissai un moraillon et une attache sur la porte et le jambage de notre chambre, à Annie et à moi, fermai les fenêtres, tirai le rideau et mis un verrou à la porte.

Pourquoi ?

Je ne peux pas répondre. Peut-être parce qu'il est impie de laver le sang de ceux qu'on aime. Peut-être parce que la mise en place d'une pierre sur une tombe est un acte d'atavisme qui ne sert que ses propres intérêts. (Tout comme les peuples primitifs de jadis, nous écrasons les morts et leur mémoire bien à l'abri sous la terre.) Peut-être parce que le seul monument qui convienne à ceux qui meurent de mort violente est le souvenir de la douleur qu'ils laissent derrière eux.

Je chargeai le barillet du 38 de cinq balles, plaçai le percuteur sur la chambre vide et mis le revolver dans ma valise. Je bus une tasse de café au lait chaud à la table de cuisine, démontai mon 45 automatique, l'huilai, nettoyai le canon à l'aide d'un goupillon, remontai l'arme et y engageai un chargeur plein. Puis j'ouvris une nouvelle boîte de balles à tête creuse et les enfonçai du pouce une à une dans un second chargeur. Les balles étaient lourdes et rondes au creux de ma main et elles se mettaient proprement en place en claquant sous la tension du ressort de chargement. Lorsqu'elles s'écrasaient à l'impact, elles étaient capables de faire des trous de la taille d'une boule de croquet dans une porte en chêne, de détruire le moteur d'une voiture, ou de laisser dans le corps d'un humain un trou gros comme un trou de serrure, trou que nul médecin ne réussirait jamais à cicatriser.

Sombre méditation ? oui. Les armes tuent. C'est leur fonction. Jamais je n'avais délibérément poussé les événements et joué le coup en force pour laisser parler la poudre. L'autre côté avait toujours pris un soin jaloux de faire en sorte qu'il en fût ainsi. J'étais sûr qu'ils recommenceraient.

J'appelai le shérif à son bureau. Il était absent. Je laissai un message disant que je me rendais à La Nouvelle-Orléans et que je le verrais dans un jour ou deux. Je jetai un dernier coup d'œil à Alafair qui dormait, le pouce dans la bouche, devant l'aérateur de la fenêtre, puis je pris ma valise, me couvris la tête de mon imperméable et courus au milieu des flaques de boue et des arbres dégouttant de pluie jusqu'à ma camionnette.

* * *

Le soleil s'était levé, mais il pleuvait toujours lorsque j'arrivai à La Nouvelle-Orléans à onze heures. Je garai ma camionnette sur Basin et m'engageai dans le vieux cimetière St Louis n°1, la pluie tiède rebondissant sur le rebord de mon chapeau. Rangée après rangée, ce n'était que tombeaux en brique peints en blanc, dont le bas du caveau était tellement enfoncé dans la terre qu'on ne pouvait plus lire les noms français gravés sur les dalles de marbre craquelées et usées par le temps qui couvraient les cercueils. Le sol était jonché de pots en verre et de boîtes à conserve rouillées remplies de fleurs fanées. Nombre des morts remontaient à l'une des épidémies de fièvre jaune qu'avait connues la ville au dix-neuvième siècle, lorsque l'on ramassait les cadavres par charrettes entières avant de les entasser comme petit bois, pour les asperger de chaux vive et les faire enterrer par des forçats enchaînés qu'on autorisait à se soûler avant de se mettre au travail. Certains parmi ces tombeaux avaient été violés et dépouillés par les pillards qui étalaient sur le sol au râteau les restes d'ossements, de tissus moisis et de bois pourri. Les nuits froides ou pluvieuses, les poivrots venaient se faufiler dans le cimetière où ils s'endormaient en chien de fusil, des bouteilles de vin synthétique serrées contre la poitrine.

Les personnalités les plus riches et les plus célèbres de La Nouvelle-Orléans se trouvaient ici : les gouverneurs français et espagnols, les aristocrates tués en duel ou lors de la bataille de Chalmette contre les Britanniques, les marchands d'esclaves et les capitaines des clippers qui forçaient le blocus des Yankees autour de la ville. Je découvris même la tombe de Dominique You, soldat de fortune de Napoléon qui devint officier tirailleur en chef de Jean Lafitte. Mais ce jour-là, un seul tombeau m'intéressait et même lorsque je l'eus trouvé, je ne pouvais être sûr qu'il s'y trouvait encore les restes de Marie Laveau (on racontait qu'elle était enterrée dans un vieux four, à deux blocs de là, dans le cimetière St Louis n°2).

Elle était connue comme ayant été la reine vaudou de La Nouvelle-Orléans, au milieu du dix-neuvième siècle. On l'avait qualifiée de sorcière, de pratiquante de cette magie noire née dans les îles, d'opportuniste métisse. En dépit de cela, ses suivants avaient été nombreux, et je soupçonnais qu'il existait encore au moins un homme dans ce voisinage qui continuait à récupérer la terre de sa tombe pour la transporter dans une poche de flanelle rouge, prédire l'avenir dans un jeu d'osselets de porc qu'il renversait sur son tombeau, ou encore, une nuit par mois, à monter dans la ruine éventrée tout à côté.

Je n'avais pas vraiment de plan, et ce serait probablement une question de chance si je mettais la main sur Toot dans le quartier délabré qui entourait le cimetière. En fait, j'étais hors de ma juridiction et n'avais aucune autorité qui justifierait ma présence. Mais si je passais par les canaux officiels, je serais toujours à New Iberia pendant que deux flics de La Nouvelle-Orléans iraient poser quelques questions dans le quartier, à condition qu'ils en aient le temps, et si cela ne marchait pas, un flic en civil du service de nuit, assis dans sa voiture, avec ses liasses de mandats prioritaires noués d'un élastique, rajouterait le nom de Toot à la liste des suspects recherchés dans ce coin de la ville, avec pour résultat final, absolument rien, le néant.

La plupart des criminels sont stupides. Ils pénètrent dans les maisons de 500 000 dollars du Garden District, entassent deux douzaines de bouteilles de gin, whisky, vermouth et collins en cocktail dans une nappe de lin irlandais à 2 000 dollars pour finir par boire toute la gnôle en se débarrassant de la nappe.

Mais je crois que ma plus grande crainte était que les flics du coin fassent fuir Toot du quartier, ou même qu'ils réussissent à l'épingler, puis qu'ils le relâchent, avant même que nous puissions le ramener à New Iberia. Ce sont là des choses qui arrivent. Il n'y a pas que les criminels à être stupides.

Lorsque j'étais inspecteur à la Criminelle du Premier District sur Basin, nous avions arrêté un tueur en série originaire de Géorgie qui avait assassiné des gens dans tout le sud du pays depuis la Géorgie. Il avait trente-cinq ans et travaillait comme artiste de carnaval. Il était blond, peu raffiné d'allure, avec un physique impressionnant, et, aux oreilles, des boucles en or en forme de crucifix. Il avait un niveau scolaire de CM1, et signait à la manière d'un écolier. Il avait bouché sa cuvette des toilettes au moyen d'une couverture et inondé toute une section du quartier sécurité de la prison parce qu'il ne pouvait pas regarder la télévision en compagnie des autres détenus du quartier commun ; néanmoins, il était parvenu à convaincre deux inspecteurs de la Criminelle qu'il pourrait leur indiquer l'endroit où était enterrée une jeune fille dans la digue de terre du côté de la paroisse de Plaquemines. Ils avaient préféré lui passer les menottes plutôt que de l'enchaîner à la taille et aux chevilles et l'avaient emmené par une route en bordure jusque dans les profondeurs du marais.

Mais il avait caché un trombone dans sa bouche. Il était parvenu à ouvrir les menottes et avait arraché le 357 Magnum de l'étui d'épaule du conducteur avant de faire voler la cervelle des deux inspecteurs à travers tout le pare-brise.

On ne l'avait jamais repris. Il s'était fait écraser par la chute d'un siège d'une grande roue de manège à Pocatello, dans l'Idaho.

Je passai la journée à parcourir les rues du quartier, en voiture et à pied, depuis Canal jusqu'à Esplanade Avenue. J'interrogeai des Noirs, des Chicanos, et des ouvriers blancs qui se faisaient cirer leurs chaussures ; je fis la tournée des bars ouverts dès sept heures du matin et des épiceries de coin de rue qui sentaient les tripes de porc et la carpe fumée. La veille, j'étais commerçant d'une petite ville. Aujourd'hui, j'étais flic, et je reçus l'accueil que reçoivent habituellement les flics dans un quartier pauvre. On me prit pour un récupérateur de factures impayées, agent de prêts sur caution, agent d'assurances des pompes funèbres, huissier délivrant ses assignations au service d'un propriétaire, ou encore M. Pieds-Plats avec son insigne (il est étrange de voir la manière dont nous autres Blancs nous étonnons de l'attitude des minorités à notre égard, alors que nous leur envoyons les pires de nos émissaires).

A un moment, je crus n'être pas tombé loin. Dans un bar qui affichait, cloué au beau milieu de sa porte d'entrée, un insigne représentant le drapeau confédéré, le propriétaire, un ancien boxeur, avait sorti le bout humide de son cigare d'entre ses lèvres et m'avait regardé au milieu d'un visage déformé, couturé de bourrelets de cicatrices, avant de dire :

— Haïtien, hein ? Vous voulez parler d'un métèque des îles, c'est bien ça ?

— C'est exact.

— Y'a tout un paquet de ces cannibales sur North Villere. Ils mangent tous les chiens du quartier. Ils récupèrent même à l'épuisette les poissons rouges dans le bassin du jardin public. Ne restez pas à dîner dans le coin. Vous pourriez finir dans la marmite.

Le jardin de la maison de bois jaune de plain-pied vers laquelle il m'avait dirigé était envahi de mauvaises herbes toutes mouillées, au sol jonché de pièces détachées de voitures et de machines à laver. Je descendis l'allée en voiture et essayai de regarder par les fenêtres sur l'arrière de la maison, mais on avait tiré les stores pour se protéger du soleil de fin de journée. J'entendis pleurer un bébé. Des sacs d'ordures aux relents de poisson pourri s'empilaient sur les marches du perron arrière, et les couches qui pendaient à la corde à linge étaient grisâtres, effilochées par trop de lavages à la main. Je retournai sur le devant et frappai à la porte.

Un Noir de petite taille, le visage effrayé couleur de pomme cuite, s'approcha à un mètre de la moustiquaire et me regarda depuis la pénombre à l'intérieur de la maison.

— Où est Toot ? dis-je.

Il secoua la tête comme s'il ne comprenait pas.

— Toot, dis-je.

Il leva les mains paumes en avant et se mit à les secouer d'avant en arrière. Ses yeux étaient rouges dans la pénombre. Deux enfants étaient en train de colorier un livre d'images par terre. Une femme aux larges hanches, un enfant sur l'épaule, m'observait depuis la porte de la cuisine.

— *Vous connaissez un homme qui s'appelle Toot ?*[1] dis-je.

Il me répondit dans un mélange de français, d'anglais et peut-être même d'africain, qui était incompréhensible. Il était aussi terrifié.

— Je ne suis pas de l'Immigration, dis-je. *Comprenez ? Pas Immigration.* [1]

Mais il ne me croyait pas. Je n'arrivais pas à franchir le barrage de ses frayeurs, pas plus qu'à lui faire comprendre mes paroles. Je ne fis qu'empirer les choses lorsque je lui posai à nouveau la question sur Toot en utilisant le terme de *tonton macoute*[1]. L'homme écarquilla les yeux et déglutit comme s'il avait avalé un galet.

Mais c'était sans espoir. Joli travail, Robicheaux, me dis-je en moi-même. Maintenant, ces pauvres gens vont

1. En français dans le texte.

vivre dans la peur des jours durant, tremblant de frayeur chaque fois qu'il se montrerait une automobile devant la maison. Jamais ils ne comprendraient qui j'étais au juste, en imaginant en toute innocence que je n'étais que le prélude à des choses pires encore. Puis j'eus une autre idée. Les officiers de police et les responsables de l'Immigration ne donnaient pas d'argent aux immigrés clandestins.

Je sortis un billet de cinq dollars de mon portefeuille, le pliai dans le sens de la longueur et le glissai entre l'huisserie et la porte moustiquaire toujours verrouillée.

— C'est pour votre bébé, dis-je. *Pour vot' enfant.* [1] Il me dévisagea d'un air abasourdi. Lorsque je me retournai vers la porte, arrivé à ma camionnette, lui et sa femme me dévisageaient toujours.

J'achetai un morceau de fromage, une demi-livre de jambon en tranches, un oignon, une miche de pain français et une demi-pinte de lait dans une épicerie noire, me garai près du cimetière et mangeai mon souper, tandis que la pluie commençait à reprendre sous le crépuscule violacé. Plus loin sur Basin, je vis s'éclairer l'enseigne au néon d'un bar : elle portait la marque Jax.

Lorsqu'on ne réussit pas à mettre la main sur un mec comme Toot dans sa propre tanière, on se met à sa recherche dans les endroits où il peut assouvir ses désirs. La plupart des hommes violents aiment les femmes. Les pervers les tabassent ; les tueurs à gages les utilisent à la fois comme récompenses pour la tâche accomplie et témoignages de leur puissance. Je connaissais pratiquement tous les bars à lever, noirs et métis, et les hôtels de passe de La Nouvelle-Orléans. La nuit allait être longue.

J'étais épuisé lorsque le soleil se leva au petit matin. La pluie avait cessé vers trois heures et les flaques dans la rue commençaient à sécher à la chaleur du soleil ; on

1. En français dans le texte.

sentait la moiteur chaude monter du béton comme un bain de vapeur.

Je me brossai les dents et me rasai dans les toilettes d'une station service. J'avais le contour des yeux rouge, le visage marqué par la fatigue. J'étais entré dans une douzaine de bars nègres de bas étage au cours de ma nuit, on m'avait fait des avances, on m'avait menacé, on m'avait même ignoré, mais personne ne connaissait d'Haïtien répondant au nom de Toot.

Je m'offris café et beignets au Café du Monde avant de faire une nouvelle tentative dans le quartier du cimetière. Mais tout le long d'Iberville et de St Louis, mon visage était devenu tellement familier que les propriétaires d'épiceries et de drugstores détournaient la tête en me voyant arriver. Le soleil était blanc dans le ciel ; les oreilles-d'éléphant, philodendrons et bananiers qui poussaient le long des contre-allées étaient perlés d'humidité ; l'air avait le goût moite et fécond d'une serre. A midi, j'étais sur le point de tout abandonner.

C'est alors que je vis deux voitures de police, girophares couleur chewing-gum allumés, devant une maison en stuc sur North Villere à un bloc de la maison jaune où vivait l'homme effrayé. Une ambulance était engagée en marche arrière dans l'allée qui conduisait à l'appartement sur garage. Je rangeai ma camionnette près du trottoir, ouvris mon étui et, insigne à la main, avançai jusqu'aux deux patrouilleurs dans l'allée. L'un d'eux notait quelque chose sur un bloc en faisant mine d'ignorer la sueur qui dégoulinait de son chapeau.

— Qu'est-ce que vous avez ? dis-je.

— Un mec mort dans sa baignoire, dit-il.

— Mort de quoi ?

— Au diable si je le sais. Ça fait deux ou trois jours qu'il est là. Et y a pas non plus de climatisation.

— De quelle race est-il ?

— Je ne sais pas. Je ne suis pas monté jusque-là. Allez vérifier par vous-même si vous voulez. Et n'oubliez pas votre mouchoir.

A mi-chemin de l'escalier, l'odeur me frappa à plein nez. C'était une odeur de pourriture, acide et sucrée tout à la fois, puant le sel et la chair décomposée, aussi fétide et grise que l'haleine d'un rat, aussi pénétrante et enveloppante que des relents d'excréments. J'eus un haut-le-cœur et dus presser le poing contre la bouche.

Deux infirmiers, les mains gantées de caoutchouc, attendaient patiemment avec une civière dans le salon minuscule, tandis que le technicien du labo prenait des photos au flash de la baignoire. Ils avaient le visage pincé et ne cessaient de se racler la gorge. Un inspecteur en civil obèse, au visage rougeaud et dilaté, se tenait dans l'embrasure de la porte, m'empêchant de voir clairement la baignoire. Sa chemise blanche était tellement détrempée de sueur qu'on voyait la peau au travers du tissu. Il se retourna et me regarda d'un air perplexe. Je crus pouvoir un instant le reconnaître après mes années passées au Premier District, mais ce n'était pas le cas. Je lui présentai l'insigne au creux de ma main.

— Je suis Dave Robicheaux, services du shérif de la paroisse d'Iberia, dis-je. Qui est-ce ?

— Nous ne savons pas encore. Le propriétaire est en vacances, et il n'y a rien dans l'appartement qui porte le moindre nom, dit-il. Un employé est monté relever les compteurs ce matin et il a recraché ses beignets par-dessus la balustrade. Directement sur les rosiers. Côté odeur, c'est la touche finale. Qu'est-ce que vous cherchez ?

— Nous avons un mandat sur un Haïtien.

— Faites comme chez vous, dit-il en se reculant de côté.

Je pénétrai dans la salle de bains, le mouchoir pressé sur la bouche et le nez. La baignoire était une vieille chose en fer barbouillée de rouille, montée sur pieds, lesquels ressemblaient aux pattes griffues d'un animal. Les pieds et les mollets nus d'un Noir dépassaient du rebord le plus éloigné de la baignoire.

— Ou bien c'était un connard débile qui aimait avoir sa radio branchée sur le lavabo, ou alors quelqu'un a balancé l'appareil dans la baignoire pour lui tenir compagnie, dit l'inspecteur. D'un côté comme de l'autre, ça l'a grillé.

L'eau s'était évaporée de la baignoire, et des lignes de crasse avaient séché autour de la bonde d'évacuation. Je regardai les mains puissantes maintenant figées en serres, les muscles de la poitrine solide ramollis par la décomposition, les yeux mi-clos qui paraissaient figés sur une dernière pensée toute personnelle, la bouche rose verrouillée, largement écartée par le hurlement silencieux qui s'en échappait.

— Ç'a dû être un sacré fils de pute. Il a réussi à arracher la peinture des flancs avec ses griffes, dit l'inspecteur. Là, regardez, le truc blanc qu'il a sous les ongles. Vous le connaissez ?

— Il s'appelle Toot. Il travaillait avec Eddie Keats. Peut-être bien qu'il travaillait aussi pour Bubba Rocque.

— Hum, dit-il. Ça n'aurait pas pu tomber sur un meilleur mec, dans ce cas. Quelle façon d'en finir. J'ai eu une affaire semblable un jour vers Algiers. Une femme écoutait un guérisseur religieux à la radio tout en faisant la vaisselle. Le guérisseur a demandé à tout le monde de poser leurs mains sur la radio afin de guérir de leurs maux, et elle en a jailli de sa culotte, en morceaux. Vous avez quoi sur ce mec, là-bas ?

— Agression et voies de fait, suspecté de meurtre.

Le technicien du labo passa près de nous avec son appareil photo. L'inspecteur fit signe aux deux infirmiers d'un doigt en crochet.

— Très bien, mettez-le dans le sac et sortez-le d'ici, dit-il avant de se tourner vers moi à nouveau. Il faudra qu'on passe ça au lance-flammes pour se débarrasser de cette puanteur. Vous avez eu tout ce que vous vouliez ?

— Ça vous dérange si je jette un coup d'œil ?

— Allez-y. Je vous attends dehors.

Appuyé contre le mur du fond, dans le coin du placard, derrière les cintres où pendaient chemises tropicales, pantalons blancs et vestes de soie fleurie, je découvris un fusil de chasse à pompe calibre douze. J'ouvris la culasse. L'arme avait été nettoyée et huilée, et la chambre débarrassée des traces de cordite avec un chiffon. Puis je dévissai le système de chargement à pompe et vis que l'on avait ôté le verrouillage du magasin, de sorte que le chargeur pouvait contenir cinq cartouches au lieu de trois. Sur le sol était posée une boîte à moitié vide de cartouches rouges de double zéro, de la même fabrication que celles qui avaient jonché le sol de notre chambre, à Annie et à moi. Je fis rouler une cartouche dans le creux de ma main avant de la remettre dans la boîte.

L'inspecteur alluma une cigarette en descendant l'escalier qui menait au jardin. Les nuages de pluie d'après-midi avaient masqué le soleil, et il essuya la sueur de ses sourcils du plat de la main, avant d'ouvrir les yeux en grand sous la brise qui s'était levée du sud.

— J'aimerais que vous veniez jusqu'au District pour y rédiger un rapport sur votre homme, dit-il.

— Très bien.

— Qui ce mec est-il censé avoir tué ?

— Ma femme.

Il s'arrêta net au milieu de la cour, juste sous un palmier mort qui claquait au vent, et il me regarda bouche bée. La brise fit voler ses cendres de cigarette sur sa cravate.

Je décidai de faire encore un arrêt avant de retourner à New Iberia. A cause du souci que je me faisais pour Alafair, j'avais laissé le champ libre aux Services d'Immigration et de Naturalisation. Mais comme me l'avait dit ce concierge noir au lycée, ne laisse jamais deviner au batteur que tu as peur de lui. Lorsqu'il écarte les jambes dans son carré, qu'il te lance son regard méchant, les yeux plissés sous la visière de la casquette, comme s'il te visait droit à la gorge, crache sur ta balle et balance-la comme si tu voulais effacer toutes les lettres de son maillot. Et il changera d'attitude dans ses rapports avec toi.

Mais M. Monroe devait me surprendre.

Je rangeai la camionnette à l'ombre de la voûte d'un chêne du côté de Loyola et revins à pied jusqu'au bureau du SIN sous un soleil brûlant. Il avait son bureau au rez-de-chaussée, parmi plusieurs autres, et lorsqu'il leva les yeux d'une chemise qu'il tenait à la main et m'aperçut, la peau autour de ses oreilles se tendit sur l'os. Ses cheveux noirs, peignés en fils de fer sur le crâne dégarni, luisaient sans éclat sous la lumière fluorescente. Je le vis déglutir sous son nœud papillon.

— Je suis ici à titre officiel, dis-je en sortant mon insigne de la poche du pantalon. Je suis maintenant inspecteur auprès des services du shérif d'Iberia. Cela vous dérange si je m'assieds ?

Il ne répondit pas. Il sortit une cigarette d'un paquet sur son bureau et l'alluma. Il regardait droit devant lui. Je m'assis sur une chaise à dossier droit près de son bureau et contemplai le côté de son visage. Près de son sous-main était posée, dans un cadre doré, une photographie de lui, sa femme et trois enfants. Un vase en verre avec deux roses jaunes était placé à côté de la photo.

— Que voulez-vous ? dit-il.

— J'enquête sur un meurtre.

Il garda la cigarette à la bouche entre deux doigts et continua à fumer sans jamais la décoller vraiment des lèvres. Il avait le regard douloureux, les yeux rivés sur le vide.

— Je crois que vous et vos mecs avez une piste sur quelque chose qui m'intéresse, dis-je.

Finalement, il me regarda. Le visage était aussi tendu qu'un masque de papier.

— M. Robicheaux, je suis désolé, dit-il.

— Désolé pour quoi ?

— Pour... au sujet de votre femme. Je suis sincèrement désolé.

— Comment êtes-vous au courant pour ma femme ?

— C'était dans les faits divers du coin dans le *Picayune*.

— Où est Victor Romero ?
— Je ne connais pas cet homme-là.
— Ecoutez, ceci est une enquête sur un meurtre. Je suis officier de police. Alors, ne me menez pas en bateau.
Il abaissa sa cigarette vers le sous-main et relâcha sa respiration. Il était visible que les autres étaient maintenant tout ouïe.
— Il faut que vous compreniez quelque chose. Je travaille sur le terrain au milieu des immigrés clandestins. Je vérifie leurs cartes vertes. Je m'assure que les gens ont bien un permis de travail. Il y a plusieurs années que je fais cela.
— Je me fiche pas mal de ce que vous faites. Répondez-moi à propos de Victor Romero.
— Je ne peux rien vous dire.
— Réfléchissez très soigneusement à vos paroles, monsieur Monroe. Vous n'êtes plus loin de faire obstruction au travail de la police.
Il porta les doigts à la tempe. Sa lèvre inférieure se mit à trembloter.
— Il faut que vous me croyiez, dit-il. Je suis vraiment désolé pour ce qui vous est arrivé. Il m'est impossible d'exprimer autrement ce que je ressens.
Je restai silencieux un instant avant de reprendre la parole.
— Quand quelqu'un est mort, les excuses ont à peu près autant de valeur qu'une branlette dans un sac en papier. Je pense que c'est une chose que vous avez besoin d'apprendre, peut-être même que vous devriez descendre jusqu'au tribunal et écouter un des mecs en partance pour Angola. Est-ce que vous me suivez ? Parce que voici ce que je crois que vous avez fait, vous et vos mecs : vous avez infiltré Johnny Dartez et Victor Romero au sein du mouvement d'asile aux réfugiés politiques et quatre personnes ont fini mortes à Southwest Pass. Je crois que c'est une bombe qui a fait écraser cet avion. Je crois aussi que Romero est quelque part lié à cette affaire. Il est aussi vrai qu'il fait la paire avec Bubba Rocque, et peut-être

bien que Bubba a fait assassiner ma femme. Vous couvrez ce mec-là et c'est vous que je colle sous les verrous.

J'entendais maintenant sa respiration. Le sommet de son crâne graisseux luisait de sueur sous l'éclairage. Ses yeux allaient, incertains, d'avant en arrière.

— Peu importe de savoir qui va entendre ce que j'ai à dire, et vous pouvez faire ce que bon vous semble de ma déclaration, dit-il. Je suis fonctionnaire de profession. Je ne choisis pas les orientations politiques et je n'ai aucun pouvoir de décision. J'essaie d'empêcher les clandestins de prendre leur emploi à des Américains. C'est tout ce que je fais ici.

— Ils ont fait de vous un pion dans la partie. Vous acceptez leur argent, vous acceptez leurs ordres, vous acceptez leur chute.

— Je ne suis pas très doué pour les discours. J'ai essayé de vous exprimer mes sentiments, mais cela, vous ne l'acceptez pas. Je ne vous en veux pas. Je suis simplement désolé. Je n'ai rien d'autre à ajouter, monsieur Robicheaux.

— Où est votre supérieur ?

— Il est parti pour Washington.

Je regardai la photographie de famille posée sur son bureau.

— Le cercueil de ma femme a dû être gardé fermé à l'enterrement, dis-je. Réfléchissez à ce que ça implique une minute. Vous direz aussi à votre supérieur que je vais mettre la main sur ce passeur d'héroïne. Quand ce sera fait, je vais lui mettre les poucettes et le presser comme un citron. Priez le ciel qu'aucun de vos noms ne sorte de sa bouche.

Lorsque je passai le seuil de la porte, le seul bruit qu'on entendait dans la salle était le crépitement du télex.

* * *

Je rentrai à la maison le soir venu ; Alafair et la baby-sitter avaient déjà soupé. J'avais faim et j'étais trop tendu pour pouvoir fermer l'œil, aussi me réchauffai-je un peu de gros riz brun accompagné d'écrevisses et de pain de maïs, enveloppai le tout de papier aluminium et le plaçai dans mon sac à dos en toile à côté de ma trousse d'ustensiles de camping. Je descendis le chemin sous le crépuscule flamboyant jusqu'à un endroit précis du bayou que mon père, mon petit frère et moi avions coutume de ratisser, à la recherche de balles Minié[1] quand j'étais encore enfant.

Vers les années 1830 s'était construit là la maison d'un planteur de canne à sucre, mais tout le premier étage avait été incendié par les soldats du général Bante en 1863 et le toit, ainsi que la poutraison de cyprès calcinés, s'était écroulé à l'intérieur des murs de brique. Au fil des années, la route d'accès s'était remplie de pousses de pins et de broussailles, des vandales avaient descellé les dalles des foyers de cheminées à la recherche de pièces d'or, les pierres des tombes avaient été abattues dans le coin où reposaient les membres de la famille et les tombes proprement dites ne se reconnaissaient que grâce à leur couleur vert foncé et aux tapis de champignons qui poussaient au-dessus d'elles.

Belles-de-nuit et églantiers poussaient en bordure d'un petit ruisseau qui coulait en lisière de la clairière, à côté d'une citerne complètement pourrie installée près de la maison et d'une vieille forge dont il ne restait plus que des traces rouillées sur le sol humide. La brise soufflait encore du bayou avec assez de force pour repousser les moustiques sous le couvert des arbres, et je m'assis sur une souche de cyprès mort sous les derniers flamboiements du soleil couchant et mangeai mon souper à l'aide de mes couverts pliables. L'eau claire aux reflets cuivrés coulait sur un lit de cailloux au fond de la goulotte, et j'aperçus de petites brèmes qui se cachaient sous les fila-

1. Du nom de Claude Etienne Minié (1859), officier de l'armée française : balles à tête conique utilisées pour les fusils à chargement par le canon.

ments de mousse flottant dans le courant. Le long de ces mêmes rives, mon père, mon frère et moi avions déterré un seau entier de balles Minié ainsi que mitraille, bouts de chaîne et fers à cheval sectionnés en morceaux que les canons de l'Union envoyaient sur l'arrière-garde confédérée. Nous utilisions des râteaux pour les plantes grimpantes et les feuilles mortes humides qui s'entassaient en couches sur les parois de la goulotte, et les balles Minié tombaient du terreau comme des dents blanches. Elles étaient coniques à un bout, portaient à l'autre une indentation en creux et trois cannelures, et donnaient toujours une impression de poids, lisses et rondes au creux de la main.

En toute innocence, nous ne les considérions pas à l'époque comme des objets qui arrachaient les muscles des os, déchiraient les articulations et les réseaux de veines, déchiquetaient un visage en fracassant langue et mâchoire. Il m'avait fallu franchir les mers en devenant colonisateur à mon tour pour comprendre ce simple fait. Il m'avait fallu le contact d'une cartouche de fusil de chasse qu'avaient touchée les longs doigts noirs d'un homme dont la mission était de faire naître chez ses semblables la détresse et le désespoir qu'il capturait ensuite sur la pellicule d'un Polaroïd.

Je reposai gamelle et couverts de camping et effeuillai une fleur d'églantier dont je suivis les pétales roses des yeux au gré du courant jusqu'à ce qu'ils hésitent au-dessus d'un haut-fond au milieu des fougères pour réapparaître plus loin, sous le soleil. J'avais bien plus de choses en tête que je ne l'aurais voulu. C'est vrai, j'étais sobre ; les douleurs physiques de ma dernière bringue avaient disparu, et le tigre donnait l'impression d'être en cage ; mais j'avais à affronter des lendemains en nombre et, par le passé, la perspective de ma propre vie à longue échéance m'entraînait à m'enivrer à nouveau. Demain à midi, j'irais à une réunion des AA et avouerais mon faux pas devant le groupe, ce qui n'était pas chose des plus faciles. Une nouvelle fois, j'avais manqué non seulement à moi-même et à mon Tout-Puissant, mais j'avais aussi trahi la confiance de mes amis.

Je vidai ma gamelle de ses restes en la cognant contre un genou de cyprès, et la remis dans le sac à dos. Je crus entendre un bruit de portière de voiture sur la route, mais je n'y prêtai guère attention. La clairière s'obscurcissait maintenant d'ombres et les moustiques se levaient en nuages des arbres et des taillis. Je passai une des sangles du sac à dos sur l'épaule et traversai les jeunes pousses de pin en direction des derniers rougeoiements du soleil au-dessus de la route principale.

A travers les troncs d'arbres, je vis la silhouette sombre d'un homme debout près d'une Toyota bordeaux rangée sur la route. Il se tenait côté capot derrière la voiture et il me regardait, le visage masqué par l'ombre des arbres, immobile, comme s'il pissait un coup à côté du pneu. Un court instant, il disparut de ma vue à cause des branches en surplomb d'un gros chêne, puis le couvert des frondaisons s'éclaircit et je le vis soudain qui épaulait un fusil à culasse mobile, la bretelle en cuir déjà roulée serrée autour de l'avant-bras gauche, je vis scintiller la lentille de la lunette télescopique, aussi sombre qu'une luciole dans un verre à whisky, je vis la poitrine et les coudes de l'homme s'appuyer sur le toit bas de la voiture avec la grâce et la rapidité d'un fantassin tireur d'élite qui ne rate jamais une visée et délivre sa marchandise quelque part entre le sternum et la gorge.

Je fis un bond de côté et roulai sous le couvert des broussailles, à l'instant précis où le fusil se mettait à rugir et qu'une balle venait faire sauter les feuilles d'une demi-douzaine de branches, avant de fendre le flanc d'un pin comme si une lame de tronçonneuse en avait effleuré l'écorce. J'entendis le levier de chargement qu'on manœuvrait, j'entendis même la douille vide cliqueter en rebondissant sur la tôle de la carrosserie, mais je courais déjà en zigzag, au milieu des bois, le visage et la poitrine fouettés par les branches de pin, écrasant à chaque foulée le tapis de feuilles mortes qui craquaient sous mes pas.

J'avais rassemblé les sangles de toile du sac à dos dans la main gauche, et lorsqu'il lâcha son deuxième coup, lorsque sa balle déchira le sous-bois avant de ricocher sur les briques de la plantation en ruines, je plongeai, poitrine au sol, ouvris le rabat du sac en l'arrachant de sa lanière en cuir et mis la main autour de la crosse de mon automatique 45.

Je crois qu'il savait que sa chance avait tourné. Je l'entendis manœuvrer la culasse mobile, mais j'entendis aussi le canon du fusil cogner contre le toit de la voiture ou le pare-brise. L'homme secouait le levier de chargement comme s'il avait enrayé l'arme en essayant de faire monter trop vite une balle dans la chambre. J'étais debout et je courais déjà, cette fois en biais en direction de la route, de manière à ressortir des bois derrière sa voiture. Les arbres étaient maintenant denses et il tira au jugé, en se guidant plus à mes bruits qu'à ce qu'il distinguait, et la balle traversa en vrombissant un massif d'églantiers cinq mètres derrière moi.

Je défonçai les dernières broussailles du sous-bois et sortis de la forêt sur sa lisière éclairée, juste au moment où le tireur balançait son fusil sur le siège avant en s'installant d'un bond derrière le volant. C'était un homme de petite taille, la peau sombre, vêtu d'un jean, de chaussures de course à pied et d'un T-shirt mauve sur lequel venait boucler sa longue chevelure noire. Mais je courais tellement vite, hors d'haleine, que je glissai et tombai à genoux sur le flanc du fossé de drainage où je faillis boucher de terre le canon du 45. Il écrasa l'accélérateur au plancher, lâcha l'embrayage et fit gicler un tourbillon d'eau d'une flaque boueuse. Je me collai ventre à terre, coudes au sol, bras tendus, la paume de la main gauche en coupe sous la crosse du 45 et ouvris le feu.

Le grondement fut assourdissant. La première balle rebondit avec fracas sur le pare-chocs, puis je lui trouai son coffre par deux fois, une balle se perdit en l'air, et finalement je parvins à faire voler sa lunette arrière avec une telle force qu'on l'aurait crue fracassée à coups de batte de base-ball. Je me relevai à genoux et continuai à tirer, avec le bras qui remontait toujours d'un cran à chaque recul de l'arme. Au virage de la route, la voiture se mit en dérapage et l'arrière vint se fracasser contre le tronc d'un chêne avant que le conducteur réussisse à redresser, et je vis ma dernière balle qui faisait sauter un feu arrière au milieu d'un enchevêtrement de câbles et de fragments de plastique rouge. Mais je ne touchai ni le réservoir, ni les pneus, et je ne réussis pas à transpercer le carter du bloc-moteur ; je l'entendis monter ses vitesses à faire pratiquement hurler la boîte alors qu'il disparaissait à ma vue, au-delà d'un bouquet de cannes à sucre sur le bord de la route.

8

Après avoir téléphoné le signalement du tireur et de sa Toyota à partir du bassin à bateaux, je retournai sur le chemin une torche à la main, à la recherche des douilles qu'il avait éjectées de son fusil. Deux camions chargés de gravier étaient passés sur la route ; une des douilles était complètement aplatie dans la poussière, et la seconde était à moitié enterrée dans un creux boueux. Mais je réussis à les extraire grâce au poinçon de mon couteau suisse et les ensachai. Elles étaient humides et boueuses, marquées et écrasées par leur passage sous les roues du camion, mais une douille percutée éjectée par un fusil à culasse mobile est toujours un excellent support pour récupérer une bonne empreinte, car le tireur garnit habituellement son chargeur en enfonçant chaque balle du pouce, ce qui laisse une belle trace sur la surface laitonnée.

Le lendemain, j'écoutais paisiblement pendant que le shérif m'offrait en partage ses sentiments quant à mon départ pour La Nouvelle-Orléans sans autorisation. Il avait le visage rouge, le nœud de cravate desserré, et il s'adressait à moi les bras croisés sur son bureau, afin de cracher sa colère. Je ne pouvais guère lui en vouloir de ce qu'il éprouvait, et le fait de me voir garder le silence à ses questions ne faisait qu'accroître sa frustration. Finalement il s'arrêta, gigota dans son fauteuil et me regarda comme s'il venait d'abandonner tout ce qu'il avait dit jusque-là.

— Oublie toutes ces conneries sur la procédure. Ce qui me tracasse, c'est ce sentiment qu'on s'est servi de moi, dit-il.

— J'ai appelé avant de partir. Tu n'étais pas là, dis-je.

— Ça ne suffit pas.

A nouveau, je ne répondis pas. Le sachet avec les douilles de fusil était posé sur son bureau.

— Dis-moi la vérité. Qu'aurais-tu fait si tu avais retrouvé le Haïtien vivant ?

— Je l'aurais agrafé.

— C'est ce que je veux croire.

Je regardai par la fenêtre un magnolia d'un vert brillant dans la brume matinale.

— Je suis désolé pour ce que j'ai fait. Cela ne se reproduira plus, dis-je.

— Si cela se reproduit, il sera inutile de démissionner. Je te reprendrai ton insigne personnellement.

Je regardai le magnolia pendant un moment et suivis des yeux un colibri suspendu au-dessus d'une des fleurs blanches.

— Si nous obtenons une empreinte à partir de ces douilles, je veux l'adresser à La Nouvelle-Orléans, dis-je.

— Pourquoi ?

— Le technicien du labo sur les lieux a passé sa poudre sur la radio qu'on a retrouvée dans la baignoire en compagnie du Haïtien. Il y a peut-être un lien possible avec notre tireur.

— Comment ça ?

— Qui sait ? Je veux également que La Nouvelle-Orléans nous donne une copie du casier et des empreintes de Victor Romero.

— Tu crois que c'était lui le tireur ?
— Peut-être bien.
— Pour quel mobile ?
— Au diable si je le sais.
— Dave, tu ne crois pas que tu essaies peut-être de lier trop de choses ensemble dans cette affaire ? Je veux, tu veux ceux qui ont tué ta femme. Mais tu n'as qu'un seul groupe de suspects à portée de main, que tu peux effectivement toucher, alors peut-être que tu as décidé d'y voir des pistes possibles qui n'existent pas. Comme tu l'as dit, tu as expédié bien du monde à Angola.
— L'ex-taulard qui te dessoude veut que tu voies son visage et que tu partages quelques souvenirs avec lui. Le mec qui m'a tiré dessus la nuit dernière a fait ça pour de l'argent. Je ne le connais pas.
— Bon, mais peut-être que la voiture du mec va réapparaître quelque part. Je ne sais pas comment il a réussi à la sortir de la paroisse avec tous les trous qu'elle avait dans la caisse.
— Il l'aura fauchée, et elle est dans le bayou ou dans un garage quelque part. Nous ne la trouverons pas. Tout au moins pas avant un moment.
— Tu es vraiment optimiste, toi, non ?
Je passai la journée à m'atteler aux tâches routinières d'un inspecteur du shérif chargé d'enquête dans une paroisse rurale. Je n'y trouvai aucun plaisir. Pour une raison inconnue, probablement parce qu'il craignait que je ne m'enfuie à nouveau, le shérif m'avait affecté un adjoint en uniforme du nom de Cecil Aguillard, un paysan du Sud, énorme, lourdaud et pas très futé. C'était un mélange de Cajun, de Nègre et d'Indien Chitimacha ; il avait la peau couleur de brique brûlée et des yeux minuscules d'un vert turquoise au milieu d'un visage en tourtière au travers duquel on aurait pu fracasser une douve de tonneau sans le voir changer d'expression. Il roulait à cent dix kilomètres/heure en conduisant d'une main, crachait son jus de Red Man par la fenêtre, et appuyait sur les pédales avec une telle puissance qu'il en

avait complètement usé le caoutchouc, laissant le métal à nu.

Nous enquêtâmes sur une agression au couteau dans un bar nègre, des violences sexuelles sur une fille retardée mentale par son oncle, une affaire d'incendie volontaire dans laquelle un homme avait mis le feu à son propre cabanon de pêche parce que ses invités ivres morts refusaient de partir avant le lendemain matin et finalement, tard dans l'après-midi, le vol à main armée d'une épicerie en dehors de la ville sur la route d'Abbeville. Le propriétaire était un Noir, cousin de Cecil Aguillard : le voleur lui avait pris quatre-vingt-quinze dollars avant de le faire avancer jusqu'au compartiment réfrigéré où il l'avait enfermé à double tour après lui avoir cinglé un œil du canon de son pistolet. Lorsque nous l'avions interrogé, il tremblait encore de froid, et son œil avait enflé pour se changer en une masse violacée. Il réussit seulement à nous dire que le voleur était blanc, qu'il était arrivé au volant d'une petite voiture marron avec des plaques qui n'étaient pas de l'Etat, avant d'entrer dans la boutique, le chapeau sur la tête ; il avait soudain enfilé un bas de Nylon sur son visage, écrasant ses traits en une pulpe informe de peau et de cheveux.

— Queq' chose encore. L'a pris une bouteille d'alcool d'abricot et un paquet de ça, là, les Tootsie Roll, dit le Nègre. J'lui dis "Le Grand Balaisc avec une arme, en train de suçoter ses Tootsie Roll." Alors li, y m'colle un pain din l'figure. J'as b'soin dc c't'argent pour l'université de ma fille à Lafayette. C'est point donné, ça non. Vous z'allez le récupérer ?

J'écrivis sur mon bloc-agrafes et ne répondis pas.

— Z'allez me l'retrouver, vous ?

— C'est difficile à dire parfois.

J'en savais plus que je ne voulais en dire, naturellement. En fait, je me disais que notre homme se trouvait à Lake Charles ou à Baton Rouge à l'heure qu'il était. Mais temps et hasard régissent tout un chacun, même les raclures.

J'entendis sur notre radio un adjoint dans une voiture de patrouille demander des renseignements sur une Chevrette beige de 1981 avec des plaques de Floride. Il avait arrêté la Chevrette sur la route de Jeanerette parce que le conducteur avait jeté une bouteille d'alcool contre un panneau de signalisation. J'appelai la standardiste et lui demandai de dire à l'adjoint de retenir le conducteur jusqu'à notre arrivée sur les lieux.

Cecil couvrit les seize kilomètres en moins de huit minutes. La Chevrette était rangée sur le parc de stationnement, pavé de coquilles d'huîtres compactées, d'un dancing délabré bâti en bardeaux, en retrait de la route. Il était cinq heures de l'après-midi, le soleil était orange au-dessus des nuages de pluie qui s'empilaient sur l'ouest. Des camions Haliburton[1], des poids lourds chargés de ciment et des camionnettes à plateau étaient garés autour de l'entrée du bar. Un homme à la peau fortement hâlée, vêtu d'un blue-jean et torse nu, était penché, un bras crocheté sur la portière ouverte de la Chevrette, et crachait par terre entre ses pieds d'un air dégoûté. Il avait le dos tatoué d'une araignée bleue prise dans sa toile. La toile s'étendait sur les deux omoplates.

— Qu'est-ce que vous avez sur lui ? dis-je à l'adjoint qui l'avait retenu pour nous.

— Rien – ordures sur la voie publique. Il dit qu'il travaille sur une plate-forme off-shore, poste de sept jours et sept jours de repos.

— Où a-t-il cassé la bouteille ?

— Là-bas. Contre le panneau de passage à niveau.

— Nous reprenons à partir de là. Merci pour votre aide, dis-je.

L'adjoint nous salua de la tête et s'éloigna dans sa voiture.

— Secoue-moi un peu ce mec, Cecil. Je veux savoir ce qu'il a dans le ventre. Je reviens dans une minute, dis-je.

1. Nom d'une compagnie qui assure la maintenance et l'entretien du matériel de forage.

Je retournai vers le passage à niveau, où un vieux panneau STOP - LOI DE LOUISIANE était planté à côté du remblai de gravier. Les planches de bois étaient tachées d'un barbouillis sombre et humide. Je ramassai des morceaux de verre parmi les mauvaises herbes noircies de suie et le gravier, jusqu'à ce que je tombe sur deux morceaux de couleur orangée encore reliés par une étiquette d'alcool d'abricot.

Je repartis vers le parc de stationnement avec les morceaux de verre humide dans ma poche de chemise. Cecil avait collé l'homme au tatouage contre le garde-boue avant de la Chevrette, bras et jambes écart, et il lui retournait les poches. L'homme au tatouage tourna la tête en arrière, dit quelque chose et commença à se redresser, lorsque Cecil le souleva en l'air par le ceinturon en lui reclaquant simultanément la tête sur le capot. Le visage de l'homme devint tout pâle sous le choc. Des ouvriers du pétrole en casque de travail, les bleus éclaboussés de boues de forage, s'arrêtèrent à l'entrée du bar avant de se diriger vers nous.

— Nous ne sommes pas censés martyriser la marchandise, Cecil, dis-je.

— Tu veux savoir ce qu'il m'a dit ?

— Calme-toi. Notre homme ici présent ne va plus nous causer d'ennuis. Il est déjà dans le purin jusqu'aux genoux.

Je me retournai vers les ouvriers qui, de toute évidence, n'appréciaient pas l'idée d'un métis de rouge en train de secouer les puces à un Blanc.

— Petite soirée privée, messieurs, dis-je. Vous lirez le compte rendu dans le journal de demain. Alors n'en profitez pas pour essayer d'y coller votre nom aujourd'hui. Vous me suivez ?

Ils firent semblant de me dévisager d'un air menaçant, mais une bière bien fraîche suscitait bien plus d'intérêt qu'une nuit passée dans la prison de la paroisse.

L'homme au tatouage était de nouveau penché, les bras en appui sur le garde-boue avant. Des grains de poussière étaient restés collés sur le côté de son visage, là où la tête avait heurté le capot et les yeux rétrécis laissaient filtrer un regard de colère. Ses cheveux blonds ne connaissaient pas le coiffeur, aussi secs et épais que de la vieille paille. Deux emballages de Tootsie Roll gisaient sur le plancher de la voiture.

J'inspectai le dessous des sièges. Rien.

— Veux-tu ouvrir le hayon ? dis-je.

— Ouvrez-le vous-même, dit-il.

— Je t'ai demandé si tu voulais bien le faire. Tu n'y es pas obligé. Mais ça vaut mieux que la prison, cependant. Naturellement, cela ne signifie pas que tu vas nécessairement te retrouver en prison. J'ai simplement pensé que tu aimerais peut-être te comporter en mec régulier et nous donner un coup de main jusqu'au bout.

— Parce que vous n'avez pas de motif ?

— C'est exact. On appelle cela "un motif légitime de suspicion". Es-tu allé à Raiford[1] ? C'est que j'aime bien l'œuvre d'art que tu portes dans le dos, dis-je.

— Vous voulez regarder dans ma putain de bagnole ? Je m'en tape. Allez-y, faites comme chez vous, dit-il en dégageant les clés du contact, avant de relever le hayon et d'ouvrir le compartiment de la roue de secours. Il n'y avait rien à l'intérieur excepté un cric et la roue de secours.

— Passe-lui les menottes et mets-le derrière la grille, dis-je à Cecil.

Cecil lui tira les mains en arrière, verrouilla les menottes bien serrées autour des poignets et le fit avancer jusqu'à notre voiture, comme s'il avait un oiseau blessé à sa charge. Il le boucla derrière la grille métallique qui séparait les sièges avant de la banquette arrière, et attendit que je m'installe sur le siège passager. Lorsqu'il vit que je n'arrivais pas, il revint près de moi, là où j'étais resté, à côté de la Chevrette.

— C'est quoi, le problème ? C'est bien lui, pas vrai ? dit-il.

1. Nom du pénitencier d'État de Floride.

— Ouais.
— On l'embarque.
— On a un problème, Cecil. Il n'y a pas d'arme, pas de chapeau, pas de bas Nylon. Ton cousin ne pourra pas non plus le reconnaître officiellement au cours d'une séance d'identification.
— J'ai vu quand t'as ramassé les morceaux de verre de la bouteille. J't'ai vu aussi quand t'as regardé les papiers de Tootsie Roll.
— C'est exact. Mais le bureau du procureur nous dira de le relâcher. Nous n'avons pas assez de preuves, podna.
— Mon cul, pas de preuves. Tu vas t'prend' une bière, ti. R'viens voir dans dix minutes. Son bas Nylon, y va t'le donner, tu peux le croire, ouais.
— Combien y avait-il d'argent dans son portefeuille ?
— P't'êt un cent.
— Je crois qu'il existe une autre manière de faire les choses, Cecil. Reste ici une minute.
Je retournai à notre voiture. Il faisait chaud à l'intérieur, et l'homme aux menottes suait à grosses gouttes. Il essayait de chasser un moustique sur son visage en lui soufflant dessus.
— Mon partenaire veut te faire coffrer, dis-je.
— Et alors ?
— Y'a un truc. Tu ne me plais pas. Ce qui signifie que ça ne me plaît pas non plus de te protéger.
— Qu'est-ce que vous racontez, mec ?
— J'ai quitté mon poste à cinq heures. Je vais me payer un bon sandwich aux crevettes avec un Dr Pepper et je vais le laisser te ramener. Est-ce que tu commences à bien saisir le tableau ?
Il releva d'un coup de tête les cheveux moites qui lui cachaient les yeux et essaya de prendre l'air indifférent, mais il n'était pas très doué pour cacher sa peur.
— J'ai le sentiment qu'entre ici et la prison, tu vas te souvenir de l'endroit où tu as laissé l'arme et le bas. De toute manière, c'est entre lui et toi maintenant. Et puis, j'accorde peu de crédit aux bruits qui courent.

— Quoi ? Putain, mec, mais de quels bruits vous parlez ?

— Comme quoi il a emmené un suspect dans les bois avant de lui faire sauter l'œil avec un rayon de vélo. Je ne le crois pas.

Je le vis déglutir. La sueur lui dégoulina des cheveux.

— Hé, tu as vu *Le Trésor de la Sierra Madre* ? demandai-je. Il y a une superbe scène dans le film où le bandit mexicain dit à Humphrey Bogart : "J'aime bien ta montre. Je crois que tu me donnes ta montre." Peut-être que tu l'as vu à la dernière séance à Raiford.

— Ces conneries-là, mec, ça marche pas avec moi.

— Allons, allons, tu es capable de faire ça. Tu fais semblant d'être Humphrey Bogart. Tu ramènes ta voiture jusqu'à cette petite épicerie et tu donnes au propriétaire tes cent dollars plus la montre Gucci que tu as au poignet. La journée te paraîtra plus belle après ça, je te le garantis.

Le moustique se posa sur le bout de son nez.

— Voici Cecil qui arrive. Fais-lui donc part de ta décision, dis-je.

* * *

La lumière était douce au travers des arbres lorsque je rentrai chez moi ce soir-là par la route qui longeait le bayou. Parfois, à la saison d'été dans le sud de la Louisiane, il arrive que le ciel prenne une véritable couleur de lavande que viennent barrer à l'ouest des filaments de nuages roses pareils à des ailes de flamant qu'on aurait peintes au-dessus de l'horizon. Ce soir, l'air était doux et sucré de l'odeur de pastèques et de fraises d'un potager proche, à laquelle se mêlait le parfum des hortensias et des jasmins de nuit qui recouvraient complètement la clôture de bois de mon voisin. A la surface du bayou, les brèmes en chasse creusaient l'eau de fossettes comme des gouttes de pluie.

Avant de m'engager sur mon chemin, je dépassai une MG décapotable rouge vif avec un pneu à plat, rangée sur le bas-côté de la route, avant d'apercevoir, assise sur mon perron, la femme de Bubba Rocque, un gobelet en plastique à la main et une Thermos argentée posée tout à côté de la cuisse. Elle portait des sandales mexicaines de paille tressée, un bermuda beige, et un chemisier blanc au décolleté profond garni d'un motif d'oiseaux tropicaux bleus et marron. Elle avait piqué un hibiscus jaune dans ses cheveux sombres. Elle me sourit lorsque j'avançai vers elle, veste sur l'épaule. Une nouvelle fois, je remarquai l'étrange coloration rougeâtre de ses yeux marron.

— J'ai crevé. Pouvez-vous me ramener chez ma tante sur West Main ? demanda-t-elle.

— Bien sûr. Je peux aussi vous changer votre roue.

— La roue de secours est à plat elle aussi.

Elle but une gorgée de son gobelet. La bouche était rouge et humide, et elle me sourit à nouveau.

— Que venez-vous faire par ici, madame Rocque ?

— C'est Claudette, Dave. Mon cousin habite au bout de la route. Je viens à New Iberia environ une fois par mois pour rendre visite à ma famille.

— Je vois.

— Est-ce que je vous ennuie ?

— Non. Je n'en ai que pour une minute.

Je ne lui offris pas d'entrer. J'allai voir Alafair et dis à la baby-sitter de servir le souper sans attendre, je serais très vite de retour.

— Aidez donc la dame à se relever. Je me sens toute tordue ce soir, dit Claudette Rocque en me tendant la main. Elle se fit lourde lorsque je la tirai pour la remettre debout. Je sentis son haleine chargée de gin et de cigarettes.

— Je suis désolée pour votre femme, dit-elle.

— Merci.

— C'est une chose affreuse.

Je lui tins la porte de la camionnette ouverte sans même répondre.

Elle s'assit en oblique, dos appuyé contre la portière passager, jambes légèrement écartées et me détailla le visage du regard.

Oh ! Seigneur, songeai-je. Je sortis de l'ombre des pacaniers et repris la route du bayou.

— Vous n'avez pas l'air très à l'aise, dit-elle.

— Longue journée.

— Avez-vous peur de Bubba ?

— Je ne pense pas à lui, mentis-je.

— Je ne pense pas qu'il y ait grand-chose qui vous effraie.

— Je respecte la puissance de votre mari. Je vous demande de m'excuser de ne pas vous avoir fait entrer. La maison est un vrai capharnaüm.

— On ne vous force pas la main facilement, pas vrai ?

— Comme je vous l'ai dit, la journée a été longue, madame Rocque.

Elle fit une moue exagérée.

— Et vous vous refusez à appeler une femme mariée par son prénom. Quel policier convenable vous faites là ! Voulez-vous un gin rickey ?

— Non, merci.

— Vous allez me vexer. Vous a-t-on raconté des choses désagréables à mon sujet ?

J'observai un faucon qui planait, toutes ailes déployées, au-dessus du bayou.

— Vous a-t-on dit que j'avais été à St Gabriel ? dit-elle.

Puis elle sourit, tendit la main et me piqua la peau du cou de l'ongle, juste au-dessus du col.

— Ou peut-être vous a-t-on dit que je ne me contentais pas simplement d'être femme.

Je sentais son regard qui me détaillait le côté du visage.

— J'ai mis un officier de police mal à l'aise. Je crois bien que j'ai même réussi à le faire rougir.

— Que diriez-vous de me lâcher un peu, madame Rocque ?

— Accepterez-vous de prendre un verre avec moi, en ce cas ?

— Quelles sont selon vous les chances pour que vous vous retrouviez en face de chez moi avec un pneu à plat ?

Ses yeux ronds de poupée brillaient lorsqu'elle me regarda par-dessus son gobelet levé.

— C'est un enquêteur tellement remarquable, dit-elle. Et en ce moment, il se creuse les méninges pour savoir ce que lui prépare la méchante dame.

Elle se frotta le dos contre la portière et tendit les cuisses bien à plat contre le siège.

— Peut-être que c'est à vous que la dame s'intéresse. Est-ce que vous vous intéressez à moi ?

— J'éviterais de trop tirer sur la ficelle de Bubba, à votre place, madame Rocque.

— Oh ! là là , et direct avec ça !

— Vous vivez avec lui. Vous savez le genre d'homme que c'est. Si j'étais dans votre situation, je réfléchirais à deux fois avant de faire quoi que ce soit.

— Vous vous montrez grossier, monsieur Robicheaux.

— Interprétez cela comme vous le désirez. Votre mari a le cerveau plein d'éclairs noirs. Tournez sa fierté en ridicule, embarrassez-le en société, et je crois que vous verrez réapparaître le gamin qui a poussé sa cousine infirme sur sa chaise roulante dans la rivière.

— J'ai quelques petites choses à vous apprendre, monsieur.

Sa voix avait perdu toute trace de coquetterie, et la lueur rouge de ses yeux marron parut s'enflammer.

— J'ai passé trois années dans un endroit où les gouines vous disent de ne pas venir aux douches le soir si vous ne voulez pas vous faire dépuceler. Bubba n'a jamais fait de prison. Je ne crois pas qu'il le pourrait. Je crois qu'il ne tiendrait pas trois jours avant qu'ils soient obligés de le verrouiller à double tour dans une caisse et d'y fixer des poignées pour pouvoir le transporter au beau milieu d'un champ désert.

Je m'engageai sur le pont mobile. Les pneus grondèrent en passant sur la grille métallique. Je vis le gardien qui nous regardait, Claudette Rocque et moi, une expression narquoise sur le visage.

— Une autre petite réflexion à votre service, monsieur, dit-elle. Bubba a deux catins à La Nouvelle-Orléans qu'il se garde sous la main. Je ne suis pas censée en faire état. Je suis sa petite Cajun chérie, tout sucre et tout miel, juste bonne à lui nettoyer sa maison et lui laver ses survêtements. J'ai une info de dernière minute pour vous, les mecs, vous êtes des pourris, vous puez tous du calebard.

Dans la fraîcheur du crépuscule, je longeai une rangée de cabanes de Nègres toutes décrépites aux galeries affaissées, un bar et boui-boui à barbecue à l'abri d'un grand chêne, une vieille épicerie en brique avec, éclairée à la fenêtre, une enseigne lumineuse pour la bière Dixie.

— Je vais vous déposer à la station de taxis, dis-je. Avez-vous de quoi régler la course ?

— Bubba et moi, on est propriétaires de taxis. Je n'en prends jamais comme cliente.

— En ce cas, la nuit est belle pour la marche à pied.

— Vous n'êtes qu'un salopard, dit-elle.

— Vous aviez la main, c'est vous qui avez ouvert.

— Ouais, vous marquez un point. J'ai cru que je pouvais faire quelque chose pour vous. Grosse erreur. Vous êtes bon perdant, et chez vous, c'est à plein temps. Vous savez ce qu'il faut pour devenir bon perdant ? beaucoup de pratique.

Sur West Main, elle m'indiqua un point devant elle dans le soir tombant.

— Déposez-moi à ce bar.

Puis elle termina ce qui restait dans la Thermos avant de balancer la bouteille comme si de rien n'était sur la chaussée, par la fenêtre de la camionnette. La Thermos rebondit sur le béton à plusieurs reprises. Un groupe d'hommes qui fumaient le cigare en buvant de la bière en boîte devant le bar tournèrent la tête, regards rivés dans notre direction.

— J'allais vous proposer un marché, cent mille dollars par an pour diriger l'entreprise de conditionnement de poisson de Bubba à Morgan City, dit-elle. Pensez-y en retournant à votre petit commerce de vente de vers de terre.

Je ralentis la camionnette devant le bar. Les enseignes de bière au néon éclairaient de rouge l'intérieur de la cabine. Les hommes devant l'entrée du bar avaient cessé de bavarder et nous regardaient.

— Une chose encore : je ne veux pas que vous repartiez en croyant que vous avez parfaitement contrôlé la situation ce soir, dit-elle avant de se mettre à genoux en me passant les bras autour du cou pour me laisser un baiser mouillé sur la joue. Vous venez de laisser passer le meilleur coup que vous aurez jamais, cornichon. Pourquoi ne pas essayer de vous palucher les balloches au travers du falzar au cours de vos réunions des AA ? ça vous irait vraiment comme un gant.

* * *

Mais j'étais trop fatigué pour me soucier de savoir si c'était bien elle le vainqueur de la journée. C'était un soir de nuages noirs, dont les turbulences menaçaient au-dessus du golfe, un soir d'électricité blanche qui franchissait de ses bonds le vaste dôme de ciel obscur au-dessus de moi, c'était un soir où le tigre recommençait à arpenter sa cage. J'entendais presque ses pattes épaisses et cornées qui filaient sur le treillis métallique, je voyais presque l'orange brûlant de ses yeux percer l'obscurité, je sentais presque la puanteur de ses déjections et l'odeur fétide de viande pourrie sur son haleine.

Je n'étais jamais parvenu à expliquer ces moments qui m'arrivaient sans crier gare. Un psychologue appellerait cela dépression. Un nihiliste pourrait peut-être les qualifier de perspicacité philosophique. Mais toujours est-il qu'il n'y avait rien à y faire, à part accepter l'idée d'une nouvelle nuit d'insomnie. Batist, Alafair et moi prîmes le pick-up jusqu'au cinéma en plein air de Lafayette ; nous avons installé les transats sur le sol de coquilles d'huîtres concassées, nous avons mangé des hot dogs et bu de la limonade en regardant deux grands films de Walt Disney, mais je ne parvenais pas à me débarrasser de ce puits de ténèbres vers lequel je me sentais plonger l'âme.

Aux lueurs de l'écran, j'observai Alafair, tête redressée, et l'innocence de son visage et, je m'interrogeai sur les victimes de la cupidité, de la violence, de l'insanité politique de par le vaste monde. Je n'ai jamais été convaincu que leurs souffrances soient l'effet du hasard ou une part nécessaire de la condition humaine. Je suis convaincu qu'elles sont la conséquence directe de l'avarice des corps constitués, des manipulations des politiciens ne servant que leurs propres intérêts, ceux-là mêmes qui financent les guerres sans jamais y servir en personne, et, pis encore, de l'indifférence de ceux d'entre eux qui savent.

J'avais vu nombre de ces victimes de mes propres yeux, je les avais vues lorsqu'on les emportait des villages que nous avions bombardés au mortier, lorsqu'on arrosait de l'eau des bidons leur peau qui brûlait de napalm, lorsqu'on exhumait leurs cadavres d'enterrés vivants des berges qui étaient leurs tombes.

Mais tout affreux que fussent les souvenirs de mes jours d'Indochine, une image d'une photographie que j'avais vue encore enfant me semblait résumer la rêverie obscure dans laquelle j'étais tombé. Elle avait été prise par un photographe nazi à Bergen-Belsen et elle montrait une mère juive descendant une rampe bétonnée, son bébé dans les bras, en direction de la chambre à gaz ; elle tenait son petit garçon de son autre main et une fillette d'environ neuf ans marchait derrière elle. La petite fille portait un court manteau de drap, du genre de ceux que portaient les élèves de mon école primaire. L'éclairage du cliché était mauvais, les visages de toute la famille obscurs et indistincts, mais pour une raison quelconque, la chaussette blanche de la fillette tire-bouchonnait sur la cheville et ressortait de la pénombre ambiante, comme si un rai de lumière grise était venu la frapper. L'image de cette chaussette toute plissée autour du talon dans ce couloir froid était toujours restée dans ma mémoire. Je ne peux pas dire pourquoi. Mais je ressens la même sensation lorsque je revis la mort d'Annie, ou je me souviens du récit d'Alafair sur son village indien ou me repasse ce vieux bout de film fatigué sur le Viêt-nam. Et une fois encore, je retombe prisonnier volontaire et partie prenante de cette boîte noire hors de laquelle je n'arrive pas à m'imaginer.

Il m'arrive alors parfois de me remettre en mémoire un passage des psaumes. Je n'ai aucune perception théologique, ma morale religieuse a connu bien des vicissitudes ; mais ces lignes semblent me suggérer une réponse que la raison ne réussit pas à m'offrir, à savoir que les innocents qui souffrent pour le reste d'entre nous sont sanctifiés et aimés de Dieu d'une manière spéciale ; leurs vies comme autant de cierges votifs ont fait d'eux les prisonniers du ciel.

* * *

Il plut pendant la nuit, et, au matin, le soleil se leva, tendre et rose dans la brume qui montait des arbres au-dessus du bayou. J'allai jusqu'à la route et sortis de la boîte aux lettres le journal que je lus sous le porche d'entrée en buvant une tasse de café.

Le téléphone sonna. J'entrai et décrochai.

— Qu'est-ce qui vous prend de vous balader avec une gouine dans votre voiture ?

— Dunkenstein ? dis-je.

— C'est exact. Qu'est-ce que vous fabriquez avec la gouine ?

— Ce ne sont pas vos oignons.

— Tout ce qu'elle et Bubba font sont justement nos oignons.

— Comment saviez-vous que je me trouvais avec Claudette Rocque ?

— Nous avons nos méthodes.
— Il n'y avait pas de filature.
— Peut-être que vous ne l'avez pas vue.
— Il n'y avait pas de filature.
— Et alors ?
— Avez-vous mis leur téléphone sur écoute ?
Il ne dit rien.
— Qu'essayez-vous de me dire, Dunkenstein ? demandai-je.
— Que je crois que vous êtes cinglé.
— Elle s'est servie du téléphone pour dire à quelqu'un que je l'ai ramenée en voiture à New Iberia ?
— Elle l'a dit à son mari. Elle l'a appelé depuis un bar. Il y a des gens qui pourraient croire que vous n'êtes qu'un connard débile, Robicheaux.
Je regardai les filaments de brume suspendus aux pacaniers. Les feuilles étaient sombres et humides de rosée.
— Il y a quelques minutes encore, je dégustais une tasse de café en lisant le journal du matin, dis-je. Je crois que je vais finir ma lecture maintenant et oublier cette conversation.
— Je vous appelle depuis la petite épicerie à côté du pont mobile. Je serai chez vous dans une dizaine de minutes.
— Je crois qu'à ce moment-là je mettrai un point d'honneur à être en route pour rejoindre mon poste.
— Non, vous ne ferez pas ça. J'ai déjà appelé votre bureau en leur disant que vous serez en retard. Laissez-vous aller.
Quelques minutes plus tard, je le vis arriver sur mon chemin au volant de sa voiture de fonction du gouvernement américain. Il ferma la portière et contourna les flaques de boue dans la cour. Ses mocassins brillaient, son pantalon en crépon de coton avait un pli rasoir repassé de frais, son beau visage blond brillait d'un rasage de très près. Il portait sa ceinture marron brillant haut sur la taille, ce qui lui donnait l'air d'être encore plus grand qu'il ne l'était.

— Avez-vous une autre tasse de café disponible ? dit-il.

— Que voulez-vous au juste, Minos ?

Je tenais la porte-moustiquaire ouverte pour le laisser entrer, mais je suppose que l'expression de mon visage et le ton de ma voix étaient sans hospitalité.

Il entra dans la maison et regarda le livre de coloriage d'Alafair posé par terre.

— Peut-être que je ne veux rien du tout. Peut-être que je veux vous aider, dit-il. Pourquoi n'essayez-vous pas d'être un peu moins susceptible de temps à autre ? Chaque fois que je m'adresse à vous, vous êtes toujours coincé de quelque part à propos de quelque chose.

— Vous êtes dans ma maison. Et c'est mon temps que vous utilisez. En plus de cela, vous ne m'avez aidé en rien. Arrêtez votre baratin à la noix.

— D'accord, vous avez des motifs légitimes de vous plaindre. Je vous ai dit que nous prendrions les choses en main. Nous ne l'avons pas fait. Ça arrive de temps en temps. Vous le savez bien. Vous voulez que j'aille prendre l'air ?

— Venez jusque dans la cuisine. Je vais préparer des céréales et des fraises. Vous en voulez ?

— Ça me plairait bien.

Je lui servis une tasse de café au lait chaud à la table de cuisine. Dans l'arrière-cour, la lumière était bleue.

— Je ne vous ai pas parlé à l'enterrement. Je ne suis pas doué pour les condoléances. Mais je voulais vous dire que j'étais désolé, dit-il.

— Je ne vous y ai pas vu.

— Je ne suis pas allé au cimetière. A mon idée, c'est réservé à la famille. Je crois que vous êtes un mec de première.

Je remplis deux bols d'un mélange de céréales, de fraises et de tranches de bananes et les posai sur la table. Il en prit une grosse cuillerée, le lait dégoulinant de ses lèvres. L'éclairage suspendu se reflétait sur ses cheveux coupés en brosse courte.

— C'est de première, mon frère, dit-il.

— Et pourquoi serai-je en retard à mon travail aujourd'hui ?

Je m'installai à la table avec lui.

— L'une des douilles que vous avez ramassées portait une superbe empreinte de pouce sur le culot. Devinez à qui les services de police de La Nouvelle-Orléans l'ont fait correspondre.

— A vous de me le dire, Minos.

— Victor Romero vous prend pour cible, podna. Je suis surpris qu'il ne vous ait pas eu, d'ailleurs. Il était tireur d'élite au Viêt-nam. J'ai entendu dire que vous lui aviez transformé sa bagnole en passoire.

— Comment savez-vous que La Nouvelle-Orléans a réussi à retrouver le propriétaire de l'empreinte ? Je n'en ai même pas entendu parler.

— Nous avions des droits sur le bonhomme bien avant vous. La ville coopère avec nous chaque fois que son nom apparaît quelque part.

— Je veux que vous me disiez quelque chose, sans tourner autour du pot avec vos conneries. Pensez-vous que le gouvernement puisse être impliqué dans cette affaire ?

— Soyez sérieux.

— Vous voulez que je répète ?

— Vous êtes un bon flic. Ne tombez pas dans le panneau de toutes ces conspirations imaginaires. Elles sont passées de mode, dit-il.

— Je me suis rendu à l'Immigration de La Nouvelle-Orléans. Le Monroe en question a quelques problèmes de culpabilité personnelle sur la conscience.

— Que vous a-t-il dit ?

Ses yeux me regardaient, chargés d'un nouvel intérêt.

— C'est le genre de mec qui a toujours tendance à vouloir se sentir mieux qu'il n'est. Je ne lui en ai pas donné l'occasion.

— Vous voulez dire que vous êtes effectivement convaincu qu'il y a quelqu'un au gouvernement, au SIN, qui veut vous faire descendre ?

— Je ne sais pas. Mais de quelque bout qu'on prenne l'affaire, pour l'instant, ils ont tous de la merde au bout du nez.

— Ecoutez, le gouvernement ne fait pas abattre ses propres citoyens. Vous vous égarez au milieu de tout un tas de boniments qui ne vont vous mener nulle part.

— Ouais ? Alors essayez ça, pour voir. Quel genre d'Américains pensez-vous que le gouvernement utilise là-bas, en Amérique centrale ? des boy-scouts ? des mecs comme vous ?

— Là-bas, ce n'est pas ici.

— Mais Victor Romero, c'est bien ici qu'il se trouve.

Il souffla un bon coup.

— D'accord, peut-être qu'on peut leur coller ça au cul, dit-il.

— Quand avez-vous entendu dire pour la dernière fois que les fédés se caftaient les uns les autres ? Avec vous, Minos, c'est une rigolade à la minute. Finissez vos céréales.

— Toujours doué pour les relations publiques, à ce que je vois, dit-il.

* * *

Cet après-midi-là, la rue était inondée d'un soleil brûlant lorsque Cecil Aguillard et moi garâmes notre voiture devant la salle de billard sur Main à New Iberia. Des étudiants de Lafayette avaient descellé le distributeur de préservatifs dans les toilettes pour hommes, avant de l'emporter par la porte de derrière.

— Y z'ont pus de capotes à Lafayette ? Pourquoi y faut-y qu'y viennent m'voler les miennes ? dit Tee Neg, le propriétaire. Il se tenait derrière le bar, pointant dans ma direction la main amputée de trois doigts. Le ventilateur à pales de bois tournoyait au-dessus de nos têtes, et je sentais dans la cuisine une odeur de *boudin* et de gumbo. Quelques vieux sirotaient leur bière pression en jouant à la *bourée* sur les tables en feutrine dans l'arrière-salle.

— C'est ça qu'on leur apprend à la faculté ? Quoi que j'vas faire, mi, asteure, si y a un homme qui vient ici pour sa capote ?

— Dis-leur de se mettre au célibat, dis-je.

La bouche de Tee Neg s'arrondit sous la surprise et l'insulte.

— *Mais* mi, ch'parle point comme ça. Qu'est-ce qu'y t'arrive qu'tu causes à Tee Neg comme ça asteure ? Ch'crois qu't'es devenu cinglé, Dave.

Je quittai la fraîcheur de la salle de billard et sortis sous le soleil brûlant retrouver Cecil, qui était dans la maison voisine pour recueillir le signalement de la voiture des étudiants. A cet instant précis, une Oldsmobile de couleur crème aux vitres teintées se dégagea de la circulation. Le conducteur n'essaya pas de se ranger ; il se contenta d'arrêter la voiture en biais contre le ruisseau, passa au point mort, ouvrit brutalement la portière et sortit dans la rue, moteur toujours en marche. Il avait les cheveux en brosse, coupe tondeuse, passés au gel, la peau hâlée aussi sombre que celle d'un quarteron. Il était vêtu d'un pantalon de prix de couleur grise, avec mocassins à pompons et polo rose ; mais ses hanches étroites, ses larges épaules, son ventre aussi plat qu'une plaque de blindage faisaient ressembler ses vêtements à des accessoires non indispensables. Les yeux gris-bleu, largement écartés, étaient ronds, le regard fixe sans trace de la moindre émotion, mais la peau du visage était tellement tendue qu'on apercevait sous les tempes un fin réseau de lignes blanches.

— Que se passe-t-il, Bubba ? dis-je.

Il lâcha son premier coup de côté, me toucha en plein sur le menton et me fit basculer en arrière, m'obligeant à repasser à reculons la porte ouverte de la salle de billard. Je lâchai mon bloc-agrafes qui claqua sur le sol et essayai de me récupérer contre le mur. Je le vis alors s'avancer vers moi, battant l'air de ses bras, au milieu du carré brillant de lumière. Je pris deux coups sur le côté de la tête et me baissai, garde levée ; je sentis son odeur d'eau de Cologne et de sueur et entendis son souffle entre ses dents serrées, lorsqu'il me manqua d'un large crochet. J'avais oublié combien Bubba pouvait cogner dur. Il se redressait sur la pointe des pieds à chacun de ses coups, les muscles des cuisses et des fesses jouant comme des bielles d'acier contre le tissu du pantalon. Il n'était jamais sur la défensive ; il attaquait sans cesse, visant les yeux et le nez avec une énergie tellement perverse qu'on savait qu'à la première blessure, il n'arrêterait pas et n'aurait de cesse qu'il ne vous ait tailladé le visage à vif comme une tranche de porc détaillée au couperet.

Mais j'avais toujours l'avantage de mon allonge, et le touchai à l'œil d'un direct du gauche, vis sa tête se redresser sous la force de l'impact et le frappai en plein sur la mâchoire d'une droite croisée. Il partit en arrière en vacillant sur les jambes et renversa un crachoir en laiton qui roula en mouillant le plancher. Il avait l'œil droit cerclé de rouge, et je voyais la marque de mes jointures sur sa joue. Il cracha par terre et remonta son pantalon du pouce au-dessus de son nombril.

— Si c'est ce que tu peux faire de mieux, t'as le cul dans la colle, dit-il.

Soudain Cecil déboula dans l'embrasure de la porte, la joue gonflée d'une chique de Red Man, la matraque et les menottes cliquetant à son ceinturon. Il souleva Bubba en l'épinglant par derrière, bras collés contre les flancs, et le balança tête la première sur une table de *bourée* et ses fauteuils en cercle.

Bubba se remit debout, le pantalon taché de jus de chique, et je vis Cecil qui dégageait sa matraque de son anneau en plastique, avant de s'en saisir d'une main ferme autour de la poignée.

— Tu me fais le coup du petit chouchou, Dave ? dit Bubba.

— Qu'est-ce que tu dirais que je te démolisse la figure ? dit Cecil.

— Tu as fricoté avec Claudette. Ne va pas me raconter d'histoires, espèce de fils de pute. Tiens ton toutou en laisse et je te fais voir trente-six chandelles.

— T'es pas futé comme mec, Bubba.

— Et alors, je ne suis pas allé à l'université comme toi. Tu veux en finir ou pas ?

— Tu es en état d'arrestation. Tourne-toi et mets les mains sur la table.

— Va te faire foutre. Ton insigne d'adjoint, je vais te le coller dans le cul.

Cecil s'avança vers lui, mais je lui fis signe de reculer. J'agrippai Bubba par le bras, un bras aussi dur sous mes doigts qu'un poteau de cèdre, et le fis pivoter en direction de la table.

Vanité, vanité.

Son torse pivota vers moi comme s'il était mû par un ressort contraint soudainement relâché, son poing se levant en plein dans mon visage, aussi gros qu'un ballon. Les yeux louchaient presque sous la force qu'il avait mise derrière son coup de poing. Mais il était en déséquilibre, je fis un saut latéral, sentis ses jointures qui m'effleuraient le sommet de l'oreille, et lançai le poing droit aussi fort que je le pus dans sa bouche. La salive vola de ses lèvres, les yeux clignèrent, soudain écarquillés, les narines s'ouvrirent, toutes blanches sous le choc et la douleur. Je le touchai à nouveau du gauche au-dessus de l'œil avant de placer un swing sous sa garde en plein dans les côtes, juste sous le cœur. Il se plia en deux et retomba en arrière contre le bar, en se raccrochant à la moulure d'acajou pour éviter d'aller au tapis.

J'étais hors d'haleine, et j'avais le visage engourdi, tout enflé aux endroits où il m'avait touché. Je dégageai ma paire de menottes de l'arrière de mon ceinturon. J'en reclaquai une sur le poignet de Bubba, avant de lui tirer l'autre bras dans le dos et de verrouiller la seconde menotte. Je le fis asseoir dans un fauteuil alors qu'il penchait la tête en avant pour recracher un filet de salive ensanglantée entre ses genoux.

— Tu veux aller à l'hôpital ? demandai-je.

Il souriait, une lueur de folie dans le regard. Les dents étaient barbouillées de carmin, comme des traces de rouge à lèvres.

— *Brasse ma chu* , Dave, dit-il.

— Tu vas te mettre à m'injurier parce que tu as perdu un combat ? dis-je. Tu as plus de classe que ça, Bubba. Veux-tu ou non aller à l'hôpital ?

— Hé, Tee Neg, dit-il au patron. Offre une tournée à tout le monde. Mets ça sur mon ardoise.

— T'as pas d'ardoise, dit Tee Neg. Et c'est pas pour ça qu'ch't'en ouv' une.

Cecil fit sortir Bubba et le conduisit à la voiture où il le mit sous clé derrière la grille. Des paillettes de sciure verte ramassées sur le plancher de la salle de billard étaient restées collées à la gomina de ses cheveux. A travers la vitre de la voiture, il avait l'air d'un animal en cage. Cecil mit le contact.

— Roule jusque dans le jardin public une minute, dis-je.

— Pour quoi faire ? demanda Cecil.

— Nous ne sommes pas pressés. La journée est belle. On va s'offrir un sorbet à la menthe.

Nous traversâmes le pont mobile qui franchissait Bayou Teche. Les eaux étaient hautes et boueuses, et les libellules miroitaient au soleil au-dessus des nénuphars. Tout près des berges, je voyais tourner les dos cuirassés des lépidostées[1] à l'ombre des cyprès. Nous empruntâmes les rues bordées de chênes jusqu'au jardin public pour nous arrêter au-delà de la piscine, près des gradins du terrain de base-ball. Je donnais à Cecil deux billets de un dollar.

— Que dirais-tu d'aller nous chercher trois cornets ? dis-je.

— Dave, c't' homme, sa place, c't' en prison, et c'est pas le jardin public, à déguster des glaces, non, dit-il.

— C'est quelque chose de personnel entre Bubba et moi, Cecil. Je vais te demander de bien vouloir le respecter.

— C'est un maquereau. Y mérite pas qu'on soit coulant.

1. Poisson revêtu de solides écailles, au museau très allongé et aux mâchoires garnies de fortes dents pointues.

— Peut-être pas, partenaire. Mais c'est ma prise.

Je lui souris en lui adressant un clin d'œil.

Il n'apprécia pas, mais s'éloigna malgré tout au milieu des arbres vers le stand près de la piscine. Je voyais les gamins qui rebondissaient du plongeoir dans l'eau bleue éclairée de soleil.

— Penses-tu vraiment que je fricotais avec ta femme ? demandai-je à Bubba à travers le grillage.

— Putain, tu appelles ça comment, toi ?

— Lave-toi la bouche de toutes les saloperies qui en sortent et réponds-moi franchement.

— Elle sait comment s'y prendre pour faire triquer un mec.

— Tu parles de ta femme.

— Et alors ? c'est un être humain.

— Tu ne sais donc pas à quel moment on te fait marcher ? Tu es censé avoir de la cervelle.

— Ça t'a quand même traversé l'esprit, non, quand elle était dans ton camion, c'est pas vrai ? dit-il avant de sourire.

Les dents étaient toujours roses de son sang. Il avait les bras menottés dans le dos, et sa poitrine avait la rondeur et la dureté d'une petite barrique.

— Elle aime bien étaler la marchandise, de temps en temps. Elles font toutes ça. C'est pas pour ça que tu dois te sentir obligé d'ouvrir ta braguette. Hé, dis-moi la vérité, je t'ai bien secoué le cocotier avec mon premier coup de poing, pas vrai ?

— J'allais te dire quelque chose, Bubba. Je ne veux pas non plus que tu le prennes de travers. Va voir un psychiatre. Tu es riche, tu peux te le permettre. Tu comprendras mieux les gens, tu apprendras des choses sur toi-même.

— Je te parie que j'offre à mon jardinier plus que ce que tu gagnes. Est-ce que ça te dit quelque chose ?

— Tu ne sais pas écouter. Tu n'as jamais su. C'est pour cette raison qu'un jour, tu tomberas de très haut.

Je sortis de la voiture et ouvris sa portière.

— Qu'est-ce que tu fais ? dit-il.

— Sors de là.

Je mis la main sous son bras et l'aidai à se lever du siège.

— Tourne-toi, dis-je.

— A quoi joues-tu ?

— Ce n'est pas un jeu. Je te relâche.

Je déverrouillai les menottes. Il se frotta les poignets. Les pupilles de ses yeux gris-bleu se fixèrent sur moi dans l'ombre, pareilles à des charbons ardents.

— Je considère ce qui s'est passé chez Tee Neg comme une affaire personnelle. Alors pour cette fois, tu files. Si tu me cherches encore une fois, tu es bon pour le trou.

— On croirait entendre Dick Tracy dans son numéro.

— Je ne sais pas pourquoi, mais j'ai la ferme conviction que tu es un mec sans avenir.

— Ouais ?

— Ils vont te bouffer tout cru.

— C'est qui "ils" dont tu parles ?

— Les fédés, nous, ceux de ton espèce. Ça arrivera un jour, lorsque tu ne t'y attendras pas. Tout comme le jour où Eddie Keats a mis le feu à une de ses racoleuses. Elle rêvait probablement à des vacances dans les îles lorsqu'il a frappé tout sourire à sa porte.

— J'ai déjà entendu des flics me servir les mêmes conneries. Et ça vient toujours du même genre de mecs. Ils n'ont pas de dossier, pas de preuves, pas de témoins, alors ils se mettent à faire beaucoup de bruit et tout le monde est censé avoir la trouille. Mais tu sais ce que c'est, leur véritable problème ? ils portent des costards J. C. Higgins[1], ils roulent en tires merdiques, et ils vivent dans des petites cages en dehors de la ville, à côté de l'aéroport. Alors ils tombent sur un mec qui a tout ce qu'ils veulent et ne peuvent pas avoir, parce que la plupart sont tellement stupides

1. Marque de complets de qualité médiocre fabriqués par les magasins Sears.

qu'ils seraient capables de faire foirer un rêve érotique. Alors ils se mettent à bander dur pour avoir ce mec et à raconter des tas de saletés sur soi-disant quelqu'un qui va faire son affaire au mec en question. Alors je vais te dire ce que je dis à tous ces mecs. Je repasserai dans le coin pour me boire une bière et te la repisser sur ta tombe.

Il sortit une tablette de chewing-gum de sa poche, défit le papier alu, le laissa tomber par terre, et mit la tablette à la bouche sans me quitter des yeux.

— T'en as fini avec moi ? demanda-t-il.

— Ouais.

— A propos, je me suis soûlé la nuit dernière, alors ne va pas commencer à t'acheter des trophées de boxe, d'accord ?

— Il y a bien longtemps que j'ai arrêté de tenir mon tableau. C'est ce qui fait l'âge mûr.

— Ouais ? Tu te raconteras ça la prochaine fois que tu verras ton compte en banque. Je t'en dois une pour m'avoir relâché. Achète-toi quelque chose de bien et adresse-moi la facture. A un de ces jours.

— Ne te méprends pas sur le geste. Si je découvre que tu es mêlé à la mort de ma femme, Dieu te vienne en aide, Bubba.

Il mâchonna son chewing-gum, regarda la piscine au loin comme s'il se préparait à répondre, et finalement s'éloigna au milieu des chênes, en faisant claquer bruyamment les feuilles mortes bien sèches sous les semelles de ses mocassins.

— Hé, Dave, quand je règle un problème avec quelqu'un, le quelqu'un obtient le droit de voir ma figure. Réfléchis un peu à ça.

Il continua à avancer avant de se retourner à nouveau, ses cheveux hérissés et son visage hâlé pommelés de soleil et d'ombre.

— Hé, tu te souviens quand on jouait au base-ball dans le coin, en nous hurlant à la figure : “T'as le Pendouillard qui regarde tes godasses”, dit-il en s'empoignant le phallus par-dessus le pantalon. C'était le bon temps, podna.

* * *

J'achetai un sachet de glace pilée, l'emportai avec moi jusqu'au bureau, et le laissai fondre dans un seau plastique propre. Toutes les quinze minutes, je trempais une serviette dans l'eau froide et la gardais pressée sur le visage en comptant jusqu'à soixante. Ce n'était pas la manière la plus agréable de passer l'après-midi, mais elle était bien préférable à un réveil le lendemain, avec un visage qui ressemblerait à une prune de traviole.

Puis, juste avant le moment de partir, je m'installai à ma table dans mon petit bureau, alors que le soleil de fin de journée se couchait sur les champs de canne à sucre de l'autre côté de la route. Une fois encore, je consultai le dossier que les services de police de La Nouvelle-Orléans nous avaient adressé au sujet de Victor Romero. Sur ses photos anthropométriques face et profil, ses boucles noires lui retombaient sur le front et les oreilles. Comme sur tous les clichés de police, le noir et le blanc étaient violemment contrastés. Ses cheveux luisaient comme si on les avait huilés ; la peau était couleur d'os ; les joues et le menton mal rasés paraissaient marqués de taches de suie.

Sa carrière criminelle n'avait rien de remarquable. Il avait été arrêté quatre fois pour différentes infractions, y compris pour incitation à la prostitution ; il avait effectué cent quatre-vingts jours dans la prison de la paroisse pour possession d'outils de cambriolage ; un mandat d'amener prioritaire avait été lancé à son nom par le tribunal pour refus de comparution sur une accusation de conduite en état d'ivresse. Mais contrairement à la croyance populaire, un casier apprend relativement peu de choses sur un suspect. Il ne fait que répertorier les crimes dont l'individu a été accusé et non les centaines d'autres qu'il a pu commettre. Il n'offre également aucune explication sur ce qui se passe dans la tête d'hommes comme Victor Romero.

Ses yeux n'exprimaient rien sur les photographies. On aurait pu croire qu'il attendait le bus lorsque l'appareil avait pris le cliché. Etait-ce là l'homme qui avait assassiné Annie à coups de fusil de chasse, qui avait fait feu sur elle à bout portant, tandis qu'elle hurlait en essayant de se cacher le visage derrière les bras ? Etait-il fait de la même matière que moi, les mêmes corpuscules, les mêmes muscles, la même moelle ? Ou avait-on sorti son cerveau encore chaud de la fournaise, avant de le forger à chaud, pièce par pièce, dans une pluie d'étincelles, sur l'enclume du diable ?

* * *

Le lendemain matin nous parvint le coup de fil du bureau du shérif, paroisse de St Martin. Un Noir qui pêchait en pirogue près de la digue Henderson avait aperçu dans l'eau une automobile submergée. Un plongeur de la police venait d'y descendre. L'automobile était une Toyota bordeaux et le conducteur était toujours à l'intérieur. Le coroner de la paroisse et une grue de remorquage étaient en route, depuis St Martinville.

J'appelai Minos au SRS à Lafayette et lui dis de me retrouver là-bas.

— Ceci m'impressionne, dit-il. C'est professionnel et coopératif. Qui a dit que vous n'étiez tous que des pedzouilles de cambrousse ?

— Mettez-la en sourdine, Minos.

Vingt minutes plus tard, je me trouvais en compagnie de Cecil sur la route en surplomb au bout du marais d'Atchafalaya. Il faisait très chaud, le soleil jouait de ses reflets sur les vastes étendues d'eau, et les îlots de saules pleureurs étaient toujours verts et tranquilles dans la fournaise. En cette fin de matinée, les pêcheurs tentaient leur chance avec les perches et les brèmes au milieu des piles des plates-formes pétrolières qui ponctuaient les baies ou à l'ombre de la longue chaussée en surplomb qui traversait le marécage tout entier. Des vautours, soutenus par des courants ascendants, planaient haut dans le ciel blanc. Je sentais l'odeur de poisson mort dans les nénuphars et les typhas qui poussaient sur le rivage. Un peu plus loin encore de la berge, les têtes noires des mocassins d'eau ressortaient de l'eau, pareilles à des brindilles immobiles.

Le sol était humide lorsque la voiture était tombée du sommet de l'endiguement. Les traces de pneus suivaient une traînée oblique dans l'herbe et les boutons-d'or, s'enfonçaient profondément en coupant au travers d'un marigot avant de disparaître dans la vase, au-delà d'une cassure brutale du terrain dans l'eau profonde. Le conducteur du camion de remorquage, la poitrine comme une barrique, torse nu dégoulinant de sueur, vêtu d'une paire de Levi's, détacha câble et crochet du camion pour les donner au plongeur de la police, lequel se tenait dans l'eau peu profonde, en slip de bain jaune vif, masque et tuba sur le visage. Sous les vaguelettes de soleil à la surface de l'eau, je réussis à distinguer les contours informes de la Toyota.

Minos rangea sa voiture et descendit la digue, alors même que le conducteur du camion enclenchait son treuil, câble tendu, accroché au châssis de la Toyota.

— Qu'est-ce qui s'est passé à votre avis ? dit Minos.

— Là, vous me posez une colle.

— Vous croyez que vous avez finalement réussi à lui en coller une ?

— Qui sait ? Même si c'était le cas, pourquoi serait-il venu jusqu'ici ?

— Peut-être qu'il s'est trouvé un trou pour mourir. Même une merde comme ce mec-là doit probablement savoir que c'est une chose qu'on fait tout seul.

Il me vit qui regardais son profil. Il se mordit un bout d'ongle qu'il arracha avant de le recracher du bout de la langue, et observa le câble de remonte qui vibrait à la surface de l'eau.

— Désolé, dit-il.

Un nuage de sable jaune se gonfla en champignon sous l'eau, et soudain, l'arrière de la Toyota éclata à la lumière au milieu d'un enchevêtrement de nénuphars et de typhas déracinés. Le conducteur du camion tira la voiture hors de l'eau et la fit rebondir sur la berge, la lunette arrière brisée, béante comme une bouche pleine d'échardes. Deux adjoints du shérif de la paroisse St Martin ouvrirent les portes latérales et une rivière d'eau mêlée de vase, de mousse, de végétation jaunie et d'anguilles tomba en cascade sur le sol. Les anguilles étaient longues et dodues, les écailles couleur d'argent brillant et les ouïes rouges, et elles se contorsionnaient en tous sens, fouettant les boutons-d'or comme un nœud de serpents. L'homme sur le siège avant était effondré sur le côté et sa tête pendait à l'extérieur de la porte du passager. La tête était cerclée des torsades mortes de plantes grimpantes et couverte de boue et de sangsues. Minos essaya de regarder par-dessus mon épaule lorsque je baissai les yeux sur le mort.

— Seigneur Jésus, il a la moitié du visage complètement rongé, dit-il.

— Ouais.

— Peut-être bien que Victor voulait faire partie intégrante du pays des bayous.

— Ce n'est pas Victor Romero, dis-je. C'est Eddie Keats.

9

Un adjoint se mit à le traîner sur l'herbe en le tirant par les poignets, puis il s'essuya les paumes des mains sur le pantalon et trouva un morceau de journal dans les herbes. Il en enveloppa le bras de Keats et tira le corps au sol. L'eau gargouilla au sortir des bottes de cow-boy en daim de Keats. Il avait la chemise déboutonnée et remontée sur la poitrine. Sur le côté droit de la cage thoracique, on voyait un trou noir aux rebords boursouflés de la taille de mon pouce, avec traces de brûlure autour du lambeau de chair qui le couvrait, et un orifice de sortie sous l'aisselle du bras gauche. L'adjoint écarta le bras de Keats du bout du pied afin de mieux exposer la blessure.

— On dirait que quelqu'un l'a évidé avec une cuillère, pas vrai ? dit-il.

Le coroner fit signe aux deux infirmiers, debout à l'arrière de l'ambulance garée sur la chaussée de la levée de terre. Ils sortirent le chariot de l'ambulance et commencèrent à descendre la pente. Sous l'une des sangles de toile était replié un grand sac noir.

— Combien de temps a-t-il séjourné dans l'eau ? demandai-je au coroner.

— Deux ou trois jours, dit-il.

Il était gros, il était gras, il était chauve, la poche de chemise pleine de cigares. Ses fesses ressemblaient à des pastèques. Il plissait les yeux devant la lumière du soleil qui se reflétait sur l'eau.

— Ils blanchissent et mûrissent plutôt vite avec ce temps. Celui-là n'a pas encore commencé à se décomposer, mais il faisait tout son possible. Vous le connaissez ?

— C'était un épingleur de bas étage, dis-je.

— Un quoi ?

— Un tueur à gages. De l'espèce solde et brocante d'occasion, dit Minos.

— Eh bien, quelqu'un lui a remué la boîte à ragoût pour de bon, dit le coroner.

— De quel type d'arme parlons-nous ? dit Minos.

— Ce ne sera que de la devinette, car il n'y a pas de balle. Peut-être quelques fragments, mais ils ne serviront pas à grand-chose. A première vue, j'éliminerais le fusil. L'explosion au bout du canon lui a brûlé la peau, on lui a donc collé l'arme sur la peau. Mais vu l'angle, elle était dirigée vers le haut, ce qui aurait obligé le tueur à tenir le fusil très bas et à baisser la crosse avant de faire feu, ce qui n'a pas beaucoup de sens. Alors je dirais qu'il a été tué avec un pistolet, un gros calibre, peut-être un 44 Magnum ou un 45 chargé à balles creuses ou à pointes molles. Il a dû croire que quelqu'un lui avait enfourné une grenade à main dans la gorge. Vous avez tous l'air perplexe.

— On pourrait dire ça, dit Minos.

— Quel est le problème ? dit le coroner.

— Ce n'est pas le bon mec dans la voiture, dis-je.

— Pour moi, c'est le bon. Estimez-vous heureux, dit le coroner. Vous voulez regarder dans ses poches avant qu'on le mette en sac ?

— Je repasserai à St Martinville un peu plus tard, dis-je. J'aimerais aussi une copie du rapport d'autopsie.

— Bon sang, mais venez donc assister à l'opération. Je vous le découperai en moins de dix minutes.

Ses yeux brillaient et un sourire commençait à se dessiner aux commissures des lèvres.

— Du calme. J'aime bien plaisanter un peu de temps en temps avec vous autres. Votre copie du rapport sera prête d'ici ce soir.

Les infirmiers ouvrirent la fermeture Éclair du sac et soulevèrent Eddie Keats pour le placer à l'intérieur. Une anguille glissa de sa jambe de pantalon et fouetta l'herbe comme si elle avait le dos brisé.

Quelques minutes plus tard, j'observais en compagnie de Minos le départ de l'ambulance, de la voiture du coroner et des deux véhicules du shérif de la paroisse St Martin qui disparurent au bout de la digue. Le conducteur de la dépanneuse avait des problèmes avec son treuil qu'il essayait de réparer avec Cecil. Un vent chaud se mit à souffler sur le marais, rida la surface de l'eau et coucha les boutons-d'or à nos pieds. Je sentais les bancs de brèmes en chasse en train de se gorger de moustiques, à l'ombre des îlots de saules.

Minos descendit jusqu'à la Toyota et frotta du pouce un des orifices de mon 45 dans la tôle du coffre. Le trou était lisse et argenté sur le pourtour, comme s'il avait été évidé à l'emporte-pièce d'une machine-outil.

— Etes-vous sûr que Keats ne se trouvait pas dans la voiture lorsque Romero a tiré sur vous ? dit-il.

— Oui, sauf s'il s'était aplati sur le plancher.

— Alors comment est-il arrivé dans la Toyota ? Et qui donc pouvait gagner quelque chose à l'affaire, en le foutant en l'air avant de le larguer ici dans une voiture que nous allions inévitablement repérer ?

— Je ne sais pas.

— Dites-moi ce que vous en pensez.

— Je vous l'ai dit, je ne sais pas.

— Allons, combien de personnes avaient assez de raisons pour le descendre ?

— A peu près la moitié de la planète.

— Et dans le coin, combien ?

— Où voulez-vous en venir ?

— Je n'en suis pas sûr. Je sais simplement que je veux Bubba Rocque, et que tous ceux qui pourraient m'aider à le mettre sous les verrous refont surface une fois morts. Ça me débecte.

— Ça a dû débecter Keats encore plus.

— Je ne trouve pas ça très intelligent.

— J'ai une révélation à vous faire, Minos. La Criminelle, ce n'est pas les Stupéfiants. Votre clientèle enfreint la loi pour une seule raison – l'argent. Mais les gens se tuent les uns les autres pour toutes sortes de raisons, et parfois il arrive que les raisons n'aient aucune logique. En particulier quand vous parlez de Keats et de ceux qui gravitent autour de lui.

— Vous savez, vous me donnez toujours l'impression de ne dire aux gens que ce que vous estimez, vous, utile qu'ils sachent. Pas plus. Comment se fait-il que j'aie toujours cette impression avec vous ?

— Mystère et boule de gomme.

— J'ai aussi l'impression que vous vous fichez pas mal de la manière dont ces mecs se font effacer, du moment qu'ils ne figurent plus au tableau.

Je descendis jusqu'à la porte passager ouverte de la Toyota, posai le bras dessus et regardai à l'intérieur de la voiture. Il n'y avait rien de bien significatif à voir : échardes de verre sur le plancher, deux orifices de sortie de balle dans le tissu du siège passager, éclats de plomb enchâssés dans le tableau de bord, un long sillon dans la garniture du toit. Une odeur chaude et moite se dégageait des sièges.

— Je pense que Romero a conduit la Toyota jusqu'ici pour la larguer, dis-je. Je crois que Keats était censé le retrouver ici avec une autre voiture. Puis, pour une raison quelconque, Romero lui a fait sauter la cervelle. Peut-être une simple discussion qui a mal tourné entre tous les deux. Peut-être que Keats était censé le dégommer et que ça n'a pas marché comme il voulait.

— Pourquoi Keats aurait-il voulu dégommer Romero ?

— Comment diable pourrais-je le savoir ? Ecoutez, nous ne devrions même pas discuter de Romero. Il aurait dû être expédié au trou à sa première arrestation. Pourquoi n'allez-vous pas mettre vos propres collègues sur la sellette ?

— Peut-être bien que je l'ai fait. Peut-être bien qu'eux non plus ne sont pas très contents de la situation. Il arrive parfois que ces trous du cul se libèrent de leurs laisses. Un jour, nous avons placé un fourgueur des rues sous couverture dans le cadre du programme de protection des témoins, et il nous a récompensés en abattant l'employé d'un magasin de spiritueux. Il arrive que ça tourne comme ça.

— Je ne compatis pas. Viens, Cecil. On se reverra, Minos.

J'empruntai la digue en compagnie de Cecil, longeant des commerces de loueurs de bateaux, des boutiques à appâts et des rades à bière, des camps de pêche montés sur pilotis. Au loin sur le marais, les filaments de barbe espagnole sur les cyprès morts se soulevaient au vent. J'offris à Cecil une assiette de poisson-chat dans un café nègre de Breaux Bridge, puis nous rentrâmes à New Iberia sous la chaleur qui dansait sur la route devant nous.

Je passai les deux heures qui suivirent à du travail de bureau, mais je ne réussissais pas à me concentrer sur les dossiers et les chemises étalés sur ma table. Je n'ai jamais été très doué pour les tâches administratives ou paperassières, essentiellement parce que j'ai toujours éprouvé le sentiment qu'elles n'avaient pas grand-chose à voir avec le boulot en cours et qu'elles étaient destinées aux gens dont la seule ambition était de faire du surplace leur unique carrière, le cul vissé sur une chaise. Et comme la plupart des quadragénaires qui entendaient l'horloge de leur vie égrener le temps qui passe, j'en étais arrivé à ressentir bien plus de désagrément d'un gâchis ou d'un vol de mon temps que d'un vol de mes biens ou de mon argent.

Je me préparai une tasse de café et contemplai par la fenêtre le spectacle des arbres sous le soleil. J'appelai la maison pour prendre des nouvelles d'Alafair, puis Batist au ponton. Je me rendis aux toilettes où je n'avais pas vraiment besoin d'aller. Puis une fois encore, je regardai ma fiche kilométrique toujours incomplète, mon rapport d'activités et mon emploi du temps, mes rapports d'arrestations de personnages du cru qui étaient déjà libérés sous caution et seraient probablement relâchés sans inculpation avant même d'être présentés à la cour. J'ouvris le plus grand tiroir du bureau et y laissai tomber toutes mes paperasses, refermai le tiroir du pied, signai ma fiche de sortie et rentrai à la maison juste à temps pour voir un taxi déposer Robin Gaddis et sa valise sous mon porche d'entrée.

Elle était vêtue de Levi's sur talons hauts en cuir véritable et d'un chemisier ample dont on aurait dit qu'un pinceau aquarellé l'avait ombré de rose et de gris. Je coupai le contact de la camionnette et traversai la cour jonchée de feuilles mortes des pacaniers en me dirigeant vers elle. Elle sourit et alluma une cigarette, soufflant sa fumée en l'air, en essayant de prendre un air décontracté et agréable, mais ses yeux brillaient et le visage était tendu par l'inquiétude.

— Wow, c'est vraiment perdu par ici, au milieu des pélicans et des alligators, dit-elle. Tu as des serpents, des ragondins, et toutes ces bestioles qui rôdent dans le coin à ramper sous ta maison ?

— Comment va, Robin ?

— Demande-moi plutôt si je suis sûre d'être revenue sur terre. J'ai pris un avion d'une de ces compagnies de métèques où le pilote a une barbe de trois jours et te recrache une haleine chargée d'ail et de Boone's Farm[1] à empuantir l'atmosphère. On tombait dans les poches d'air si vite qu'on n'entendait plus les moteurs, et les haut-parleurs n'ont pas cessé de diffuser de la musique de mambo, sans compter que je sentais la marijeanne qui m'arrivait à plein nez de la cabine.

Je lui pris la main, puis me sentis aussi maladroit qu'elle. J'entourai ses épaules d'un bras léger et lui embrassai la joue. Ses cheveux étaient chauds et de fines gouttes de transpiration lui emperlaient la nuque. Son ventre me frôla et je sentis mes reins frémir et se raidir les muscles de mon dos.

— Je crois que ce n'est pas ton jour pour les grosses embrassades à la Cro-Magnon, dit-elle. C'est au poil, Belle-Mèche. Ne t'en fais pas. Ça gaze pour moi. Ne t'en fais pas non plus sur ce que tu pourrais avoir à me dire. Il y a bien longtemps que maman sait se prendre en charge. J'ai juste eu une envie pressante de me payer pour trente-neuf dollars un petit vol sur Air Kamikaze et je n'ai pas pu résister.

— Que s'est-il passé à Key West ?

— J'ai opéré un petit changement qui n'a pas marché.

— De quel genre ?

Elle détourna les yeux et se plongea dans la contemplation des ombrages brûlants des pacaniers.

— Je n'arrivais plus à supporter de servir les crêpes de maïs aux guignols débarqués de Des Moines ou d'ailleurs. J'ai rencontré un mec propriétaire d'un disco de l'autre côté de l'île. C'est censé être une boîte pour le gratin, avec de gros pourboires à la clé. Sauf que tu devinerais jamais ? J'ai découvert que c'est plein de pédés et que ce mec et son chef barman ont monté une arnaque futée sur les mecs en question. Un touriste se pointe, le

1. Marque de vin bon marché à forte teneur en alcool.

mec pas encore libéré, qui cache son homosexualité, et qui a probablement une femme et des gosses à Meridian[1] ; quand il a bien têté et qu'il est complètement pété et qu'il essaie de se payer un jeunot, ils se servent de sa Mastercard pour faire passer une demi-douzaine de magnums de champagne à trente dollars la bouteille sur son addition et ils lui font signer le tout plus tard. Quand il reçoit sa quittance un mois plus tard à Meridian, il ne va pas se mettre à gueuler au scandale parce que, ou bien il ne se souvient plus de ce qu'il a fait, ou alors il ne veut pas qu'on sache qu'il traînait ses guêtres chez Taille-la-Plume et Compagnie.

Alors un soir, après la fermeture, j'ai dit au propriétaire et à son barman ce que je pensais, qu'ils étaient un duo d'enfoirés. Le proprio s'installe sur le tabouret voisin du mien, avec sur le visage un bon sourire bien gentil, comme si je venais de débarquer de mon trou perdu dans ma bétaillère, et il me glisse la main le long de la cuisse. Et pendant tout ce temps, il me regarde droit dans les yeux parce qu'il sait que maman n'a pas d'argent, que maman n'a pas d'autre boulot, que maman n'a pas d'amis. Sauf que je suis en train de boire un café assez chaud pour décaper la peinture d'un cuirassé, et je lui déverse la tasse sur les roubignolles.

Le lendemain, j'ai entendu dire qu'il se baladait comme s'il avait une tapette à souris accrochée au bidule. Mais – elle claqua la langue et remonta sa chevelure d'un coup de tête – j'ai cent vingt sacs en poche, Belle-Mèche, et pas d'indemnité parce que le mec et son barman sont allés raconter à l'agence d'Etat pour l'emploi que j'étais virée pour n'avoir pas enregistré des commandes tout en encaissant la monnaie.

Je lui caressai la nuque d'une main et ramassai sa valise.

— Nous avons ici une grande maison. Dans la journée, il arrive qu'il y fasse chaud, mais elle est fraîche la nuit.

1. Ville moyenne du centre du Mississippi.

Je crois qu'elle te plaira, dis-je en lui ouvrant la porte-moustiquaire. J'ai aussi besoin d'un coup de main au bassin.

Et je songeai *oh ! Seigneur.*

— Tu veux dire, vendre des vers et tous ces machins ? dit-elle.

— Bien sûr.

— Wow. Des vers. C'est d'enfer, la classe, Belle-Mèche.

— J'ai aussi une petite fille et une baby-sitter qui habitent avec moi. Mais nous disposons d'une pièce sur l'arrière, une pièce qui ne sert pas. J'y mettrai un lit pliant et je placerai un aérateur à la fenêtre.

— Oh !

— Et je dormirai ici sur le canapé, Robin.

— Ouais, je vois.

— L'insomnie et toutes ces conneries. Je regarde le dernier programme tous les soirs jusqu'à ce que je m'endorme.

Je vis son regard s'égarer jusqu'à l'attache qui verrouillait l'accès à ma chambre à coucher.

— On dirait un endroit super. Est-ce que tu as grandi ici ? dit-elle.

— Oui.

Elle s'assit sur le canapé et je vis la fatigue apparaître sur son visage. Elle éteignit sa cigarette sur l'assiette à sucreries vide posée sur la table basse.

— Tu ne fumes pas, n'est-ce pas ? Je suis probablement en train de te polluer ta maison, dit-elle.

— Ne t'en fais pas pour ça.

— Dave, je sais que je suis en train de te compliquer la vie. Ce n'est pas mon intention. Il arrive parfois qu'une fille se retrouve au pied du mur. Tu sais, c'était soit me raccrocher à toi ou me remettre dans le circuit du dépoilage. Et ça, je ne peux plus.

Je m'assis à côté d'elle et lui mis le bras autour des épaules. Je la sentis d'abord qui résistait, puis elle posa la tête contre moi, sous mon menton. Je lui caressai la joue et la bouche du bout des doigts avant de l'embrasser sur le front. J'essayai de me convaincre que je ne serais pour elle qu'un ami et non plus son ex-amant dont le cœur pourrait si aisément se reprendre à battre en sentant le souffle doux et régulier d'une femme contre sa poitrine.

Mais ma vie tout entière était l'histoire des échecs de mes promesses et de mes résolutions. Alafair, la baby-sitter, Robin et moi, nous mangeâmes un repas de haricots rouges, riz et saucisses à la table de la cuisine. Pendant que le tonnerre grondait, le vent secouait les arbres contre la maison, la pluie claquait sur les tôles ondulées en débordant à seaux des avant-toits. Puis le ciel s'éclaircit, et la lune se leva au-dessus des champs humides ; la brise se chargea d'odeurs de terre, de fleurs et de canne à sucre. Robin vint dans le salon après minuit. La lune dessinait des carrés d'ivoire sur le sol, et on aurait dit que la silhouette de Robin, ses longues jambes, ses bras et ses épaules nus rayonnaient d'une lumière froide. Elle s'assit sur le canapé, se pencha sur moi et m'embrassa sur la bouche. Je sentais son parfum, je sentais le talc dont elle s'était poudré le cou. Elle mit les doigts sur mon visage, les glissa au travers de mes cheveux, brossa doucement la mèche de cheveux blancs au-dessus de mon oreille comme si elle découvrait cette curiosité pour la première fois. Elle était vêtue d'un court déshabillé, et ses seins étaient durs contre le Nylon. Lorsque je montai les mains le long de ses flancs et de son dos, sa peau brûlait au toucher comme si elle était restée au soleil la journée entière. Je l'allongeai tout contre moi, sentis ses cuisses s'entrouvrir et sa main me guider en elle. Je me perdis alors dans sa chaleur de femme, les bruits de sa bouche contre mon oreille, la pression de ses mollets à l'intérieur des miens, et finalement, dans mes propres aveux, l'aveu de mes besoins, de ma dépendance et de mon incapacité à ordonner mon existence. Je crus entendre un moment une voiture sur la route, et je me sentis sursauter au fond de moi-même, comme si l'on me tirait brutalement du sommeil, mais elle se redressa au-dessus de moi, coudes en appui, plongea paisiblement le regard de ses yeux sombres dans le mien et m'embrassa sur la bouche tandis que sa main me pressait une nouvelle fois à l'intérieur d'elle, comme si son amour seul suffisait à chasser les ombres des recoins de mon cœur de nuit.

* * *

Le téléphone me réveilla à quatre heures du matin. Je répondis dans la cuisine et fermai la porte du couloir pour ne pas réveiller le reste de la maisonnée. La lune était toujours haute, et une douce lumière ivoirine illuminait le mimosa et le bois de séquoia de la table de jardin dans l'arrière-cour.

— J'ai découvert un bar avec un orchestre de *zydeco* authentique de première qualité, me dit Minos. Vous vous rappelez Clifton Chénier ? Ces mecs jouent exactement comme le Clifton Chénier d'antan.

J'entendais un juke-box, puis le disque s'arrêta et j'entendis un cliquetis de bouteilles.

— Où êtes-vous ?

— Je vous l'ai dit. Dans un bar à Opelousas.

— Il est un peu tard pour le *zydeco* , Minos.

— J'ai une histoire à vous raconter. Que diable, j'en ai tout un paquet. Saviez-vous que j'étais dans les services de renseignements de l'armée au Viêt-nam ?

— Non.

— Bon, ce n'est pas grand-chose, en fait. Mais il nous arrivait parfois d'avoir des problèmes pas très orthodoxes. Il y a eu ce civil français qui nous a créé des tas d'ennuis.

— Etes-vous en voiture ?

— Bien sûr.

— Laissez-la au parking. Prenez un taxi jusqu'à un motel. Ne retournez pas à Lafayette en voiture. Vous comprenez ?

— Ecoutez, ce civil français était très mêlé au VC à Saigon. Il avait des putes et des hommes basés chez nous qui lui faisaient leurs rapports, et peut-être même qu'il a aidé à torturer un de nos agents à mort. Mais nous ne pouvions pas le prouver, et comme il avait un passeport de mangeur de grenouilles, il était délicat de s'attaquer à lui.

— Ça ne m'intéresse pas de discuter du Viêt-nam avec vous.

— Pendant tout ce temps, le major de la section passe pour un connard débile, incapable de mener une action à bien. Alors nous avons fait venir un sergent qui effectuait de temps à autre de petits boulots pour nous, du genre se faufiler dans un bled la nuit et trancher la gorge d'un bonhomme d'une oreille à l'autre avec un rasoir sabre. Il allait se faire le grenouilleur de nuit, avec une lunette à infrarouge, en le descendant de cinquante mètres, et retour au club des sous-officiers pour quelques bières, avant même qu'on ait pu décoller la cervelle du mec du papier peint. Mais devinez quoi ? il s'est trompé de putain de maison. Un homme d'affaires hollandais dégustait ses escargots à la baguette, et notre brave sergent lui a fait gicler la cervelle sur le chemisier de son épouse.

— J'ai un conseil à vous donner, Minos. Que le Viêt-nam aille se faire foutre. Sortez-le de votre existence, Bon Dieu, et vite.

— Je ne parle pas du Viêt-nam. Je parle de vous et de moi, podna. Ça ressemble à quelque chose qu'a écrit F. Scott Fitzgerald. Nous sommes au service d'une vaste entreprise, vulgaire, factice et clinquante.

— Ecoutez, mangez un morceau et je viendrai jusque-là.

— Il y a des gens du gouvernement qui veulent passer un marché avec Romero.

— Quoi ?

— Il connaît des tas de saloperies sur des tas de gens. Pour nous, il est précieux. Il l'est tout au moins pour quelqu'un.

Je sentis ma main se crisper sur le combiné. La chaise de bois sur laquelle j'étais assis était dure à mon dos et mes cuisses nues.

— Est-ce que c'est bien vrai ? dis-je. Vos gens discutent avec Romero ? ils savent où il se trouve ?

— Ne dites pas "mes gens". Il a contacté d'autres agents fédéraux à La Nouvelle-Orléans. Ils ne savent pas où il se trouve, mais il dit qu'il se présentera en personne si le marché est correct. Vous savez ce que je leur ai dit ?

J'entendais le bruit de ma propre respiration dans les trous du combiné.

— Je leur ai dit : "Passez tous les putains de marchés que vous voulez. Robicheaux, y va pas jouer à ce jeu-là." Je dois dire que ça m'a fait comme qui dirait du bien.

— Dans quel bar êtes-vous ?

— Oubliez-moi. J'avais raison pourtant, non ? Vous n'allez pas marchander ?

— Je veux vous parler demain.

— Certainement pas. Ce que vous allez entendre là, c'est tout ce que je vous offre. Et maintenant, je veux que vous me répondiez franchement, net et sans bavures. Vous n'avez pas besoin d'admettre quoi que ce soit. Dites-moi simplement que je me trompe. Vous avez trouvé la Toyota, vous avez cravaté Keats, vous l'avez emmené jusqu'à la digue et vous lui avez collé votre 45 entre les côtes avant de lui faire gicler ses poumons par la bouche. Exact ?

— Faux.

— Allez, Robicheaux. Vous êtes apparu chez le Haïtien à La Nouvelle-Orléans juste après les flics. Quelles sont les chances, statistiquement, pour que vous tombiez sur une situation comme celle-là ? Et ensuite, un autre mec que vous haïssez sans ambiguïté, quelqu'un dont vous avez défoncé le nez en marmelade à coups de queue de billard, refait surface, bien mort, près de la digue Henderson. Keats était originaire de Brooklyn. Il ne connaissait rien de cette région. Pas plus que Romero, d'ailleurs. Mais vous connaissez ce marécage pour y avoir pêché toute votre vie. Si les flics qui s'occupent de cette affaire n'étaient pas qu'un groupe de coonass, vous seriez sous les verrous.

— Prenez donc deux vitamines B et quatre aspirines avant de vous mettre au lit, dis-je. Vous ne courrez pas le mile en quatre minutes demain, mais, au moins, vous ne sentirez pas les serpents ramper partout.

— Je suis complètement bourré, hein ?

— Vous l'avez dit. Je vais arrêter là. J'espère qu'ils ne vous passeront pas au presse-purée. Pour un mec du gouvernement, vous êtes plutôt bien, Dunkenstein.

Il parlait toujours lorsque je reposai le combiné sur le téléphone. Au-dehors, j'entendais les oiseaux de nuit se répondre dans les champs.

* * *

La journée de travail terminée, j'emmenai Robin et Alafair dîner à Cypremort Point. Nous mangeâmes des crevettes et des crabes près de la baie, dans un restaurant délabré protégé de moustiquaires, et dans le crépuscule mauve, l'eau paraissait plate et grise, ondulant par endroits sous l'effet d'une légère brise comme des ridules sur un pot de peinture. A l'ouest, les îlots distants des typhas se marbraient des dernières rougeurs du soleil sur l'horizon. Derrière nous, je voyais la longue route à deux voies qui traversait le Point, les cyprès morts couverts d'ombre, les cabanes de pêche bâties sur pilotis au-dessus des bois inondés, les pirogues amarrées aux poteaux des cahutes, le tapis de nénuphars épanouis sur les canaux, les hérons qui décollaient toutes ailes déployées dans le ciel lavande comme un murmure de poème.

Les grands ventilateurs électriques du restaurant vibraient de leur propre mouvement ; les tables de bois étaient jonchées de carapaces de crabes ; les insectes venaient se cogner aux moustiquaires, maintenant que la lumière du ciel s'était éteinte ; et quelqu'un mit *La Jolie Blonde* sur le juke-box. La chevelure sombre de Robin ondoyait sous la brise, ses yeux brillaient de bonheur, et un reste de *sauce piquante*[1] lui barbouillait le coin de la bouche. Malgré tous les kilomètres difficiles parcourus, elle était bonne fille au fond d'elle-même et avait jeté son dévolu sur mes affections d'une drôle de manière. On tombe amoureux des femmes pour différentes raisons, je crois. Parfois elles sont simplement belles et vous ne maîtrisez guère plus le désir que vous avez d'elles que vous ne choisissez vos rêves la nuit. Puis il en est d'autres qui se gagnent un chemin jusque dans votre âme, qui sont gentilles et loyales et aimantes à la manière dont l'était, ou aurait dû l'être, votre mère. Puis il y a la fille inconnue, un peu étrange, qui surgit d'une allée de votre existence et débarque au milieu de votre vie, rien moins que la présence chaleureuse et indistincte qui vous a si longtemps tenu compagnie aux frontières indécises du sommeil. Tout au contraire, ses vêtements ne lui vont pas, son rouge à lèvres est mal assorti, elle serre son sac contre elle comme un bouclier, elle a de grands yeux brillants, comme si les Furies de la Grèce antique l'appelaient depuis les coulisses.

Nous fîmes un arrangement, Robin et moi. Je me séparerais de la baby-sitter, et de son côté, elle m'aiderait à m'occuper d'Alafair et viendrait me donner un coup de main à la boutique. Elle m'assura qu'elle avait abandonné et la gnôle et la came, et je la crus, bien que ne sachant pas combien de temps ses bonnes résolutions tiendraient. Je ne comprends pas l'alcoolisme, et je suis incapable de dire avec certitude ce qu'est un alcoolique. J'ai connu des gens qui avaient cessé de boire de leur plein gré pour se changer en boules de nerfs toutes bouillonnantes, d'une misère métabolique et psychologique telles que, finalement, ils en arrivaient à se tirer de chez eux pour débarquer chez les AA sur les rotules. J'en ai connu d'autres qui ont simplement cessé de boire un jour pour vivre une vie de grisaille neutre et indistincte,

1. En français dans le texte.

comme s'ils avaient émoussé leur âme en en sectionnant toutes les arêtes à vif pour ne paraître fonctionner dans l'existence qu'avec l'énergie spirituelle d'une mite. La seule conclusion absolue à laquelle je sois jamais arrivé était que je faisais partie de ces gens-là. Ce que faisaient les autres de la gnôle ne s'appliquait pas à ma vie, pour autant qu'ils ne vinssent pas forcer Dave Robicheaux à en prendre car il était en tout état de cause une victime déjà bien trop consentante.

Nous sommes revenus par le long couloir de cyprès morts, accompagnés des éclats de lucioles dans l'obscurité, en repassant par New Iberia pour y louer un magnétoscope et un film de Walt Disney au magasin video. Un peu plus tard, Batist repassa par la maison avec du *boudin* frais que nous avons réchauffé au four ; nous avons préparé de la limonade avec glace pilée et feuilles de menthe dans les verres avant de nous installer au salon, sous le ventilateur à pales de bois, pour suivre le film. Lorsque je me levai pour aller remplir à nouveau la carafe de limonade, je regardai les jeux de lumière vacillante de l'écran sur les visages de Robin, d'Alafair et de Batist, et j'éprouvai une étrange sensation que je n'avais pas éprouvée depuis la mort d'Annie, celle de me sentir partie prenante d'une vraie famille.

* * *

Je rentrai le lendemain et je mangeais un sandwich jambon-oignons à la table de la cuisine lorsque le téléphone sonna. La journée était belle et ensoleillée, le ciel d'un bleu lumineux au-dessus des arbres et, par la fenêtre de derrière, je voyais Alafair en train de jouer avec l'un de mes chats tachetés dans la cour. Elle portait ses chaussures de tennis DROITE-GAUCHE, un paire de pantalons corsaire en toile bleue et le T-shirt Donald Duck qu'Annie lui avait acheté, et elle jouait à balancer un morceau de ficelle de cerf-volant devant le chat fouettant l'air de ses pattes. Je mâchai le jambon et le pain que j'avais dans la bouche et posai le combiné du téléphone contre mon oreille d'un geste paresseux. J'entendis le bourdonnement étouffé d'une connexion à longue distance, pareil au souffle du vent dans une conque marine.

— Est-ce que c'est Robicheaux ?

— Oui. Qui est à l'appareil ?

— Le flic, exact ?

La voix donnait l'impression d'être filtrée par du sable humide.

— C'est exact. Vous voulez bien me dire qui est à l'appareil ?

— C'est Victor Romero. J'ai des tas de gens sur le dos, et j'entends des tas de trucs qui ne me plaisent pas. Et je retrouve votre nom dans la plupart.

Le morceau de sandwich se figea, raide et mort sous ma mâchoire. Je repoussai mon assiette et me sentis me redresser dans mon fauteuil.

— Z'êtes toujours là ?

J'entendis un cognement bien particulier, suivi d'un bruit de sifflement en fond sonore.

— Oui.

— Tout le monde veut se payer une tranche de mon lard, comme si ch'suis responsable de tous les crimes de Louisiane. Le bruit court dans les rues que je vais peut-être en prendre pour trente ans. On raconte que j'ai peut-être bien tué des gens dans un avion, et peut-être bien qu'on va me remettre entre les mains de la police locale pour me faire griller sur la chaise à Angola. Alors tout le monde à La Nouvelle-Orléans entend dire que les fédés en bandent dur pour moi, et qu'y a personne qui doit seulement me toucher pasque ch'suis l'odeur puante d'un tas de merde et qu'y vaut mieux pas non plus se la coller sur les mains. Vous m'écoutez ?

— Oui.

— Alors je leur ai dit qu'j'étais prêt à un marché. Ils veulent les salopards de gros, et moi, on me fait une faveur. Je leur dis que je suis partant pour trois ans. Pas plus de trois, c'est entendu comme ça. Sauf que j'entends quoi ? qu'y a le Robicheaux qui fait le malin, qu'c'est un dur et qu'y refuse de jouer. Alors c'est moi que tu baises, mec.

Je sentais mon cœur battre à rompre, je sentais le sang me monter aux tempes et à la nuque.

— Voulez-vous qu'on se rencontre quelque part pour discuter ? dis-je.

— T'as dû perdre la tête complètement, nom de Dieu !

Puis j'entendis le cognement à nouveau, suivi du sifflement.

— Je veux que t'ailles parler aux enfoirés du SRS, dit-il. Je veux que tu leur dises pas de plainte parce que soi-disant que tu croyais qu'on t'avait tiré dessus. Et putain, tu me lâches et tu arrêtes de me coller. J'ai le bon message du bon mec, et peut-être bien que ch'te fournis quelque chose qui t'intéresse.

— Je ne pense pas que vous ayez la moindre monnaie d'échange, Romero. Je crois que vous n'êtes qu'une mule à came, un petit passeur de rien dont tout le monde est fatigué. Pourquoi ne rédigez-vous pas toutes vos conneries au dos d'une carte postale que je pourrai toujours lire quand je n'aurai rien de mieux à faire ?

— Ouais ?

Je ne répondis pas. Il resta un moment silencieux.

— Tu veux savoir qui a arrangé le dessoudage de ta femme ?

Je respirais profondément maintenant, et des câbles de tension tremblaient à l'intérieur de ma poitrine. Je déglutis et gardai la voix aussi neutre que possible.

— Tout ce que j'entends venant de vous, ce n'est que du vent. Vous avez quelque chose à vendre, alors crachez le morceau ou arrêtez de me casser les pieds, dis-je.

— Alors, comme ça, tu crois que ce que je raconte, c'est du vent, hein ? Alors, que dis-tu de ceci, enfoiré ? Tu avais un ventilateur dans la fenêtre de ta chambre. Tu avais un téléphone dans le couloir, sauf qu'y a quelqu'un qui te l'a arraché du mur. Et pendant qu'ils se faisaient ta bobonne, toi, tu te cachais dehors dans le noir.

Je sentis ma main qui glissait d'avant en arrière sur ma cuisse crispée. Je dus me mouiller les lèvres avant de pouvoir parler à nouveau. J'aurais dû rester silencieux, ne rien dire, mais j'avais perdu toute maîtrise.

— Je te retrouverai, dis-je d'une voix rauque.

— Retrouve-moi et t'auras rien retrouvé. Tout ça, je le sais du bougnoule. Tu veux le reste de l'histoire, tu me fais une offre qui tienne et qui me laisse pas dans la mouise. T'as la conscience coupable, mec, et je suis pas là pour tomber à ta place.

— Ecoute...

— Non, c'est moi qui parle, toi, tu écoutes. Tu vas retrouver tout le tas de fumiers du Bâtiment fédéral et tu décides de ce que tu veux faire. Tu arrives au bon résultat avec le bon chiffre – et là, c'est trois ans maxi, dans une taule à sécurité minimale – et après, vous passez une annonce dans le *Times-Picayune* disant : “Victor, ta situation est approuvée”. Je vois l'annonce, et p' t'êt bien qu'un avocat appelle le SRS et voit ce qu'on peut faire pour un rancard.

— Eddie Keats a essayé de t'effacer. Ils vont te régler ton compte, tout comme au Haïtien. Tu vas te retrouver à court de planques.

— Mon cul, ouais. J'ai bouffé des vers et des lézards pendant trente-huit jours et je suis revenu, avec onze oreilles de bridés enfilées sur une baguette. Dimanche matin, j'achète le journal. Après ça, c'est terminé. Tu nettoieras ta propre merde tout seul.

Avant qu'il raccroche, je crus entendre la clochette d'un tramway.

Tout le reste de l'après-midi, j'essayai de reconstituer sa voix dans ma mémoire. L'avais-je entendue auparavant, dans un grondement de tonnerre, sous mon porche d'entrée ? je n'en étais pas sûr. Mais la pensée que j'avais eu une conversation sur un arrangement possible avec l'un des meurtriers d'Annie fit son effet et me vrilla le cerveau comme un doigt obscène.

* * *

Un peu après minuit, je m'éveillai, la tête engourdie comme une masse inerte, le genre de sensation que l'on éprouve lorsqu'on est resté seul longtemps sous le froid et le vent. Je m'assis paisiblement sur le rebord du canapé, pieds nus au milieu d'un carré de lune au sol, ouvrant et refermant les mains comme si je les voyais pour la première fois. Puis je déverrouillai notre chambre à Annie et à moi et m'assis sur le bord du matelas dans l'obscurité.

On avait emporté, ensachés sous un vinyle comme preuves matérielles, les draps et le couvre-lit ensanglantés, mais le matelas et le bois de lit étaient perforés de trous où je pouvais passer les doigts comme si je voulais sonder les plaies des paumes de Notre Seigneur. Les motifs bruns qui couvraient le bois de lit et le papier peint fleuri auraient pu avoir été posés là par une brosse de peintre. Je frottai la main sur le mur et sentis les arêtes vives du papier déchiqueté, là où la chevrotine et les balles à gros gibier avaient traversé le bois. La lune brillait au-dehors à travers les pacaniers et dessinait un ovale de lumière sur mes genoux. Je me sentis aussi solitaire qu'au fond d'un puits à sec bien frais, sous des ténèbres barrées de filaments de nuages argentés courant à travers ciel.

Je pensai à mon père et souhaitai qu'il fût là, à mes côtés. Il ne savait ni lire ni écrire et n'avait jamais, ne fût-ce qu'une seule fois, quitté les frontières de l'Etat de Louisiane, mais il avait à cœur une compréhension intuitive de l'existence qui était la nôtre, cette vision cajun du monde qu'aucun livre de philosophie n'aurait pu transmettre. Il buvait trop et il faisait le coup de poing contre deux ou trois hommes à la fois dans les bars, avec l'enthousiasme d'un gamin frappant de sa batte des balles de base-ball ; mais au fond de lui-même, le cœur était tendre, fort du sens du bien et du mal, tragique dans sa perception des cruautés et des violences que le monde imposait parfois aux innocents.

Il m'avait un jour raconté l'histoire d'une tuerie à laquelle il avait assisté quand il était jeune. Dans l'esprit de mon père, la mort de la victime était emblématique de toute l'injustice et la brutalité des comportements dont les hommes en groupes sont capables, bien qu'en réalité la victime n'eût pas été innocente. C'était pendant l'hiver de 1935 et un criminel-cambrioleur de banque, complice de John Dillinger et Homer Van Meter, s'était fait déloger de la maison close de Margaret à Opelousas, bordel qui existait depuis la guerre entre les Etats. Les flics l'avaient pris en chasse jusqu'à la paroisse d'Iberia, et lorsque sa voiture avait dérapé dans le fossé, il avait pris la fuite par un champ gelé, jonché des restes de tiges de canne à sucre. Mon père et un Nègre étaient en train d'extraire d'un champ les souches qu'ils tractaient à la chaîne tirée par une mule avant de les brûler en grands tas, lorsque le cambrioleur passa à côté d'eux en courant en direction de la vieille grange près de notre éolienne. Mon père avait raconté que l'homme portait une chemise blanche avec boutons de manchette et nœud papillon, sans veste, et il tenait, serré à la main, un canotier en paille comme si c'était là sa dernière possession sur terre.

Un flic avait tiré au fusil depuis la route, l'une des jambes du cambrioleur avait cédé sous lui et l'homme s'était effondré au milieu des restes de canne à sucre. Les flics portaient tous manteaux et feutres, et ils avancèrent en ligne dans le champ comme s'ils cherchaient à lever des perdreaux. Ils entourèrent le blessé en demi-cercle, le blessé maintenant assis, jambes droites étendues devant lui, qui les suppliait de lui faire grâce. Mon père me dit que lorsqu'ils commencèrent à tirer au revolver et au pistolet automatique, la chemise de l'homme avait explosé sous l'impact de fleurs carminées.

Des fleurs carminées qui viraient au brun, des fleurs capables de se meurtrir en pénétrant le grain de bois, des fleurs aux pétales qui se déroulent en frisures sous les doigts qui les touchent. Parce qu'ils l'avaient empalée sur ce bois de lit et sur ce mur, parce qu'ils avaient obligé ses hurlements, sa peur et sa souffrance à pénétrer au plus profond des fibres de cyprès, parce qu'ils avaient fait de ces planches, taillées de la main de mon père, son crucifix.

Je sentis une main sur mon épaule. Je levai les yeux sur Robin, dont le visage et le corps paraissaient étrangement pâles sous le clair de lune qui tombait dans la chambre au travers du pacanier. Elle glissa la main sous mon bras et me tira doucement, m'obligeant à me lever du bord du lit.

— Ça ne te fait aucun bien de venir ici, Belle-Mèche, dit-elle d'une voix paisible. Je vais nous préparer un lait chaud dans la cuisine.

— Bien sûr, bien sûr. Est-ce que le téléphone sonne toujours ?

— Quoi ?

— Le téléphone. Je l'ai entendu sonner.

— Non. Il n'a pas son... Dave, allez, sors de là.

— Ça n'a pas sonné, hein ? Au cours de mes crises de DT, des morts venaient m'appeler au téléphone. C'était une façon dingue de revenir sur terre.

* * *

Ce matin-là, je repris la voiture pour me rendre à La Nouvelle-Orléans à la recherche de Victor Romero. Comme je l'ai déjà dit, son casier ne m'avait pas beaucoup aidé, et je savais sans l'ombre d'un doute qu'il était plus intelligent et bien plus dangereux que ne l'indiquait le papier. Cependant, il était tout aussi évident à la lecture de son dossier, qu'il avait les mêmes vices, les mêmes préoccupations sordides, la même vision basse et mesquine que la plupart des hommes de son acabit. Je parlai aux gens de la rue du Carré, des barmen, quelques effeuilleuses qui racolaient à leurs moments perdus, des taxis de nuit qui maquereautaient les effeuilleuses, un duo d'artistes de l'escroque, des baratineurs faisant l'article sur Bourbon, un fourgue à Algiers, un camé en phase terminale qui en était réduit à se piquer dans ses cuisses dévastées au moyen d'un instillateur de gouttes oculaires où l'étanchéité était assurée par le rebord blanc d'un billet de un dollar. S'ils acceptèrent d'avoir connu Romero, ils déclarèrent le croire mort, ou ayant quitté le pays, ou en préventive chez les fédéraux. Chaque fois, j'aurais aussi bien pu essayer de discuter avec un terrain vague.

Mais parfois ce qui n'est pas dit est déjà une déclaration en soi. J'avais la conviction qu'il se trouvait toujours à La Nouvelle-Orléans – j'avais entendu tinter la clochette d'un tramway en arrière-fond lorsqu'il avait parlé – et s'il était en ville, quelqu'un devait probablement le cacher ou subvenir à ses besoins, parce qu'il ne faisait plus le mac ni le fourgueur. Je descendis jusqu'au quartier général du Premier District aux limites du Carré et bavardai avec deux inspecteurs des Mœurs. Ils me dirent qu'ils avaient déjà essayé de retrouver Romero par le biais de sa famille, et il n'en avait plus. Son père avait été journalier, ramasseur de fruits, disparu en Floride dans les années 60, et la mère était morte à l'hôpital psychiatrique d'Etat de Mandeville. Il n'existait ni frères, ni sœurs.

— Et les petites amies ? dis-je.

— Les putes mises à part, c'est bien la première qu'il aurait, répondit un des inspecteurs.

Je retournai à New Iberia au milieu de l'averse de fin d'après-midi. Le soleil brillait sous la pluie, et la surface jaune du marais d'Atchafalaya dansait de lumières.

Je sortis à Breaux Bridge et garai ma camionnette sur la digue Henderson ; je quittai la voiture au milieu des boutons-d'or et des lupins bleus, et contemplai la pluie légère qui tombait sur les lauriers et les cyprès inondés. La digue était pleine d'énormes sauterelles noires et jaunes qui bondissaient des herbes, leurs dos laqués luisant sous la lumière humide. Lorsque j'étais enfant, mon frère et moi les capturions avec nos chapeaux de paille avant de les accrocher comme appâts à la ligne de fond que nous allions installer au crépuscule entre deux plates-formes pétrolières abandonnées. Au matin, la ligne était tellement tendue, chargée de poissons-chats, que nous n'étions pas trop de deux pour la sortir de l'eau.

Je commençais à me fatiguer d'être policier de nouveau. Garde l'âme collée à la meule d'émeri assez longtemps et un jour, il ne te restera plus que de l'air entre les mains. Avec cette pensée en tête, je laissai Alafair à la charge de Batist ce soir-là et emmenai Robin aux courses d'Evangeline Downs à Lafayette. Nous mangeâmes des crevettes et du steak au club-house avant de retourner aux tribunes en plein air où nous nous installâmes dans un box près de la ligne d'arrivée. Le soir était parfumé et les éclairs de chaleur zébraient tout l'horizon au sud ; la piste, encore humide de l'averse de l'après-midi, venait d'être ratissée de frais, et des halos de moiteur luisaient dans les lampes à arc au-dessus de nos têtes. Robin était vêtue d'une robe de coton blanc avec motifs de lis tigrés mauve et vert, et la peau de sa nuque et de ses épaules hâlées paraissait lisse et fraîche dans la lumière ombreuse. Jamais encore elle n'était allée aux courses, et je lui laissai choisir les chevaux des trois premières. Un cheval eut sa préférence à cause de ses balzanes blanches, un deuxième à cause du mauve de la casaque du jockey, un troisième parce qu'elle avait dit que le jockey avait un visage en forme de petit cœur. Tous trois étaient à l'arrivée, gagnants ou placés, et elle était mordue. Chaque fois que les chevaux apparaissaient dans un bruit de tonnerre au dernier virage avant de s'écarter des barrières sur toute la largeur de la piste pour la dernière ligne droite, sous les coups de cravache des jockeys qui leur cinglaient les flancs, au milieu des mottes de terre qui giclaient sous les sabots, elle se mettait debout, s'accrochait à moi des deux bras, les seins écrasés contre mon corps, et vibrait tout entière en trépignant d'excitation. Nous encaissâmes 178 dollars de tickets gagnants au guichet ce soir-là, et sur le chemin du retour, nous nous arrêtâmes à un magasin encore ouvert le soir pour acheter à Batist et sa femme un panier de fruits et de fromage, accompagné d'une bouteille de Cold Duck. Lorsque je quittai le chemin de terre qui longeait le bayou au sud de New Iberia, elle s'était endormie, la tête sur mon épaule, une main toute molle à l'intérieur de ma chemise, bouche entrouverte au clair de lune, comme si elle allait me murmurer à l'oreille un secret de petite fille.

* * *

Je n'avais pas été capable de retrouver les vivants, aussi me dis-je que j'aurais peut-être plus de chance à enquêter sur les morts. L'après-midi du lendemain, en compagnie de Cecil, je me rendis au Jungle Room sur la route de Breaux Bridge, afin de voir ce que nous pourrions apprendre, s'il y avait quelque chose à apprendre, au sujet d'Eddie Keats et de ses liens avec Victor Romero. Sous un soleil flamboyant, le parc de stationnement au sol de schiste blanc et la façade de parpaings mauves avec ses cocotiers peints et sa porte d'entrée d'un rouge de vernis à ongle vous éclataient au regard comme une gifle. Mais l'intérieur était aussi sombre qu'une caverne, à l'exception des lumières tamisées derrière le bar, et sentait l'insecticide qu'un employé de la compagnie Orkin vaporisait d'un pulvérisateur dans les coins du bâtiment. Deux femmes, l'air las, donnaient l'impression d'avoir la gueule de bois et fumaient au bar en buvant des Bloody Mary. Le barman rangeait des bouteilles de bière à long col dans le réfrigérateur, et les muscles de son dos large roulaient chaque fois qu'il se baissait. Il avait des cheveux platine et les bras cuivrés ; sur le torse nu, un gilet fleuri couleur argent brillait comme un étain mat. Haut sur le mur était accrochée la cage métallique avec son singe au milieu des épluchures de cacahuètes et des journaux souillés.

Je montrai mon insigne aux deux femmes et leur demandai quand elles avaient vu Eddie pour la dernière fois. Leurs yeux ne regardaient rien ; elles soufflaient leur fumée vers le plafond, faisaient tomber leurs cendres dans les cendriers, l'air aussi peu renseignées que des silhouettes de carton découpé parfaitement inertes.

Avaient-elles vu Victor Romero récemment ?

Leurs yeux étaient vagues et vides, leurs cigarettes se déplaçaient au ralenti jusqu'aux lèvres qui les relâchaient avant de laisser échapper leur nuage de fumée.

— Je crois savoir que l'enterrement était ce matin. Est-ce qu'Eddie a eu droit à une belle cérémonie ? dis-je.

— On l'a incinéré et on l'a mis dans un vase ou quelque chose comme ça. Je me suis levée trop tard pour y assister, dit l'une des femmes. Elle avait les cheveux teints en roux, noués serrés derrière la tête comme des fils de fer. La peau était blanche et brillante, tendue comme peau de tambour sur les os, avec, sur la tempe, un nœud de veines bleues.

— Je parie que c'était super de travailler pour un mec comme lui, dis-je.

Elle pivota sur son tabouret et me regarda droit dans les yeux. Les yeux marron étaient liquides et malveillants.

— Je suis censée parler aux gens qui m'offrent un verre, dit-elle. Ensuite je vous mettrai la main au creux des cuisses et nous discuterons de vos espoirs grandissants. Vous voulez que quelqu'un vous aide à faire grandir vos espoirs, officier ?

Je posai devant elle ma carte avec mon numéro de téléphone.

— Si jamais vous vous fatiguez de votre petit numéro de bande dessinée, appelez ce numéro.

Le barman plaça sa dernière bouteille au réfrigérateur et s'avança vers moi sur les caillebotis derrière le comptoir, en se collant une tablette de Num-Zit[1] contre dents et gencives.

1. Médicament utilisé pour calmer les douleurs des dents et des gencives.

— Je suis le frère d'Eddie. Vous voulez quelque chose ? dit-il. Son hâle était presque doré, comme lorsqu'on s'applique des produits chimiques sur la peau au soleil, et les poils qui ressortaient des aisselles étaient décolorés aux extrémités. Il avait le même cou veineux et épais, les mêmes épaules puissantes, le même accent nasillard de Brooklyn que son frère. Je lui demandai quand il avait vu Eddie pour la dernière fois.

— Il y a deux ans, quand il est venu pour une visite à Canarsie, dit-il.

— Vous connaissez Victor Romero ?

— Non.

— Et Bubba Rocque ?

— Je crois que je connais ce nom-là.

— Connaissiez-vous un Haïtien du nom de Toot ?

— Je connais personne de ces gens-là. Je suis juste descendu ici pour m'occuper des affaires d'Eddie. C'est une grande tragédie.

— Je crois que vous êtes en infraction avec la loi.

— Quoi ?

— Je crois que vous encouragez la prostitution.

Ses yeux verts me regardèrent prudemment. Il sortit une Lucky Strike d'un paquet sur le comptoir à alcools derrière lui et l'alluma. Il ôta un brin de tabac sur sa langue du bout des ongles. Il souffla sa fumée sur le côté de la bouche.

— A quoi on joue ? dit-il.

— Pas de jeu. Je vais simplement voir si je peux fermer votre boutique.

— Vous aviez passé un marché avec Eddie ?

— Non, je n'aimais pas Eddie. C'est moi le mec qui lui a explosé une queue de billard à travers la figure. Qu'est-ce que vous en dites ?

Il détourna les yeux et tira une nouvelle bouffée de sa cigarette. Puis ses yeux vinrent se fixer une nouvelle fois sur mon visage avec, à la racine du nez, un petit repli de contrariété.

— Ecoutez, vous n'aimiez pas mon frère, ça, c'est votre problème. Mais moi, ch'suis pas Eddie. Vous avez aucune raison de m'avoir dans le nez, mec. Ch'suis le gars coopératif. S'y faut que j'crache une partie des bénéf, d'accord, ça me va. J'ai dirigé un bar à négros à Bedford-Stuyvesant. Je m'entendais avec tout le monde. Et c'est pas le truc facile à Bed-Stuy. Et ici, je cherche pas d'ennuis non plus.

— Non, ce n'est pas moi qui ai un problème. C'est vous. Vous êtes maquereau et vous faites souffrir les animaux. Cecil, viens un peu par ici.

Cecil était appuyé contre le mur près du râtelier à queues de billard, bras croisés, une sombre lueur sur le visage. Comme beaucoup de gens de couleur, il n'aimait pas la classe de Blancs dont le frère de Keats et les deux prostituées étaient à ses yeux les représentants. Il s'avança jusqu'à nous de toute sa masse pesante, les lèvres serrées, une chique de Red Man aussi serrée qu'une balle de golf à l'intérieur de la joue. Il ouvrait et fermait ses mains ballantes.

Le barman eut un mouvement de recul.

— Eh là, attendez une minute, dit-il.

— M. Keats veut que nous descendions cette cage à singe, dis-je.

— Ch'pensais à c'même truc moi-même, dit Cecil en s'aidant du tabouret pour grimper sur le bar. Puis il enjamba le passage, un pied sur le comptoir à alcools, et décrocha la cage suspendue à un anneau fixé au plafond. Son énorme pied fit dégringoler une demi-douzaine de bouteilles de whisky qui roulèrent du comptoir pour aller se fracasser sur les caillebotis. Le singe avait les yeux écarquillés de frayeur, les doigts calleux de ses pattes emmêlés dans le grillage. Cecil tint la cage à bras tendus et sauta au sol.

— La dame a ma carte. Vous pouvez déposer une plainte si tout ceci ne vous plaît pas. Bienvenue en Louisiane du Sud, podjo, dis-je.

Je sortis avec Cecil sous le soleil éblouissant qui se réfléchissait sur les schistes blancs du parc de stationnement. Puis nous allâmes à l'ombre d'un bouquet de chênes derrière le bar avant de reposer la cage dans l'herbe. Je défis l'attache en fil de fer de la porte que j'ouvris. Le singe était assis, niché au milieu d'un tas de papier journal humide, trop effrayé pour bouger, la queue relevée appuyée contre un côté de la cage. Puis j'inclinai la cage vers l'avant et l'animal roula sur l'herbe, couina en baragouinant une seule fois, et grimpa haut à la fourche d'un chêne, d'où il nous regarda de ses grands yeux écarquillés. Le vent remuait les barbes de mousse dans les arbres.

— J'aime bien travailler avec toi, Dave, dit Cecil.

* * *

Il arrive parfois, lorsqu'une enquête semble n'aboutir nulle part, lorsque les gens de la rue jouent aux innocents devant vos questions et qu'une raclure comme Victor Romero vous donne l'impression de vous filer entre les doigts comme s'il était couvert de vaseline, il arrive qu'une porte s'ouvre paisiblement, tout en douceur, toute seule, aux frontières de votre vision. Nous étions samedi, le lendemain de notre visite au bar de Keats, Cecil et moi, et je lisais le *Time-Picayune* sous le parasol de toile du ponton. Même à l'ombre, la lumière réfléchie par le journal m'éblouissait et me faisait mal aux yeux. Puis le soleil fut caché par les nuages et le jour vira soudain à la grisaille ; la brise se leva et hérissa de vaguelettes la surface de l'eau, pliant les typhas et les roseaux le long de la rive. Je fermai les yeux, pinçant les globes oculaires du bout des doigts, et jetai un nouveau coup d'œil au résumé des affaires de l'Etat, une colonne en deuxième partie du journal. En bas de colonne, sur cinq lignes, je tombai sur une dépêche d'agence : l'arrestation, dans le nord-est de la Louisiane, d'un homme qui était soupçonné d'avoir fracturé les boîtes aux lettres d'un immeuble dans un lotissement de l'aide sociale et d'avoir agressé des personnes âgées pour leur dérober leurs chèques de Sécurité sociale. Son nom était Jerry Falgout.

J'allai dans la boutique et appelai le bureau du shérif. Le shérif était absent, et l'adjoint que j'eus au bout du fil, un Noir à l'entendre, se montra peu coopératif.

— Est-ce que ce mec est barman à La Nouvelle-Orléans ?

— Je ne sais pas.

— Qu'est-ce que vous avez reçu sur lui de Baton Rouge ?

— Faudra demander au shérif.

— Allons, il est sous votre garde. Vous devez savoir quelque chose sur lui. A-t-il séjourné à Angola ?

— Je ne sais pas. Il a pas dit.

— A combien se monte sa caution ?

— Cent mille.

— Pourquoi est-ce si élevé ?

— Il a poussé une vieille dame dans l'escalier. Elle a le crâne fracturé.

J'étais sur le point de laisser tomber mes questions à l'adjoint et d'appeler le shérif chez lui. J'essayai encore une fois.

— Et qu'est-ce qu'il vous raconte, *alors* ?

— Ça lui plaît pas bien d'être ici, et y dit qu'il est pourtant pas du genre à ramener sa fraise en frétillant du gland.

Quinze minutes plus tard, j'étais dans ma camionnette pick-up sur la route de Lafayette ; je me dirigeai vers la route à quatre voies direction nord, pendant que défilaient au-dessus de moi les arcures des chênes.

Le paysage commença à changer au-delà de la Red River. Les champs de riz et de canne à sucre étaient maintenant derrière moi. La terre noire, les cyprès inondés, les chênes étaient remplacés par des pâturages et des bois de pins, des scieries et des champs de coton, des villes nègres, cahutes à la peinture disparue, troquets en bardeaux et vieux entrepôts en brique, bâtis le long des voies ferrées. Les noms français et espagnols avaient disparu des boîtes aux lettres et des devantures de bazars. J'étais de retour dans le Sud anglo-saxon, là où les rues se vident le dimanche, où les églises baptistes sont pleines, où les Nègres se font baptiser au fond des rivières. C'était le pays des piverts, où les hommes du Klan continuaient à incendier leurs croix sur les routes de campagne la nuit, où les bouseux jouaient toujours au raton-sur-le-rondin, concours de malades où ils enchaînaient un raton laveur par une patte à un rondin flottant dans une mare avant de faire partir à l'attaque leurs chiens de chasse.

Mais l'histoire avait pris sa revanche, ironie des temps, dans quelques-unes des paroisses du Nord. Depuis les années soixante, les Nègres de Louisiane étaient inscrits sur les listes électorales en grand nombre, et dans les paroisses et les villes où les Blancs étaient en minorité, les bureaux des mairies, les services du shérif, les jurys s'étaient remplis de Noirs. C'était du moins ce qui s'était passé dans la ville en amont de Natchez où Jerry Falgout était détenu, dans la vieille prison de brique derrière le tribunal que les soldats Yankee avaient essayé de détruire par le feu pendant la Guerre civile.

La ville était pauvre, avec rues briquetées et auvents sur colonnades de bois abritant des devantures complètement délabrées. Sur la place, on trouvait un bureau de prêts pour caution, un café, un bazar bon marché et une boutique de barbier avec un drapeau confédéré, aujourd'hui tout écaillé à la peinture décollée, dessiné au-dessus de la porte. Les trottoirs surélevés étaient fissurés et affaissés, et les anneaux de fer scellés dans le béton laissaient couler des traînées de rouille jusqu'au ruisseau. Le bâtiment du palais de justice, la pelouse, le canon confédéré, le monument aux morts de la Première Guerre étaient plongés dans l'ombre épaisse que leur offraient les grands chênes qui culminaient au-dessus du premier étage. Je remontai l'allée du tribunal et passai à côté des bancs en fer forgé à volutes où des groupes de Noirs âgés, vêtus de salopettes ou de pantalons de coton, étaient installés, les yeux rivés au-delà des ombrages, fixant l'éclat frémissant de la lumière sur la rue.

Un adjoint noir m'accompagna par la porte de derrière du tribunal jusqu'à la salle de visite de la prison. Les barres aux fenêtres et le grillage métallique de la porte portaient les traces de couches de peinture blanche et jaune. La pièce n'était pas climatisée, il faisait chaud dans l'atmosphère confinée qui sentait l'huile répandue sur les vieux planchers et le jus de chique qu'on avait craché dans une boîte de sciure posée au coin. Un Blanc, prisonnier de confiance, vêtu de bleus de prison, fit descendre Jerry Falgout par un escalier métallique en spirale au fond d'un couloir sombre et l'accompagna jusqu'à la section des visites.

Il avait la lèvre inférieure violacée et enflée, et l'une de ses narines était croûtée de sang. Il ne cessait d'écarter la narine en question tout en reniflant comme s'il essayait de dégager des fosses nasales bouchées. Au coin de l'œil, il portait une longue éraflure rouge, comme un barbouillis de fard sale. L'homme de confiance remonta l'escalier, et l'adjoint verrouilla la porte sur nous. Jerry s'installa face à moi, les mains sans énergie sur la table de bois, les yeux maussades et douloureux lorsque son regard se plongea dans le mien. Je sentis l'odeur âcre et nauséabonde de la sueur qui avait séché sur lui.

— Qu'est-ce qui se passe là-bas en haut ? dis-je.

— C'est une prison de négros. Qu'est-ce que vous croyez ?

— Les gens que vous voliez, est-ce que c'était des Noirs ?

— J'ai pas volé personne, mec. Ch'suis venu ici rendre visite à des parents.

— Arrêtez de me prendre pour un con, Jerry .

— Allez, mec. Vous croyez que je vais aller voler quelqu'un, que j'vais voler des négros dans un lotissement d'aide sociale ? Y a une vieille dame qui s'est fait bousculer dans un escalier ou quelque chose comme ça. Elle était déjà sénile, maintenant elle se retrouve avec une fracture du crâne, et elle dit que c'est moi qui ai fait ça. Le gardien de nuit, c'est son neveu. Alors devinez un peu c'qu'il est allé raconter aux bougnoules du premier ?

— La situation n'est pas brillante, y a pas à dire.

— Ouais, vous êtes de tout cœur avec moi.

Je le regardai un moment avant de parler à nouveau.

— Il y a un moment que vous n'êtes pas passé sous la douche, Jerry.

Il détourna la tête, et une petite rougeur apparut sur la joue.

— On leur a dit que tu étais bon à sauter, collègue ? dis-je.

— Ecoutez, mec, j'ai essayé d'être correct. Ça ne faisait pas de différence, qu'y soient noirs ou pas. J'ai essayé de fabriquer un brûleur, vous voyez, un plat chauffant pour les mecs, qu'on puisse se réchauffer nos macaroni du souper. Puis y a ce grand salopard de Noir qui débarque en dégoulinant de partout après sa douche, il soulève la marmite, pieds nus sur le sol en béton. Ça lui a collé une telle décharge qu'on aurait dit que quelqu'un lui avait enfoncé un aiguillon à bestiaux dans le derrière. Alors il me rend responsable de ce qui lui est arrivé. D'abord, y commence à me lancer des saloperies dessus – les macaroni, les assiettes, les gobelets en fer-blanc. Puis il se met à ricaner et me dit qu'il a la pine rechargée à bloc. Il me dit qu'y va se payer un petit pucelage de Blanc la prochaine fois que je mets les pieds sous la douche. Et que les autres bougnoules me passeront dessus derrière lui.

Il avait le visage rouge, les yeux mouillés entre la fente des paupières.

J'allai jusqu'à un évier mural strié de traînées de rouille et remplis une tasse d'eau du robinet. Je posai la tasse devant lui et me rassis.

— Votre mère va-t-elle déposer la caution ? dis-je.

— Il faut qu'elle réunisse dix bâtons pour le mec qui avancera la caution. Elle a pas tout ce blé, mec.

— Et un emprunt garanti sur biens ?

— Elle a pas tout ça. Je vous l'ai dit.

Ses yeux évitèrent les miens.

— Je vois.

— Ecoutez, mec, j'ai tiré cinq ans à Angola. Je les ai tirés en compagnie de mecs capables de vous taillader la figure à coups de rasoir pour vingt dollars. J'ai vu faire cramer une balance dans sa cellule avec un cocktail Molotov. J'ai vu un môme se faire noyer dans la cuvette des toilettes parce qu'il refusait de tailler une pipe à un mec. Je vais pas me faire mettre sur la paille par une taule de négros dans un trou du cul de bled au fin fond de la cambrousse.

— Vous voulez sortir d'ici ?

— Ouais. Vous êtes copain avec Jesse Jackson ?

— Epargnez-moi votre baratin de dur à cuire, gardez ça pour une autre fois, Jerry. Voulez-vous sortir d'ici ?

— Qu'est-ce que vous croyez ?

— Vous avez volé du courrier, ce qui est un crime fédéral. Ils déposeront plainte contre vous un jour ou l'autre, mais je connais quelqu'un qui pourrait probablement accélérer la procédure. Nous vous mettrons sous contrôle fédéral, en préventive, et cet endroit-ci ne sera plus qu'un mauvais souvenir.

— Quand ?

— Peut-être cette semaine. Entre-temps, j'appellerai le FBI à Shreveport pour leur dire qu'il y a ici de graves violations des droits civiques. Cela devrait vous permettre d'être en cellule isolée jusqu'à votre transfert dans une prison fédérale.

— Qu'est-ce que vous voulez ?

— Victor Romero.

— Je vous ai dit tout ce que je savais sur le gars. Putain, mec, mais c'est de l'obsession chez vous.

— J'ai besoin d'un nom, Jerry. Quelqu'un qui peut le dénoncer.

— J'en ai pas. Je vous dis la vérité. J'ai aucune raison de couvrir ce gus.

— Je veux bien le croire. Mais vous êtes branché sur tout un tas de gens. Vous êtes au courant de beaucoup de choses. Vous vendez des renseignements. Si vous vous souvenez, vous nous avez vendus, Robin et moi, pour cent dollars.

Son regard se porta au-delà des barreaux vers les arbres ombreux de la pelouse. Il frotta le sang séché de sa narine d'un doigt replié.

— Je flotte sur un glaçon qui est en train de fondre dans la cuvette des toilettes, dit-il. Qu'est-ce que je peux vous dire ? J'ai rien à vous offrir. Vous avez perdu votre temps à venir jusqu'ici. Pourquoi vous ne demandez pas aux flics des Mœurs de vous aider ? ils croient tout savoir.

— Ils ont le même problème que moi. Un mec sans famille et sans petite amie, ça ne se trouve pas facilement.

— Attendez une minute. Qu'est-ce que vous voulez dire par sans famille ?

— C'est ce qu'ils disent au Premier District.

Je vis ses yeux s'éclairer à nouveau d'une lueur mesquine et la confiance y revenir.

— C'est pour ça qu'y z'attrapent jamais personne. Il a un cousin germain. Je connais pas le nom du gus, mais Romero l'a amené au bar y a six ou sept ans de ça. Le mec avait monté une arnaque qui faisait rire tout le monde dans le Quartier. Des gars avaient cambriolé Maison-Blanche[1] et emporté pour près de dix mille dollars de costumes Botany 500[2]. Bien sûr, le *Picayune*, il en parle, en long et en large. Alors le cousin de Romero met la main sur une cargaison de spécial Hong-Kong, vous voyez, des costards à vingt sacs qui partent en charpie et y reste plus que les fils la première fois qu'on les amène au pressing. Il arrête les mecs dans les affaires qui se baladent le long du Canal en leur disant : "J'ai un beau costume pour vous. Cent sacs. Et pas de marque. Voyez ce que je veux dire ?" On m'a dit qu'y s'était fait deux ou trois bâtons sur le dos de ces connards. Quand y z'ont découvert qu'y s'étaient fait enfler, c'était trop tard, impossible de faire quoi que ce soit.

1. Grand magasin de La Nouvelle-Orléans.
2. Marque d'une ligne de vêtements pour homme de qualité.

— Où se trouve-t-il maintenant ?

— Je ne sais pas. Je l'ai vu qu'une ou deux fois. C'est le genre de mec qui monte des coups seulement de temps en temps. Je crois qu'y tient une laverie ou quelq'chose dans ce goût-là.

— Une laverie ? où ça ?

— A La Nouvelle-Orléans.

— Allez, où ça, à La Nouvelle-Orléans ?

— Je ne sais pas, mec. Qu'est-ce que j'en ai à foutre d'une laverie ?

— Et vous êtes sûr que vous ne connaissez pas le nom du mec ?

— Bon Dieu, non. Je vous l'ai dit, c'était y a longtemps. J'ai été réglo avec vous. Vous allez renvoyer l'ascenseur ou pas ?

— Okay, Jerry. Je vais passer quelques coups de fil. Entre-temps, essayez de vous rappeler le nom du mec de la laverie.

— Ouais, ouais. Y faut toujours que vous entubiez les mecs plus qu'y ne faut, hein, pas vrai ?

J'allai jusqu'à la porte de fer et la secouai contre le jambage pour que l'adjoint me laisse sortir.

— Hé, Robicheaux, je n'ai pas de cigarettes. Que diriez-vous d'une cartouche de Lucky ? dit-il.

— D'accord.

— Mettez-y aussi un petit bout de papier avec le nombre de paquets qu'y a dans le carton. Ce taulard de confiance, il a l'habitude de se servir.

— C'est comme si tu l'avais, collègue.

L'adjoint me laissa sortir, et je retournai dans la zone ventée entre la prison et le palais de justice. Je sentais l'odeur des pins sur la pelouse, des hortensias en fleur contre un bout de mur ensoleillé, des hot dogs qu'un gamin noir vendait au coin de la rue dans une charrette. Je me retournai pour regarder Jerry derrière la fenêtre de la prison : il était assis seul à la table en bois, attendant que le prisonnier de confiance le ramène à l'étage, et son visage était aussi terne et inerte que le suif d'une chandelle.

10

J'attendis le lundi, jour où les commerces seraient ouverts, et allai à La Nouvelle-Orléans à la lumière rosée de l'aube ; je commençai par remonter l'avenue Saint-Charles et sa ligne de tramways à la recherche des laveries et des pressings. A une époque, La Nouvelle-Orléans était couverte de rails de tramway, mais aujourd'hui, seule la ligne St Charles reste encore en service. Elle suit Canal brièvement, puis St Charles sur toute sa longueur en traversant le Garden District, longe Loyola, Tulane et Audubon Park avant de remonter Carollton Sud et contourner Claiborne. Cette ligne particulière est restée en service, car son trajet suit ce qui est probablement l'une des plus belles avenues du monde. St Charles et l'esplanade qui court en son milieu sont sous le couvert d'une marquise de chênes monumentaux, encadrées par de vieilles demeures de brique aux fers forgés en volutes et des résidences d'avant la guerre civile aux porches à colonnes et aux jardins clôturés de grilles en fer de lance où se mêlent hibiscus, myrtes en fleur et lauriers-roses, bambous et philodendrons géants.

Les zones qui longent la ligne de tramways sont résidentielles pour la plupart, et il me suffisait de jeter un coup d'œil aux quelques quartiers commerçants pour essayer de trouver une laverie ou un pressing que pourrait diriger le cousin de Victor Romero.

Je n'en trouvai que quatre. L'une des boutiques était tenue par des Noirs, une autre par des Vietnamiens. La troisième était dirigée par un couple de Blancs sur Carollton, mais j'estimai qu'elle était trop à l'écart de la rue pour que j'aie pu y entendre la cloche du tramway en fond sonore du téléphone. Cependant, le quatrième magasin, à quelques blocs au sud-ouest de Lee Circle, se trouvait, lui, à courte distance de la voie, et il avait les portes ouvertes pour laisser évacuer la chaleur. A travers la grande vitrine, je vis un téléphone sur le comptoir de service avec, juste derrière, un Blanc qui rabaissait avec un bruit sourd une presse à repasser au milieu du sifflement des jets de vapeur.

La blanchisserie se trouvait en coin, avec une allée sur l'arrière et, près des poubelles, un escalier en bois qui conduisait à l'habitation proprement dite au premier étage. Je garai mon pick-up de l'autre côté de la rue sous un chêne, dans le parc de stationnement d'un petit café qui vendait crevettes grillées et gros riz brun en repas à emporter. La journée était chaude et languissante, et l'herbe de l'esplanade était encore humide de rosée sous les ombrages, l'écorce des palmiers portait les taches sombres de l'eau qui avait suinté des frondaisons pendant la nuit, et les rails du tramway paraissaient brûlants sous le soleil, comme polis au brunissoir. J'entrai au café, appelai le bureau de la mairie et découvris que la blanchisserie était au nom d'un certain Martinez. Ce qui ne m'aida en rien pour établir un lien entre les deux noms de famille, mis à part le fait que le gérant de la blanchisserie était de toute évidence de type latin. L'attente allait être longue.

J'ouvris les deux portières du camion pour laisser entrer la brise et je passai la matinée à surveiller la porte d'entrée, l'accès arrière et l'escalier de la blanchisserie. A midi, j'achetai crevettes et riz sur assiette en carton au café, et déjeunai dans la camionnette tandis qu'une averse soudaine noyait avec fracas et la rue et le chêne qui m'abritait.

Je n'ai jamais été doué pour les surveillances, en partie parce que je n'ai pas la patience nécessaire pour faire le travail. Mais plus important encore était le fait que mon propre esprit se changeait en mon pire ennemi au cours de toutes mes périodes de passivité ou d'inactivité dans l'existence, quelle que pût en être la durée. Les vieux griefs, les peurs, les meurtrissures toujours présentes de mes culpabilités et de mes noires dépressions refaisaient surface depuis l'inconscient, sans raison aucune, et venaient me grignoter les franges de l'âme comme autant de dents d'acier. Si je ne *faisais* pas quelque chose, si je ne me recentrais pas à l'extérieur de moi-même, c'était là des émotions qui se rendraient bientôt maîtresses de moi, aussi vite, aussi complètement que le faisait le whisky lorsqu'il se mettait à courir mes veines avant de me pénétrer le cœur comme une décharge d'électricité obscure.

J'observai la pluie qui gouttait des branches de chêne pour venir frapper le pare-brise et le capot de mon camion. Le ciel était toujours sombre, et des nuages noirs bas sur le ciel montaient du sud comme des panaches de fumées de canon. La mort d'Annie me hantait. Peu importaient ceux qui avaient fait feu au fusil dans notre chambre, peu importait celui qui avait commandé et réglé l'exécution, restait toujours ce fait irréductible que sa vie s'était payée du prix de ma fierté.

Il fallait maintenant que je m'interroge sur ce que j'avais réellement envisagé de faire au cas où je capturerais Victor Romero et apprendrais qu'il avait bien tué Annie. En esprit, je me voyais le plaquer au mur, bras et jambes en croix, lui écarter les jambes d'un coup de pied, arracher son pistolet de dessous sa chemise, menotter ses poignets si serrés que la peau se boursouflerait comme pâte au four, avant de le forcer à se plier en deux pour l'installer sur le siège arrière d'une voiture de police de La Nouvelle-Orléans.

Je voyais ces images parce qu'elles étaient celles que je savais devoir voir. Mais elles ne représentaient pas ce que je ressentais. Elles ne représentaient en rien tout ce que je pouvais ressentir.

Il cessa de pleuvoir aux environs de trois heures, puis, sous un soleil toujours brillant, une nouvelle averse tomba vers cinq heures, et le vert des arbres de l'avenue s'assombrit dans la douce lumière jaune. J'entrai au café et dînai avant de retourner au camion d'où j'observai la circulation se ralentir, la blanchisserie se fermer, les ombres s'allonger dans la rue, le ciel délavé se charger de rose et de bleu lavande avant de se zébrer de cramoisi au couchant. Les enseignes de néon s'allumèrent dans l'avenue en se réfléchissant dans les flaques d'eau des ruisseaux et de l'esplanade. Un Nègre qui tenait un stand de cireur de chaussures devant un magasin de spiritueux avait allumé une radio derrière la fenêtre et j'entendis la retransmission d'un match de base-ball à Fenway Park. La chaleur avait délaissé le jour, se levant petit à petit des rues de béton et de briques cuites, et je sentais maintenant la brise par les portières ouvertes du camion. Le gros tramway vert olive, aux fenêtres éclairées, passa avec fracas sous les arbres. Puis, juste comme le crépuscule faiblissait, une ampoule électrique s'alluma dans l'appartement au-dessus de la blanchisserie.

Cinq minutes plus tard, Victor Romero descendait les marches en bois de l'escalier. Il portait des treillis du corps des marines, une chemise hawaiienne imprimée de fleurs violettes et beaucoup trop grande pour lui, ainsi qu'un béret sur ses boucles noires. Il enjamba vivement les flaques dans l'allée briquetée et entra par la porte latérale dans une petite épicerie. Je sortis mon 45 de la boîte à gants, le fourrai dans ma ceinture, tirai ma chemise pour masquer la crosse et quittai le camion.

J'avais trois manières possibles de procéder, songeai-je. Je pouvais me le prendre à l'intérieur de la boutique, mais s'il était armé (et il devait l'être probablement pour porter la chemise flottant sur le pantalon), un innocent pourrait être blessé ou pris en otage. Je pouvais l'attendre à la sortie du magasin, et l'épingler dans l'allée, mais je perdrais alors de vue la porte d'entrée, et s'il ne retournait pas directement à l'appartement et décidait au contraire de sortir par la rue principale, je pourrais le perdre définitivement. La troisième solution était d'attendre dans l'obscurité, à l'abri du camion, les arêtes anguleuses du 45 pressées contre l'estomac, le cœur battant la chamade au creux du cou.

J'ouvris et refermai les mains, les essuyai sur mon pantalon, respirai profondément et lentement par la bouche. Puis la porte-moustiquaire s'ouvrit sur l'allée, et Romero sortit sous les néons, un sac de provisions sous le bras, et contempla la rue d'un air vide. Ses boucles noires tombaient sous le béret, et sa peau se colorait de violet à la lumière des néons réfléchie par les briques. Il remonta son ceinturon du pouce, regarda vers l'autre extrémité de l'allée, et sauta au-dessus d'une flaque. Ce faisant, il pressa la main au creux de ses reins. Je l'observai qui montait les escaliers avant de pénétrer dans l'appartement, refermer la moustiquaire et passer devant l'aérateur de fenêtre en se découpant en fragments de silhouette.

Je traversai la rue, m'arrêtai au bas des escaliers, tirai la culasse du 45 et fis monter une balle à tête creuse dans la chambre. Le pistolet était lourd et chaud au creux de ma main. A l'étage, j'entendais Romero qui sortait les provisions du sac, versait de l'eau du robinet dans une casserole au milieu d'un bruit de gamelles sur le fourneau. Je m'accrochai à la rampe pour un meilleur équilibre et montai doucement les marches deux par deux pendant que le tramway faisait crisser les rails sur St Charles. Je me pliai en deux sous la fenêtre en haut de l'escalier, avant de m'aplatir contre le mur entre la fenêtre et la porte-moustiquaire. L'ombre de Romero passait et repassait devant la moustiquaire. Les hirondelles planaient au-dessus des arbres de l'autre côté de la rue dans les dernières rougeurs du soleil.

J'entendis Romero placer quelque chose de lourd et métallique sur une table avant de repasser devant la moustiquaire pour se rendre dans une autre pièce. Je pris une profonde inspiration, ouvris brutalement la porte, et entrai pour la capture. Sous la lumière dure de l'ampoule, on nous aurait crus l'un et l'autre saisis brutalement sous l'éclair soudain d'un flash de photographe. Je vis les spaghetti encore raides qui sortaient d'une casserole d'eau bouillante sur le fourneau, une miche de pain français, un morceau de fromage et une bouteille sombre de chianti sur la paillasse de l'évier, un 45 de l'armée pareil au mien, sauf qu'il était chromé, là où il l'avait posé, sur la table. Je vis la furie et la peur animales sur son visage, alors qu'il s'immobilisait dans l'embrasure de la porte de chambre, la bouche serrée, les narines pincées frémissantes, le regard noir et brûlant fixé sur moi et sur le pistolet qu'il avait laissé hors d'atteinte.

— Tu es en état d'arrestation, salopard ! A terre, à plat ventre ! hurlai-je.

Mais j'aurais dû savoir (je le savais peut-être déjà) qu'un homme qui s'était nourri de serpents et d'insectes en rampant dans la savane armé d'un 03 Springfield jusqu'aux abords d'un village viêt-cong n'allait pas se laisser capturer par un flic de province assez stupide pour vouloir continuer la partie, malgré les pertes sévères que son camp venait de subir.

L'une de ses mains était posée sur le bord de la porte de chambre. Son regard se riva au mien, son visage se tordit l'espace d'une idée brève, puis son bras se tendit vers l'avant et me reclaqua la porte dans la figure. J'agrippai le bouton de porte, tournai, poussai et me lançai contre le bois de tout mon poids, mais le loquet à ressort s'était solidement verrouillé dans l'huisserie.

Je l'entendis alors ouvrir violemment un tiroir qui tomba au sol et, une seconde plus tard, j'entendis le déclic d'un coulissant, crissement de métal contre métal. Je fis un bond de côté et trébuchai sur un fauteuil, à l'instant précis où le fusil de chasse explosait, perçant un trou comme une assiette à dessert dans la porte. La chevrotine fit voler des esquilles de bois à travers toute la cuisine et nettoya la table de toutes ses provisions, comme après un coup de râteau, avant de carillonner en ricochets sur le fourneau et la marmite posée sur le brûleur. J'étais déséquilibré, à genoux, collé contre le mur près de l'huisserie, lorsqu'il lâcha deux autres coups sous des angles différents. Je le soupçonnai d'avoir scié les canons de l'arme parce que la décharge se déploya en arc comme une volée de grenaille ; elle déchiqueta le bois comme une tronçonneuse, fit voler la vaisselle et gicler l'eau de la marmite et expédia une grande bouteille de ketchup jusque sur le mur du fond où elle alla s'écraser.

Mais lorsqu'il éjecta la douille et fit feu à nouveau, je lui donnai moi aussi à réfléchir. Je restai contre le mur, tordis le poignet vers l'arrière tout contre le jambage de la porte et lâchai deux balles au ras de l'huisserie. Le recul me fit presque sauter l'arme des mains, mais une balle de 45 à pointe creuse tirée à travers un obstacle sur une cible située au-delà impressionne toujours l'individu qui se trouve être la cible.

— C'est fini pour toi, Romero. Jette ton arme. La rue sera pleine de flics dans trois minutes, dis-je.

Il faisait chaud dans la pièce, rien ne bougeait. L'air empestait la cordite et l'odeur de la marmite vide qui cuisait sur le fourneau. J'entendis le bruit des deux cartouches qu'il introduisit dans le chargeur du fusil, puis le grondement de ses pas en train de gravir des marches en bois. Je me plaçai rapidement face à la porte, le 45 à bout de bras, et je vidai le chargeur dans la chambre en visant le haut de la pièce. Je découpai dans le bois de la porte des trous qui ressemblaient à la bouche d'une lanterne de feu follet, et malgré les explosions de fumée, malgré les flammes, les esquilles et débris de bois qui volaient, j'entendis, je réussis même à voir les dégâts en cours à l'intérieur de la chambre : un miroir qui se fracassait au sol, une applique murale qui fouettait l'air, suspendue à son cordon, un tuyau d'eau éclaté dans le mur, une fenêtre qui dégringolait en morceaux dans la rue.

La culasse résonna à vide, et j'arrachai le chargeur vide de la poignée, enfournai un chargeur neuf, fis monter une balle dans le canon, et dégageai la porte déchiquetée de l'huisserie d'un coup de pied. Près du mur latéral, à l'abri de mon angle de tir, se trouvait un escalier escamotable qu'on descendait du plafond par une corde.

Je pointai mon 45 dans l'ouverture sombre du grenier, le sang rugissant à mes oreilles.

La pièce était tranquille. Il n'y avait aucun mouvement à l'étage. Des grains de poussière, des fibres de panneaux flottaient à la lumière de l'applique en céramique fracassée qui se balançait au bout de son cordon contre le mur. Au bout de la rue, j'entendis les sirènes.

J'avais toutes les raisons de croire qu'il était pris au piège – même si Victor Romero avait survécu au Viêtnam, s'il avait prospéré comme vendeur de drogue et maquereau, s'il était parvenu à s'échapper malgré une surveillance fédérale après avoir probablement tué les quatre personnes dans l'avion à Southwest Pass, même s'il était sorti intact de la Toyota que j'avais criblée de balles de 45 en réussissant selon toute vraisemblance à descendre Eddie Keats. Ce n'était pas un palmarès à ignorer.

Pour la première fois, je jetai un coup d'œil par une fenêtre latérale et vis à l'extérieur un toit plat recouvert de feutre bitumineux. On y voyait les bouches d'aération de la blanchisserie, une enseigne au néon illuminée, deux enclos couverts d'un toit avec deux petites portes qui devaient probablement abriter des ventilateurs d'aération, le sommet rouillé d'une échelle métallique qui descendait jusqu'au niveau de la rue.

C'est alors que je vis les planches au bord de l'entrée du grenier ployer sous son pied lorsqu'il se dirigea sans bruit vers le mur et probablement une fenêtre qui devait surplomber le toit. Je levai le 45 et attendis qu'une des planches se remît en place avant que les chants de la suivante ne vinssent se décaler du motif géométrique bien plan qui constituait le plafond. Je visai juste devant l'espace occupé par ses deux pieds et commençai à tirer. J'appuyai sur la gâchette à cinq reprises, délibérément, de façon calculée, gardant trois balles dans le chargeur. A chaque nouvelle balle tirée, je laissai le recul décaler la ligne de mire d'un cran vers l'arrière à partir du point de son pied d'attaque et de l'entrée de grenier.

Je crois qu'il a hurlé à un moment donné. Mais je n'en suis pas sûr. Je ne m'en souciais pas vraiment non plus. J'avais déjà entendu ce hurlement-là ; c'est le hurlement de l'échec absolu, plus précisément l'échec de tous les espoirs et la faillite de toute humanité. Vous l'entendez dans vos rêves ; il se rejoue toujours même lorsqu'ils meurent en silence.

Il tomba en arrière par la trappe du grenier et s'écrasa au sol près du pied de l'échelle. Il resta étendu sur le dos, une jambe repliée sous lui, les yeux chargés de lumière noire, la bouche en quête d'un peu d'air. Une balle lui avait sectionné trois doigts de la main droite. La main tremblait sur le plancher sous le choc, raclant le bois des jointures. Une profonde blessure lui creusait la poitrine, et le tissu humide de sa chemise voletait dans la plaie chaque fois qu'il essayait de respirer. Au-dehors, la rue était pleine de sirènes et de gyrophares rouges et bleus des véhicules d'urgence.

Il s'efforçait de dire quelque chose. Sa bouche s'ouvrit, sa voix eut comme un déclic à l'arrière de sa gorge, et sang et salive mêlés coulèrent sur sa joue jusqu'à ses boucles noires. Je m'agenouillai près de lui, ainsi qu'un prêtre aurait pu le faire, et tournai l'oreille contre son visage. Je sentis son odeur de sueur rassise, de gomina dans ses cheveux...

— L'ai descendue, dit-il d'un raclement de gorge.

— Je ne comprends pas.

Il essaya à nouveau, mais s'étouffa de salive. Je lui inclinai le visage sur le côté du bout des doigts pour que sa bouche se vide.

Ses lèvres étaient d'un rouge éclatant, dessinant un sourire humide de clown. Puis la voix s'échappa en un long murmure, l'haleine chargée de bile et de nicotine.

— J'ai descendu ta femme, enfoiré.

* * *

Deux minutes plus tard, il était mort, lorsque trois flics en uniforme franchirent la porte de l'appartement. Une balle l'avait touché dans le bas du dos, s'écrasant à l'impact, avant de se frayer un chemin à travers les chairs du torse et d'arracher un morceau de poumon. Le coroner me dit que la moelle épinière avait probablement été sectionnée et qu'il était déjà paralysé en s'effondrant au bas de l'échelle. Une fois que les infirmiers l'eurent chargé sur leur civière avant de l'emporter, il laissa sur le plancher des traînées sanguinolantes en forme d'épis de prêle.

Je passai la demi-heure qui suivit dans l'appartement à répondre aux questions que me posait un jeune lieutenant de la Criminelle du nom de Magelli. Il était fatigué, les vêtements chiffonnés chargés de transpiration, mais il se montra minutieux et ne bâcla pas son travail. Ses yeux marron donnaient l'impression d'être endormis et sans expression, mais lorsqu'il posait une question, son regard restait rivé au mien jusqu'à ce que le dernier mot de mes réponses soit sorti de ma bouche. Ce n'est qu'ensuite qu'il rédigeait ses notes sur son bloc-agrafes.

Finalement, il se mit une Lucky Strike entre les lèvres et regarda autour de lui tous les débris dans la cuisine et les trous de chevrotines aux murs. Une goutte de transpiration tomba de ses cheveux et vint mouiller le papier de la cigarette.

— Vous dites que ce mec a travaillé pour Bubba Rocque ?

— A une époque, en effet.

— Je regrette qu'il ne se soit pas fait assez de blé pour se payer un climatiseur.

— Bubba a le don pour larguer les gens aux oubliettes quand ils ne servent plus.

— Bon. Disons que vous pourriez éventuellement avoir quelques ennuis sur un problème de juridiction et aussi parce que vous ne nous avez pas appelés quand vous avez repéré le mec, mais je ne pense pas que ça ira chercher bien loin. Personne n'ira pleurer sa mort. Passez au district et faites une déposition, et vous serez libre de partir. Est-ce qu'il y a quelque chose dans ce bazar qui peut vous aider ?

Dans l'autre pièce, le lit était couvert de pièces et de preuves matérielles sous sachets plastique – vêtements et objets personnels que le technicien du labo avait récupérés dans le grenier, la cuisine, le plancher de la chambre, les commodes et les placards : costumes en polyester, chemises criardes, et mouchoirs de soie de couleur ; le 45 chromé que Romero avait probablement utilisé pour tuer Eddie Keats ; un calibre 12 Remington aux canons sciés au ras de la pompe, à crosse de noyer raccourcie, effilée et poncée, pour lui donner quasiment la taille d'une crosse d'arme de poing ; les douilles éjectées ; une briquette entière de marijuana de première qualité ; une paille de verre qui portait encore des traces de cocaïne ; un stylet italien capable de trancher le papier aussi facilement qu'une lame à rasoir ; une boîte à cigares pleine de photographies pornographiques ; un fusil 30.06 – chargement par levier avec lunette de visée ; une photo de Romero et deux autres marines en compagnie de trois Vietnamiennes dans une boîte de nuit ; et finalement, un sachet plastique d'oreilles humaines, aujourd'hui flétries et noires, enfilées sur une chaînette de G. I. avec plaque d'identité.

On s'était servi de sa vie pour labourer un jardin de fleurs sombres et vénéneuses. Mais parmi tous ses souvenirs de cruauté et de mort, il n'y avait pas le moindre bout de papier ou morceau de preuve qui aurait pu le rattacher à quiconque au-delà des murs de cet appartement.

— Ça ressemble à un cul-de-sac, dis-je. J'aurais mieux fait de vous appeler en force.

— Ç'aurait pu finir de la même manière, Robicheaux. Sauf que certains de nos hommes auraient peut-être pu souffrir dans l'histoire. Ecoutez, s'il était passé sur ce toit, il serait au Mississippi à l'heure qu'il est. Vous avez fait ce qu'il fallait faire.

— Quand allez-vous arrêter son cousin ?

— Probablement dans la matinée.

— Allez-vous l'inculper de recel de criminel en fuite ?

— C'est ce que je lui dirai, mais je ne crois pas pouvoir faire tenir l'inculpation. Ne vous en faites pas. Vous en avez assez fait pour une nuit. D'une manière ou d'une autre, toutes ces merdes finissent par se régler. Comment vous sentez-vous ?

— Très bien.

— Je ne vous crois pas, mais ce n'est pas grave, dit-il en remettant sa cigarette non entamée et tachée de sueur dans sa pochette. Puis-je vous offrir un verre un peu plus tard ?

— Non, merci.

— Bon, très bien. En ce cas, nous allons mettre les scellés, et vous pourrez nous suivre jusqu'au district.

Il me sourit de ses yeux marron endormis.

— Qu'est-ce que vous regardez ?

La table de petit déjeuner était d'un modèle ancien, ronde avec plateau en caoutchouc dur. Parmi les traces des boîtes de conserve que les décharges de fusil de Romero avaient balayées de la table, on apercevait des marques circulaires séchées qui ressemblaient à ce qui resterait de verres ou de tasses qu'on aurait posés là. Sauf que l'un des anneaux était beaucoup plus grand que l'autre et que tous deux étaient situés du même côté de la table. Les anneaux étaient gris et croûteux sous mes doigts.

— Il se passe quoi, là ? dit-il.

Je mouillai le bout du doigt, essuyai un peu de ce qui marquait la table et le posai sur le bout de la langue.

— Quel goût y trouvez-vous ?

— Vous plaisantez ? Un mec qui faisait collection d'oreilles humaines ! Je ne voudrais pas boire l'eau de son robinet.

— Allons, c'est important.

Je mouillai le doigt et répétai le geste. Il haussa les sourcils et toucha du bout du doigt un des anneaux gris avant de le lécher.

— Jus de citron ou de citron vert, ou quelque chose comme ça, dit-il. Est-ce que c'est comme ça que vous procédez, vous, les mecs des paroisses ? Rappelez-moi d'acheter de la Listerine[1] en repartant.

Il attendit. Comme je ne disais rien, son attention s'aiguisa.

— Qu'est-ce que ça veut dire ? dit-il.

— Rien, probablement.

— Oh ! non, on ne joue pas de cette manière-là par ici, mon ami. La règle du jeu, c'est montre-et-raconte.

— Ça ne veut rien dire du tout. Ce soir, j'ai tout foiré.

Il ressortit la cigarette de sa poche et l'alluma. Il souffla sa fumée et me lança d'un doigt en l'air.

— Vous me donnez mauvaise impression, Robicheaux. Qui a-t-il avoué avoir tué avant de mourir ?

— Une fille, à New Iberia.

— Vous la connaissiez ?

— La ville est petite.

— Vous la connaissiez personnellement ?

— Oui.

Il se mordit la commissure des lèvres et me regarda de ses yeux voilés.

— Ne me faites pas réviser mon jugement sur vous, dit-il. Je crois que vous avez besoin de rentrer à New Iberia ce soir. Et peut-être bien d'y rester, jusqu'à ce que nous vous appelions. De toute manière, La Nouvelle-Orléans, c'est moche l'été. Nous nous sommes bien fait comprendre ?

— Absolument.

— C'est bien. J'aime la simplicité dans le travail. De la clarté dans l'expression, pourrait-on dire.

Il resta silencieux, m'étudiant du regard sous la lumière de la cuisine. Son visage se radoucit.

— Oubliez ce que j'ai dit. On dirait que vous avez cent ans, à vous voir, dit-il. Trouvez-vous un motel pour ce soir pour y passer la nuit, et faites votre déposition dans la matinée.

— Très bien. Je ferais bien de partir. Merci pour votre courtoisie, dis-je.

1. Désinfectant pour bains de bouche.

Je sortis dans l'obscurité, sous les rafales de vent qui soufflait au-dessus du sommet des chênes. Le ciel de nuit était chargé d'éclairs de chaleur, comme les embrasements d'un tir d'artillerie au-delà du lointain horizon.

* * *

Trois heures plus tard, j'étais à mi-chemin du bassin de l'Atchafalaya. Les yeux me brûlaient de fatigue, et la ligne centrale de la route me donnait l'impression de dériver avant de réapparaître sous mon pneu avant gauche. Lorsque je traversai en grondant le pont métallique qui franchissait la rivière Atchafalaya, le camion me parut flotter dans les airs.

Mon organisme brûlait du désir d'alcool : quatre bons doigts de Jim Beam cul sec, avec une Jax dégoulinante de fraîcheur pour faire passer, un assaut violent de liquide d'or et d'ambre qui pourrait me faire l'âme plus légère des heures durant en me donnant même l'illusion que le serpentarium était fermé à jamais. De chaque côté de la route s'étiraient canaux et bayous, criques ridées par le vent et îlots de saules et de cyprès gris presque lumineux au clair de lune. Dans le vent et le bourdonnement des pneus et du moteur du camion, je crus entendre John Fogarty[1] chanter.

Don't come 'round tonight,	*Ne passe pas ce soir par ici,*
It's bound to take your life,	*Tu risques d'y laisser ta vie,*
A bad moon's on the rise.	*La lune qui se lève est mauvaise*
I hear hurricanes a-blowing,	*J'entends le souffle des ouragans,*
I know the end is coming soon.	*Je sais que la fin est proche.*
I feel the river overflowing,	*Je sens la rivière qui déborde,*
I can hear the voice of rage	*J'entends les voix de la furie*
and ruin	*et de la ruine.*

1. Ancien soliste du groupe de rock 'n' roll Creedence Clearwater Revival.

Je m'arrêtai à un relais routier où j'achetai deux hamburgers et une pinte de café pour poursuivre mon chemin. Mais en reprenant la route, le pain et la viande eurent goût de confetti dans ma bouche, aussi secs et aussi insipides, et je replaçai les hamburgers dans le sachet taché de graisse avant de boire le café avec l'énergie tout en nerfs de l'homme qui avale sa tasse de whisky aux premières lueurs du matin.

Romero était le mal incarné. Je n'avais aucun doute à ce sujet. Mais j'avais déjà tué, à la guerre, comme membre des services de police de La Nouvelle-Orléans, et je savais ce que cela fait à un homme. Pareil au chasseur, on se sent une poussée d'adrénaline et de plaisir mêlés à avoir usurpé le domaine de Dieu. Celui qui dit le contraire est un menteur. Mais la réaction émotionnelle qui se forme par la suite varie selon les individus. Certains vont conserver leur remords à vif et le nourrir comme gargouille vivante afin de se confirmer eux-mêmes dans leur humanité propre ; d'autres la justifieront au nom de causes multiples par centaines, et à ces moments où leur apparaîtront leur propre médiocrité, leur sentiment d'insuffisance et d'échec, ils retourneront en mémoire pour venir frôler à nouveau ces formes flamboyantes qui avaient fait de leur vie amoindrie, d'une certaine manière, quelque chose d'historiquement significatif.

Mais j'avais toujours eu peur pour moi-même d'une conséquence bien plus grave. Un jour vient où une lumière bizarre meurt dans le regard. L'endroit pur et sans tache où Dieu a jadis agrippé notre âme se salit à jamais. Un oiseau niché au fond du cœur prend son envol à tire-d'aile et ne revient plus jamais.

Je fis alors une chose purement intéressée qui pouvait passer pour un acte de charité. Je quittai la voie sur digue pour me ranger sur une aire de repos avant d'aller aux toilettes, et je vis un Nègre âgé sous l'un des abris à pique-nique. Bien que la nuit d'été fût douce, il était vêtu d'un vieux veston et portait un feutre. A ses pieds était posée une vieille valise en carton desséché fermée d'une ficelle, avec, peints sur un des côtés, les mots *The Great Speckled Bird* – Le Grand Oiseau Tacheté. Pour une raison inconnue, il avait allumé un feu de brindilles sous le gril vide du barbecue et fixait au lointain la pluie fine qui avait commencé à tomber sur la baie.

— Avez-vous mangé ce soir, collègue ? demandai-je.

— Non, m'sieur, dit-il.

Il avait le visage couvert de fines nervures marron, comme une feuille de tabac.

— Je crois bien que j'ai juste ce qu'il nous faut, dis-je en sortant mon hamburger entamé et celui qui était intact du camion, avant de les réchauffer au bord du gril. Je nous trouvai également deux boîtes de Dr Pepper tièdes dans ma boîte à outils.

La pluie tombait à l'oblique à la lumière des flammes. Le vieil homme mangea sans parler. De temps à autre, son regard se portait sur moi.

— Où allez-vous ? dis-je.

— Lafayette. Ou Lake Charles. Je pourrais bien aussi aller à Beaumont.

Ses quelques dents étaient longues et violacées par les caries.

— Je peux vous emmener à l'Armée du Salut à Lafayette.

— Je n'aime pas bien l'endroit.

— Il pourrait faire orage cette nuit. Vous ne voulez quand même pas rester dehors sous la foudre au milieu de l'orage, pas vrai ?

— Pourquoi vous faites ça ?

Les yeux étaient rouges, les nervures du visage aussi imbriquées que les fils d'une toile d'araignée.

— Je ne peux pas vous laisser ici en pleine nuit. Ce n'est pas bon pour vous. Il arrive qu'on fasse de mauvaises rencontres la nuit.

Il émit un bruit comme si une grande lassitude de philosophe venait de s'échapper de ses poumons.

— Je veux rien avoir à faire avec les gens d'cette sorte. Non, m'sieur, dit-il, et il me permit de lui prendre sa valise avant de le conduire jusqu'au camion.

Il commença à pleuvoir à verse aux abords de Lafayette. Les champs de canne à sucre étaient verts et battaient sous le vent, les chênes bordant la route tremblaient de blancheur aux lueurs des éclairs qui explosaient sur l'horizon. Le vieil homme s'endormit contre la portière, et je me retrouvai seul sous la pluie qui tambourinait sur la cabine, au milieu des odeurs de soufre de l'air qui m'arrivait par les ouïes de ventilation, des odeurs de soufre qui avaient l'âcreté de la cordite.

* * *

Lorsque je m'éveillai le lendemain matin, la maison était fraîche grâce aux aérateurs des fenêtres, et la lumière du soleil dans les pacaniers au-dehors ressemblait à de la fumée. J'allai pieds nus en caleçon jusqu'à la salle de bains avant de me diriger vers la cuisine pour y préparer le café. Robin ouvrit sa porte, en pyjama, et me fit signe de la rejoindre dans sa chambre, d'un signe des doigts. Je continuai à dormir sur le canapé et elle dans la chambre du fond, en partie à cause d'Alafair et peut-être aussi en partie à cause d'une malhonnêteté fondamentale de ma part quant à la nature de nos rapports. Elle se mordilla la lèvre d'un air paisible avec un sourire de conspiratrice.

Je m'assis sur le rebord du lit avec elle et regardai l'arrière-cour par la fenêtre. Elle était ombrée de bleu et dégoulinait de rosée. Robin mit les mains sur mon cou et mon visage avant de les faire glisser dans mon dos et sur ma poitrine.

— Tu es rentré tard, dit-elle.

— Il a fallu que j'emmène un vieux à la Sally[1] à Lafayette.

1. Surnom donné à l'Armée du Salut.

Elle m'embrassa l'épaule et me caressa la poitrine. Son corps était encore chaud de sommeil.

— On dirait que quelqu'un n'a pas trop bien dormi cette nuit, dit-elle.

— On le dirait.

— Je connais un bon moyen de se réveiller au matin, dit-elle en me touchant de sa main.

Elle me sentit sursauter malgré moi.

— Tu as ta ceinture de chasteté ce matin ? dit-elle. De nouveaux scrupules au sujet de maman ?

— J'ai descendu Victor Romero la nuit dernière.

Je sentis son corps se raidir et elle ne dit rien. Puis elle avança d'une voix chuchotée .

— Tu as tué Victor Romero ?

— Il l'a cherché.

Elle se tut à nouveau. C'était peut-être quelqu'un de dur, élevé à la dure dans un logement de l'action sociale, mais elle n'était pas différente des autres dans ses réactions, tout près de quelqu'un qui venait de tuer un autre être humain.

— Ça va de pair avec ce putain de métier, Robin.

— Je sais cela. Je n'étais pas en train de te juger.

Elle posa une main dans mon dos.

Je regardai le jardin par la fenêtre, les mains sur les genoux. La table de pique-nique en bois de séquoia était sombre à cause de l'humidité.

— Tu veux que je te prépare un petit déjeuner ? dit-elle finalement.

— Pas maintenant.

— Je vais faire griller du pain à la poêle, comme tu l'aimes.

— Je ne veux rien manger pour l'instant.

Elle passa les bras autour de moi et me serra contre elle. Je sentais sa joue et ses cheveux sur mon épaule.

— Est-ce que tu m'aimes, Dave ? dit-elle.

Je ne répondis pas.

— Allez, Belle-Mèche. Franchement et sans détours. Est-ce que tu m'aimes ?

— Oui.

— Non. Tu ne m'aimes pas. Tu aimes certaines choses de moi. C'est la différence. C'est une grosse différence.

— Je ne suis vraiment pas en état de jouer avec ça aujourd'hui, Robin.

— Ce que je suis en train de te dire, c'est que je comprends et je ne me plains pas. Tu as été honnête et gentil avec moi quand personne d'autre ne l'était. Tu sais ce que ça a signifié pour moi, que tu m'emmènes à la messe de minuit cette fois-là, à la cathédrale ? Jamais encore un homme ne m'avait traitée avec autant de respect. Maman a cru qu'elle avait enfilé les pantoufles de vair de Cendrillon ce soir-là.

Elle me prit la main dans les siennes et l'embrassa. Puis, presque dans un murmure, elle dit :

— Je serai toujours ton amie. N'importe où, n'importe quand, pour n'importe quoi.

Je remontai la main dans son dos, sous la veste de pyjama, et l'embrassai au coin de l'œil. Puis je l'attirai tout contre moi, sentis son souffle sur ma poitrine avec ses doigts sur mes cuisses et mon ventre, et je m'étendis à côté d'elle et regardai ses yeux, la douceur de sa peau hâlée, cette façon qu'elle avait d'entrouvrir les lèvres lorsque je les touchais ; puis elle se pressa avec violence contre moi pendant un bref instant, et enleva son pyjama. Elle s'assit à côté de moi, se pencha sur mon visage et m'embrassa, avec aux lèvres un sourire comme si elle avait devant elle un tout petit garçon. J'ôtai mon caleçon, et elle s'assit sur moi en fermant les yeux, la bouche entrouverte, silencieuse, lorsqu'elle me guida en elle. Elle mit les mains dans mes cheveux et m'embrassa l'oreille avant de s'étirer contre mon corps en nichant ses deux pieds à l'intérieur de mes mollets.

Un moment plus tard, elle me sentit me raidir en essayant de me retenir avant de m'abandonner à ce vieux désir de mâle qui ne souhaite simplement que d'arriver à l'aboutissement de cette explosion de plénitude et d'accomplissement, que l'autre y eût sa part ou non.

Mais elle se redressa sur les bras et les jambes et me sourit et ne cessa jamais ses mouvements, et lorsque je me sentis faiblir en elle, le front chargé d'une explosion soudaine de sueur, lorsque je sentis les reins me brûler comme une flamme à la périphérie du cercle qu'elle vient de percer dans le papier, elle se pencha à nouveau tout contre ma poitrine et m'embrassa, sur la bouche, sur le cou, en frayant à ses mains un passage sous mon dos comme si une part de moi eût pu lui échapper à cet instant final où le cœur se tord et se déchire.

Un peu plus tard, nous étions allongés au-dessus des draps sous le ventilateur, pendant que la lumière du soleil se faisait plus brillante dans les branches à l'extérieur. Elle se tourna sur le côté et regarda mon profil avant d'enlacer mes doigts aux siens.

— Dave, je ne crois pas que tu devrais t'en faire à ce point, dit-elle. Tu as essayé de l'arrêter, et il a essayé de te tuer à cause de ça.

Je regardai les ombres des pales de bois du ventilateur qui tournoyait au plafond.

— Ecoute, je sais que les flics de La Nouvelle-Orléans auraient simplement tué ce gars-là sans lui offrir la moindre chance. Ensuite, ils lui auraient collé une arme dans la main. Ils ont un nom pour ça. Comment l'appellent-ils déjà ?

— Un “chuté” ou un “lancer”.

— Tu n'es pas ce genre de flic-là. Tu es un homme bon. Pourquoi veux-tu continuer à porter toute cette culpabilité ?

— Tu ne comprends pas, Robin. Je crois que je vais peut-être refaire la même chose.

* * *

Plus tard, j'appelai le bureau pour signaler que je ne viendrais pas de la journée, puis j'enfilai short de cross et chaussures, soulevai des haltères sous le mimosa de l'arrière-cour et courus cinq kilomètres sur la route du bayou. Des panaches de brouillard s'accrochaient encore aux genoux des cyprès. J'entrai au bazar des quatre-coins, bâtisse en bois à la peinture disparue, où je bus un carton de jus d'orange en bavardant en français avec le propriétaire du magasin, un vieil homme, avant de revenir à la course le long de la route sous le soleil qui montait dans le ciel pendant que les libellules plongeaient et planaient au-dessus des typhas.

Lorsque je franchis la porte-moustiquaire de l'entrée, j'avais chaud et je dégoulinais de sueur, lorsque j'aperçus la porte de notre chambre, à Annie et à moi, ouverte, cadenas ouvert et patte descellée de l'huisserie dont les éclats de bois déchiré ressemblaient à une incision dentaire aux pourtours déchiquetés. Le soleil coulait à flots dans la chambre au travers des fenêtres, et Robin, à quatre pattes, vêtue d'un bain de soleil blanc et d'un blue-jean coupé court, trempait une brosse en chiendent dans un seau d'eau savonneuse et frottait le grain du plancher de cyprès. Les murs marqués de chevrotine et la tête du lit étaient humides et luisaient à la lumière, et à côté d'une bouteille d'eau de Javel posée au soleil, j'aperçus un deuxième seau plein de chiffons détrempés où l'eau et les chiffons avaient la couleur de la rouille.

— Qu'est-ce que tu fais ? dis-je.

Elle me regarda avant de continuer à frotter le plancher sans répondre. Les soies raides de la brosse résonnaient sur le bois comme du papier de verre. Les muscles de son dos hâlé roulaient à chaque geste.

— Nom de Dieu, Robin. Qui t'a donné le droit, bordel de merde, d'entrer dans ma chambre ?

— Je n'ai pas pu trouver tes clés, alors j'ai fait sauter la serrure avec un tournevis. Je suis désolée pour les dégâts.

— Fous-moi le camp de cette chambre.

Elle s'arrêta et s'assit sur les talons. Ses genoux étaient creusés de marques blanches. Elle s'essuya la transpiration du front du revers du poignet.

— Est-ce ici l'église où tu viens souffrir chaque jour ? dit-elle.

— Ce que c'est, ce ne sont pas tes oignons. Ça ne fait pas partie de ta vie.

— Alors, dis-moi de sortir de ta vie. Dis-le et je m'en irai.

— Je te demande de quitter cette chambre.

— J'ai du mal à comprendre ton attitude, Belle-Mèche. Tu te promènes avec ta culpabilité comme un grand filet que tu aurais sur la tête. T'as jamais connu de mecs qui passaient leur vie à se ramasser des chaudes-pisses ? ils ne sont jamais contents jusqu'à ce qu'une nana leur refile une belle coulante qui suinte. C'est ça le genre de numéro que tu te réserves ?

La sueur dégoulinait de mes mains sur le sol. Je respirai lentement et remontai mes cheveux trempés sur le dessus de la tête.

— Je suis désolé de m'être montré irrévérencieux à ton égard. Je suis sincèrement désolé. Mais viens dehors maintenant, dis-je.

Elle trempa sa brosse dans le seau une nouvelle fois et se mit en demeure d'agrandir le cercle déjà frotté sur le plancher.

— Robin ? dis-je.

Elle concentra son regard sur les coups de brosse sur le bois.

— Ceci est ma maison, Robin.

Je fis un pas vers elle.

— Je te parle, fillette. Finis les actes gratuits, dis-je.

Elle s'assit sur les talons et laissa tomber la brosse dans l'eau.

— J'ai terminé, dit-elle. Tu veux rester là à te lamenter ou bien me donner un coup de main pour sortir ces seaux ?

— Tu n'avais pas le droit de faire ça. Ton geste partait d'un bon fond, mais tu n'avais pas le droit.

— Pourquoi ne montres-tu pas un peu de respect à ta femme en arrêtant de te servir d'elle ? Si tu veux t'enivrer, vas-y, fais-le. Si tu veux tuer quelqu'un, fais-le aussi. Mais au moins, aie le courage de le faire de toi-même, sans toutes ces conneries de remords. Ça me fout le bourdon, Dave.

Elle souleva un des seaux à deux mains pour éviter de le renverser, et passa à côté de moi pour sortir. Ses pieds nus laissaient des empreintes humides sur le plancher de cyprès. Je restai là, debout, seul dans la chambre, au milieu des tourbillons de la poussière dans les rayons de soleil à travers les fenêtres. Puis je la vis qui traversait l'arrière-cour avec le seau, en se dirigeant vers la mare.

— Attends ! criai-je par la fenêtre.

Je rassemblai les chiffons souillés par terre, les mis dans l'autre seau et la suivis à l'extérieur. Je m'arrêtai près de l'abri en aluminium où je gardais ma tondeuse et mes outils, sortis une bêche et descendis jusqu'au petit parterre de fleurs que Batist et sa femme avaient planté près d'un ruisseau peu profond qui traversait ma propriété. La terre du jardinet était légère et détrempée par les eaux du ruisseau qui débordait, partiellement ombragée par les bananiers, afin que les géraniums et les impatiens ne brûlent pas à la chaleur de l'été ; mais le côté extérieur était en plein soleil, pâquerettes et myrtes y poussaient à foison.

Ce n'était pas les coquelicots ni les lupins qu'aurait mérités une fille du Kansas, mais je savais qu'elle comprendrait. J'enfonçai la bêche dans le sol humide et dégageai un trou profond parmi les racines de pâquerettes ; je déversai les deux seaux de savon, d'eau et de récurant chimique dans la terre et mis la brosse et les chiffons dans le trou avant d'y ajouter par-dessus les seaux que j'écrasai du pied pour les aplatir, pour finalement recouvrir le trou d'un tas de terre mouillée mêlé d'un fouillis de pâquerettes et de coquelicots sectionnés. Je déroulai le tuyau d'arrosage accroché sur le côté de la maison et noyai le monticule jusqu'à ce qu'il soit aussi luisant et lisse que le sol alentour, entraînant sous le flot d'eau les produits chimiques sous le système racinaire du parterre.

C'était là le genre de comportement auquel on ne réfléchit pas, qu'on ne se soucie même pas d'expliquer par la suite. Je nettoyai la bêche sous le jet, la replaçai dans l'abri de jardin et retournai à la cuisine sans adresser la parole à Robin. Puis je pris une douche, enfilai un pantalon de coton kaki propre et une chemise de toile bleue, et lus le journal à la table de séquoia sous le mimosa. J'entendais Robin qui préparait le déjeuner dans la cuisine et Alafair qui lui parlait dans un mélange d'espagnol et d'anglais. Puis Robin m'apporta un plateau avec sandwich jambon et oignons et verre de thé glacé. Je ne levai pas les yeux lorsqu'elle le posa sur la table. Elle resta debout près de moi, sa cuisse nue à un centimètre de mon bras, puis je sentis sa main venir me frôler l'épaule, toucher mon col moite du doigt et agacer les boucles de cheveux dans mon cou.

— Je serai toujours ta première fan, Robicheaux, dit-elle.

Je passai le bras autour de son derrière moelleux et la serrai contre moi en fermant les yeux.

Plus tard dans l'après-midi, Minos Dautrieve apparut à ma porte, vêtu d'un blue-jean, de chaussures de tennis sans chaussettes et d'une chemise dorée mouchetée de couleur. Une canne à pêche dépassait de la portière passager de la Jeep Toyota garée devant la maison.

— J'ai entendu dire que vous saviez où se cachaient tous les gros bars, dit-il.

— Ça m'arrive.

— Il me reste un peu de poulet frit, de la bière Dixie et de la limonade dans la glacière. Allez, on y va, on prend la route.

— Nous pensions aller aux courses ce soir.

— Je vous ramènerai tôt. Bougez-vous le train, garçon.

— Vous avez vraiment l'art de vous y prendre, Minos.

Nous accrochâmes ma remorque et l'un de mes bateaux à l'arrière de sa Jeep et parcourûmes quarante kilomètres jusqu'à la digue qui barre les limites sud-ouest du marais d'Atchafalaya. Le vent était tombé, l'eau était paisible, les insectes commençaient seulement à se lever des roseaux et des nénuphars à l'ombre des îlots de saules. Nous traversâmes une longue baie parsemée de cyprès morts et de plates-formes pétrolières avant de remonter un bayou pour nous enfoncer dans le marais, jusqu'à ce que je coupe le moteur et laisse le bateau dériver paisiblement jusqu'à l'embouchure d'une petite crique qui se terminait par un canal étroit à l'autre extrémité. Je ne connaissais toujours pas les intentions de Minos.

— Une journée chaude comme aujourd'hui, ils s'enfoncent dans les trous sur le côté ombragé des îlots, dis-je. Et juste avant le crépuscule, ils avancent jusqu'en bordure du canal et chassent à l'endroit où l'eau suit la courbe de la rive.

— Sans blagues ? dit-il.

— Vous avez un Rapala[1] ?

— Ça se pourrait bien.

Il ouvrit sa boîte à leurres, trois étages de casiers en tout, tous remplis de vers en caoutchouc, cuillères tournoyantes, mouches flottantes, buldos et insectes de surface.

— A quoi ça ressemble ?

— Vous ne savez pas quoi, Minos ? j'ai cessé de jouer au faire-valoir pour les agents du gouvernement lorsque j'ai démissionné des services de police de La Nouvelle-Orléans.

Il engagea un Devil Horse – le Cheval du Diable – sur son émerillon et le balança avec précision d'un fouetté de poignet de l'autre côté du canal, en pleine eau à découvert. Puis il ramena la ligne au moulinet à travers le canal jusqu'à la crique, avant de lancer à nouveau. Au troisième lancer, je vis la surface paisible de l'eau se gonfler sous les nénuphars, puis la nageoire dorsale d'une perche à grande bouche rouler comme un serpent devant le

1. Marque et nom de leurre imitant un poisson.

leurre, les écailles martelées de lumière vert et doré, avant que l'eau n'explose lorsque les mâchoires se verrouillèrent sur la cuillère et que Minos ferra d'un coup sec pour planter l'hameçon triple dans la gueule du poisson. La perche plongea à la recherche d'un trou dans les roseaux, troublant l'eau d'un nuage de boue, mais Minos garda la pointe de la canne en l'air, bannière tendue, et fit revenir le poisson au milieu de la crique. Puis la perche bondit en l'air dans une gerbe d'eau, tirant sur le leurre en pivotant sur elle-même avant de retomber sur le flanc au milieu des éclaboussures, pareille à une planche qui fouetterait la surface de l'eau, et de replonger à nouveau pour tenter de regagner le canal et la pleine eau.

— Remontez-la en surface, dis-je.

— Elle va s'arracher l'hameçon de la gueule.

Je commençai à dire quelque chose lorsque je vis la ligne s'immobiliser et trembler contre le courant, le filament tendu luisant de minuscules perles d'eau. Lorsque Minos essaya de tourner la poignée du moulinet, la canne plongea sur le côté. Je remis l'épuisette que je tenais à la main sous le siège de la barque. Soudain, la canne se redressa d'une secousse, bien droite tout à coup et sans vie dans la main de Minos, le Nylon cassé flottant en boucle à la surface de l'eau.

— Fils de pute, dit-il.

— J'ai oublié de vous dire qu'il y a tout un paquet de genoux de cyprès au fond de cette crique. Ne le prenez pas mal, quand même. Cette même perche a toute une collection de mes cuillères.

Il ne dit rien pendant presque cinq minutes. Il but une bière Dixie, remit la bouteille vide dans la glacière avant d'en ouvrir une seconde et d'allumer un cigare.

— Vous voulez du poulet ? dit-il.

— Je veux bien. Mais il se fait tard, Minos. Je veux toujours aller aux courses ce soir.

— Je vous retarde ?

Je rassemblais les différents brins de ma canne à mouche Fenwick avant d'attacher une ligne avec mouche noire, yeux rouges et plumage jaune au brin le plus effilé. J'accrochai l'hameçon dans la poignée de liège et lui tendis la canne.

— Ce leurre, c'est un vrai tueur pour les perches, dis-je. Nous allons aller à découvert et lancer en direction de la rive, ensuite, il faut que je reprenne la route.

Je sortis les trente centimètres de rail de chemin de fer que j'utilisais comme ancre, laissai le moteur en position levée à la poupe et pagayai au travers du canal pour nous amener à la crique plus dégagée. L'air était violacé, le ciel couvert d'hirondelles, le vent s'était levé et repoussait de son souffle les insectes vers les arbres inondés, ce qui expliquait que les brèmes, les poissons-lune et les perches chassaient maintenant dans les profondeurs des ombrages. Le ciel d'ouest était couleur d'orange brûlée, les grues et les hérons bleus étaient sur les hauts-fonds, au sommet des bancs de sable et des îlots de typhas. Minos laissa tomber son cigare qui siffla au contact de l'eau, prit son élan d'un huit au-dessus de la tête et fit atterrir sa mouche juste à la lisière des nénuphars.

— Quel effet ça vous fait d'avoir liquidé Romero ? dit-il.

— Ça ne me fait aucun effet.

— Je ne vous crois pas.

— Et alors ?

— Je ne vous crois pas, c'est tout.

— Est-ce pour cette raison que vous êtes venu jusqu'ici ?

— J'ai eu une conversation au téléphone avec ce lieutenant de la Criminelle, Magelli, ce matin. Vous ne lui avez pas dit que c'était votre femme qui avait été tuée par Romero.

— Il ne l'a pas demandé.

— Oh ! que si, il l'a fait.

— Je n'ai pas envie de parler de ça, Minos.

— Vous devriez peut-être apprendre à reconnaître où se trouvent vos amis.

— Ecoutez, si vous voulez dire que j'étais parti pour zigouiller Romero, vous vous trompez. C'est arrivé comme ça, au bout du compte, et c'est tout. Il croyait qu'il pourrait encore s'offrir une saison au soleil. Il se trompait. C'est aussi simple que ça. Et je pense que les analyses a posteriori, c'est bon pour les connards.

— Je me fous pas mal de Romero. Il y a bien longtemps qu'il aurait dû nourrir les vers.

Il rata une touche au milieu des nénuphars et ramena d'un air furieux son leurre qui déchira une feuille au sortir de l'eau.

— Alors, qu'est-ce que ça veut dire, tout ce bazar ?

— Magelli a dit que vous aviez compris quelque chose dans l'appartement de Romero. Quelque chose dont vous ne lui avez pas parlé.

J'enfonçai ma pagaie dans l'eau sans répondre.

— Quelque chose en rapport avec le jus de citron ou quoi, dit-il.

— La seule chose qui compte, c'est le score en fin de partie. J'ai fait une grosse erreur en ne faisant pas appel aux flics de La Nouvelle-Orléans pour cravater Romero. Je ne sais comment faire pour la corriger. Et restons-en là, Minos.

Il s'assit dans la barque et enfonça l'hameçon du leurre dans la poignée de liège de la canne.

— Laissez-moi vous raconter une petite histoire, vite fait, dit-il. Au Viêt-nam, je travaillais sous les ordres d'un major, un homme à la fois vicieux et stupide. Dans les zones franches, il aimait partir en hélicoptère pour se tirer quelques bridés, au petit bonheur la chance – des fermiers dans un champ, des femmes, des buffles, tout ce qui traînait dans le coin. Puis sa stupidité et son incompétence ont mis en danger deux de nos agents, lesquels se sont fait tuer. Je ne rentrerai pas dans le détail, mais le VC ne manquait pas d'imagination quand ils vous préparaient une leçon de choses. L'un de ces agents était une Eurasienne, une enseignante avec laquelle j'étais, dirais-je, en relation.

J'ai beaucoup réfléchi à notre major. J'ai passé nombre de nuits à penser longuement à lui par le détail. Puis un jour, une occasion s'est présentée. Perdu en plein pays indien, là où on pouvait se décalquer un gros lard incompétent sur un arbre, avant de se fumer un peu de came et de laisser filer le reste d'une mauvaise journée sous le souffle du vent. Mais je ne l'ai pas fait. Je n'étais pas partant pour gâcher le reste de mon existence – ma conscience, si vous préférez – pour un trou-du-cul. Alors il est probablement toujours là-bas, à foutre les gens dans la merde, à les faire tuer, à raconter ses histoires sur tous les bridés qu'il a laissés flottant à la surface des rizières. Mais aujourd'hui, je ne suis pas cinglé, Robicheaux. Je n'ai pas à vivre et à m'emmerder avec un sentiment de culpabilité gros comme une montagne. Je n'ai pas à me faire de la bile en pensant qu'un jour vont débarquer chez moi les gens qu'il ne faut pas.

— Epargnez-moi votre sympathie. Il ne me reste rien qui vaille la peine de continuer. J'ai tout fait foirer.

— J'aimerais croire que vous êtes effectivement humble et résigné à ce point.

— Je le suis peut-être.

— Non, je connais les mecs dans votre genre. Vous n'êtes plus synchro avec le reste du monde, et vous n'avez pas confiance dans les autres. C'est pourquoi vous continuez à réfléchir sans cesse.

— Et c'est vrai ?

— Vous n'avez tout simplement pas encore trouvé le moyen de faire le coup, dit-il, le visage baignant des dernières rougeurs du soleil couchant. Et au bout du compte, vous essaierez de les envoyer tous à l'abattoir, suspendus à leur croc à viande.

11

Il avait tort. J'avais déjà abandonné toute idée de passer à l'action tout en essayant de tirer mon épingle du jeu. J'avais passé la journée tout entière à me morfondre sur une erreur essentielle que j'avais commise au cours de mon enquête : mon incapacité à agir conformément à des conclusions évidentes sur la manière de fonctionner de Bubba et de son épouse – à savoir, le fait qu'ils se servaient des gens. Ils s'en servaient sur un mode cynique et impitoyable avant de s'en débarrasser comme des Kleenex sales qu'on jette au panier. Johnny Dartez avait fait la mule au service de Bubba pour finir noyé dans l'avion de la Southwest Pass ; Eddie Keats gardait les putes de Bubba au pied et Toot travaillait pour lui, en laissant sa marque au passage comme un dernier petit coup de ciseau à rafraîchir : aujourd'hui, le premier avait été balancé dans un marécage, et le second était passé à la poêle à frire dans sa propre baignoire ; et finalement, malgré mon orgueil et mon obsession monomaniaque, j'étais tombé par hasard comme en trébuchant sur le rôle que jouait l'exécuteur de Victor Romero.

Tout était balayé, il ne restait plus rien sur la table. Je m'étais toujours considéré comme un flic relativement intelligent, pièce rapportée au sein du service, existentialiste borgne au pays des aveugles, mais je ne pouvais m'empêcher de comparer ma situation à la manière dont les flics traitent les crimes majeurs un peu partout. Inconsciemment, nous prenons pour cible la plus disponible, la plus inepte des raclures au milieu des myriades de raclures métropolitaines : drogués, revendeurs, voleurs au petit pied, racoleuses et certains de leurs michés, fourgues, ainsi que les individus de toute évidence violents et dérangés. A l'exception des racoleuses, ces gens sont pour la plupart stupides, infects et faciles à inculper. Allez donc répertorier les éléments incarcérés qui constituent la population d'une prison, qu'elle soit de la ville ou du comté. Pendant ce temps-là, les gens capables de vous mettre aux enchères le Grand Canyon comme carrière de sables et graviers ou qui vendraient la Constitution à un marchand de tapis arabe, conservent toujours la même respectabilité sociale qu'un dollar d'argent déposé dans la corbeille d'offrande à l'église.

Mais vous n'abandonnez pas sans lutter votre butte de lanceur à l'équipe adverse, lorsque votre meilleure balle n'est qu'une flottante au ras des pâquerettes qu'on vous réexpédie droit dans le sternum. Il y a également quelque avantage aux situations où vous n'avez plus rien à perdre : vous en arrivez à justifier votre geste lorsque vous balancez un seau plein de merde à travers les pales du ventilateur. Le cours des choses peut très bien ne pas s'en trouver changé d'un iota, mais en tout cas, cela donne à réfléchir à la partie adverse.

Je trouvai Bubba le lendemain matin à son usine de conditionnement de poisson au sud d'Avery Island, zone paludéenne de marais salants ponctuée de dômes de sel qui rejoint Vermilion Bay au-dessus du bayou. Les pontons étaient peints couleur argent, de sorte que les superstructures brillaient et scintillaient comme du papier alu au milieu d'une mer de typhas, de cyprès morts et de méandres de canaux. Ses bateaux de ramassage d'huîtres et de crevettes étaient de sortie, mais un hors-bord à la ligne effilée, d'un jaune brillant, flottait près du ponton à la surface d'une eau salie par les flaques d'essence.

Je rangeai ma camionnette dans le parc du sol en coquilles d'huîtres et remontai la rampe qui accédait au ponton. Le soleil était chaud et se reflétait sur l'eau, l'air sentait la crevette morte, l'huile, le goudron, et la brise salée qui soufflait du golfe. Bubba remplissait une glacière de bouteilles de bière Dixie. Il était torse nu, trempé de sueur, le pantalon de toile bleue sur les hanches étroites au point qu'on apercevait l'élastique du caleçon. Il n'avait pas un pouce de graisse sur les hanches ou le ventre. Ses épaules étaient couvertes d'un fin duvet brun et son dos presque noir de soleil était barré de minuscules cicatrices de coups de chaîne.

Derrière lui, deux hommes au teint pâle, les cheveux sombres gominés, vêtus de chemises fleuries, pantalons, mocassins à pompons et lunettes de soleil, étaient appuyés sur la rambarde du ponton et tiraient pigeons et aigrettes au fusil à plomb. Les aigrettes tuées ressemblaient à de la neige fondante sous la surface de l'eau. Je crus reconnaître en l'un des hommes un ex-chauffeur d'un gangster notoire de La Nouvelle-Orléans, aujourd'hui décédé, du nom de Didoni Giacano.

Bubba m'adressa un sourire de l'endroit où il se tenait accroupi, en contrebas, près de la glacière. Ses sourcils, ses cheveux hérissés étaient constellés de gouttes de sueur.

— Viens faire un tour avec nous, dit-il. Ce petit bébé là-bas est capable de s'ouvrir une tranchée sur toute la longueur du lac.

— Que fais-tu en compagnie de bouffeurs de spaghetti et de viande en boulettes ?

L'un des hommes à la peau pâle et aux cheveux sombres me regarda par-dessus l'épaule. Un éclair de soleil se refléta sur ses verres sombres.

— Des amis de La Nouvelle-Orléans, dit Bubba. Tu veux une bière ?

— Ils tirent sur des espèces protégées.

— Je suis fatigué de tous ces pigeons qui me chient sur mes crevettes. Mais je ne veux pas discuter. Dis-leur.

Il me sourit à nouveau.

L'autre homme à la rambarde me regardait maintenant, lui aussi. Puis il appuya la carabine à plomb contre la rambarde, défit l'emballage d'une sucette et jeta le papier dans l'eau.

— La pègre rentre pour combien dans tes affaires, Bubba ?

— Allons, allons, mec. C'est du cinéma, tout ça.

— Avec ces gens-là, les dettes, ça monte vite quand il faut payer.

— Non, tu te trompes complètement. C'est avec moi que les gens sont en dette. Je gagne, ils perdent. C'est pour ça que je possède toutes ces entreprises. C'est pour ça que je suis en train de t'offrir une bière. C'est pour ça que je t'invite sur mon bateau. Je n'ai pas de rancune. Je n'en ai pas besoin.

— Tu te souviens de Jimmy Hoffa[1] ? On ne pouvait pas trouver plus dur. Puis il s'est dit qu'il pouvait faire affaire avec la pègre. Je te parie qu'ils se sont tous pourléché les babines quand ils l'ont vu arriver.

— Ecoutez-moi ce mec, dit-il avant d'éclater de rire.

Il ouvrit une bouteille sur le rebord de la glacière et la mousse déborda du col en bouillonnant avant de goutter en flaques sur le ponton.

— Tiens, dit-il, et il m'offrit la bouteille, la bière luisant sur le dos de sa main brunie.

— Non merci, dis-je.

— Comme tu veux, dit-il avant de porter la bouteille à ses lèvres et de boire. Puis il souffla par le nez et regarda son hors-bord. Les cicatrices de son dos ressemblaient à des colliers brisés qu'on lui aurait étalés sur la peau. Il reporta son poids d'un pied sur l'autre.

— Bon, la journée est belle et je suis sur le point de partir, dit-il. Il y a quelque chose que tu veux me dire, pasque j'veux partir avant l'averse.

— J'ai rien qu'une ou deux réflexions à te proposer. Du genre, qui prend les décisions à ta place ces temps derniers ?

— Ah ! ouais ? dit-il.

Il but sa bière, une main à la hanche, regardant les marais au loin, là où quelques hérons bleus s'envolaient dans le ciel.

— Peut-être bien que je travaille du chapeau.

— Peut-être bien que tu as le cerveau malade aussi.

— Ne te méprends pas sur ce que je dis. Cela n'enlève rien à ta réussite. J'ai simplement l'impression que

1. Leader syndicaliste américain, 1913-1975.

Claudette s'est avérée une fille pleine d'ambition. Ça n'a pas été facile de la garder à la cuisine, pas vrai ?

— Tu commences à me faire chier, Dave. Je n'aime pas ça. J'ai des invités, j'ai des projets pour ma matinée. Tu veux te joindre à nous, c'est super. Arrête de déconner avec moi, une fois pour toutes, podna.

— Voici la façon dont je vois les choses. Dis-moi si je me trompe. Johnny Dartez n'était pas le mec franc du collier, pas vrai ? c'était un taré, une raclure, un tireur de fouilles à qui on ne pouvait pas faire confiance. Tu savais qu'un jour, il allait te vendre aux fédés, alors toi ou Claudette, vous avez dit à Victor Romero de l'effacer. Sauf que Romero a tué tous les passagers de l'avion, y compris un prêtre.

Alors j'ai mis les pieds dans le plat tout à fait par hasard et j'ai compliqué les choses un peu plus. Tu aurais dû me laisser tranquille, Bubba. Pour toi, je ne représentais aucune menace. J'avais déjà retiré mes billes quand tes macaques sont venus rôder par chez moi.

— Qu'est-ce que c'est toutes ces conneries ? dit l'un des Italiens.

— Restez en dehors de ça, dit Bubba.

Puis il tourna ses regards vers moi. Sa grosse main était serrée autour de la bouteille de bière.

— Je vais te dire quelque chose, et je te le dirai qu'une fois, et tu peux l'accepter ou te la fourrer au cul, et de traviole encore. Je suis *un* mec. Et pas une vague de crimes à moi tout seul. T'es censé être un mec brillant qui a fait des études, mais chaque fois que tu dis quelque chose, c'est à croire que tu ne comprends rien de rien. Quand tu fourres ton nez dans des affaires hors de La Nouvelle-Orléans, tu emmerdes des centaines de personnes. Tu n'as pas voulu laisser pisser, ils t'ont reclaqué la porte en pleine figure. Alors, arrête de me foutre toutes tes merdes sur le dos.

— Claudette est allée dans l'appartement de Romero.

— Qu'est-ce que tu racontes ?

— Tu m'as bien entendu.

— Elle va pas là où je suis pas au courant.

— Elle avait sa Thermos de gin rickey avec elle. Elle a laissé des marques tout humides sur sa table de cuisine.

Ses yeux gris-bleu écarquillés se fixèrent sur moi comme s'ils n'avaient pas de paupières. Le visage était figé comme un masque de statue, la mâchoire serrée, décalée comme celle d'un barracuda.

— Tu n'étais pas au courant du tout, n'est-ce pas ? dis-je.

— Répète-moi ça depuis le début.

— Non, c'est ton problème. A toi de le résoudre, Bubba. Si j'étais toi, je ferais gaffe à mes fesses. Si elle ne te bouffe pas complètement, alors, ce sera ces mecs-là. Je ne pense pas que tu aies encore le contrôle des opérations.

— Tu veux que je te montre à quel point c'est toujours moi qui commande ? Tu veux que je t'éclate le nez à travers la figure, là, tout de suite ? Allez, viens, si c'est ça que tu veux.

— Grandis un peu.

— Non, c'est à toi de grandir. Tu débarques chez moi, tu débarques dans ma compagnie, tu racontes des saletés sur ma famille devant mes amis, mais tu fais rien pour t'améliorer. C'est comme si tu passais ta vie à lâcher des pets sous le nez des gens.

— Tu aurais dû voir un psychiatre il y a bien longtemps. Putain, mais t'es pathétique, Bubba.

Il vit valser la bière dans sa bouteille.

— C'est ce que t'as de mieux à dire ?

— Tu ne pourrais pas comprendre. Tu n'as pas ce qu'il faut pour ça.

— Très bien, d'accord, tu as dit ce que tu avais à dire. Que dirais-tu de fiche le camp d'ici maintenant ?

— Tu n'as plus ton père avec toi pour te claquer la figure devant tout le monde ou te fouetter avec une chaîne de laisse, alors tu as épousé une femme comme Claudette. Et c'est une gouine qui porte la culotte dans ta maison. Elle est en train de démolir pièce par pièce toute la machine, et tu n'es même pas au courant.

La peau du coin des yeux se tendit comme peau de tambour. Ses yeux ressemblaient à des billes à jouer.

— On se reverra, dis-je. Planque-toi un peu d'argent à Grand Cayman[1]. Je crois que tu en auras besoin quand Claudette et ces mecs en auront fini avec toi.

Je commençai à descendre la rampe en bois en direction du parking et de ma camionnette. Sa bouteille de bière tomba avec fracas sur le ponton avant de rouler sur les planches en crachant une spirale de mousse qui sortait en vrille du col.

— Hé ! tu t'en vas pas comme ça ! t'entends ! tu t'en vas pas comme ça ! dit-il en m'envoyant des coups de pointe d'un doigt tendu à la figure.

Je continuai à avancer vers le camion. Le parc de stationnement en coquilles d'huîtres était blanc et brûlant de soleil. Il marchait maintenant à côté de moi, la peau du visage aussi tendue que l'enveloppe d'un ballon en surpression. Il me poussait le bras d'une main raidie.

— Hé, t'es bouché ? dit-il. On ne me parle pas sur ce ton-là ! On ne m'en envoie pas plein la gueule en face de mes amis pour s'en aller après !

J'ouvris la porte du camion. Il m'agrippa l'épaule et me fit tourner pour lui faire face. Un réseau de veines s'enchevêtrait sur la poitrine en sueur.

— Touche-moi seulement et tu es bon pour le placard. C'est fini les conneries de lycéen, dis-je.

Je reclaquai la portière et quittai le parc de stationnement en roulant doucement sur les coquilles d'huîtres. Le visage dilaté de Bubba, lorsqu'il passa le long de la fenêtre, avait revêtu l'expression d'un homme dont les énergies furieuses venaient soudainement de se changer en poignards tournoyants au fond de lui-même.

* * *

1. Colonie britannique au nord-ouest de la Jamaïque et refuge fiscal.

Cet après-midi-là, je quittai mon travail de bonne heure et inscrivis Alafair à la maternelle de l'école catholique de New Iberia pour le semestre d'automne ; puis je l'emmenai, accompagnée de Batist, récolter au filet quelques crevettes dans ma barge sur la grande salée. Mais j'avais une autre raison pour sortir sur le golfe ce jour-là ; c'était le vingt et unième anniversaire de la mort de mon père. Il travaillait comme monteur sur un derrick de forage, installé en hauteur sur ses planches au niveau du moufle mobile, lorsque l'équipe toucha un anticlinal de sable pétrolifère plus tôt que prévu. Il n'existait pas d'obturateur de sécurité sur la tête de puits, et aussitôt que le trépan perça le dôme de gaz sous le fond du golfe, les membrures de la plate-forme se mirent à trembler et soudain, une explosion d'eau salée, de sable et de pétrole jaillit du trou sous des tonnes de pression et le cuvelage fut éjecté à son tour lui aussi. Poutrelles métalliques, pinces, longueurs de chaîne, sections de tuyaux énormes, tout se mit à dégringoler avec fracas en résonnant sur les membrures lorsqu'une étincelle jaillit au contact de l'acier, enflammant la tête du puits. Les survivants avaient déclaré qu'au rugissement des flammes, ils avaient cru qu'on venait d'ouvrir d'un coup de pied les portes de l'enfer.

Mon père avait fixé sa ceinture de sécurité sur le câble de main courante tendu entre le planchage du moufle mobile jusqu'au toit du bateau de quart et sauté. Mais le derrick s'était affaissé avec lui pour venir s'écraser sur le toit du bateau, en emportant avec lui mon père et dix-neuf ouvriers jusqu'au fond du golfe.

On n'avait jamais retrouvé son corps, et parfois, dans mes rêves, il m'arrive de le voir loin au-dessous des vagues, toujours vêtu de son casque, sa salopette et ses chaussures de sécurité à bout d'acier, le visage barré d'un sourire, sa grosse main levée pour me dire que tout allait bien.

C'était lui mon vieux. Les adjoints du shérif pouvaient le mettre au bloc, les videurs de saloon lui casser des fauteuils sur le dos, un joueur de *bourée* lui voler sa femme, le lendemain matin, il prétendait toujours être plein d'allant et de joie de vivre en chassant les mauvaises fortunes de la veille comme quelque chose qui ne valait pas la peine d'être mentionné.

Je laissai Alafair s'asseoir derrière la barre dans la cabine de pilotage, une casquette de base-ball Astros vissée de côté sur la tête, pendant que Batist et moi remontions les filets avant de remplir les glacières de crevettes. Puis je fis un demi-cercle sur huit cents mètres, coupai le moteur, et laissai le bateau dériver pour revenir au-dessus de l'emplacement où le derrick de mon père avait sombré dans un torrent d'acier en cascade et des geysers de vapeur, vingt et un ans plus tôt.

C'était le crépuscule, et la mer était d'un vert presque noir, couverte d'écume qui glissait au fond des creux parmi les vagues. Le soleil était déjà couché, et on aurait dit que les nuages rouge et noir sur l'horizon à l'ouest s'étaient levés d'une planète qui brûlait sous la surface des eaux. J'ouvris la caisse de matériel de plongée, sortis la brassée de roses jaunes et pourpres que j'y avais glissée et jetai le bouquet sur le flanc d'une vague. Les pétales et les tiges rassemblés en gerbe se séparèrent à l'arrivée de la vague suivante et se mirent à flotter, s'éloignant les uns des autres avant de perdre de leur éclat et de sombrer sous la surface.

— Il aime ça, li, dit Batist. Ton vieux, il aime les fleurs. Les fleurs et les femmes. Et le whisky, aussi. Hé, Dave, fais pas ton triste. Ton vieux l'était jamais triste.

— On se fait cuire quelques crevettes et on rentre à la maison, dis-je.

Mais sur tout le trajet de retour, je restai soucieux. Le crépuscule mourut à l'ouest pour ne laisser sur l'horizon qu'une lueur verte, et comme la lune se levait, la mer prit une couleur de plomb. Etait-ce le souvenir de mon père qui me tracassait, ou ma propension perpétuelle à la dépression ?

Non, il y avait autre chose qui avait agité mon inconscient toute la journée, comme un rat qui s'efforcerait de frayer un chemin à ses moustaches dans un trou noir. Un bon flic met les gens à l'ombre ; il ne les tue pas. Jusqu'ici, je n'avais fait que du gâchis sans expédier quiconque sous les verrous. En guise de compensation, j'avais enveloppé de barbelés la tête d'un infirme mental comme Bubba Rocque. Et je me sentais mal de l'avoir fait.

* * *

Minos m'appela au bureau le lendemain matin.

— Le bureau du shérif de Lafayette vous a-t-il contacté au sujet de Bubba ? dit-il.

— Non.

— Je croyais qu'ils vous tenaient au courant.

— Qu'est-ce qu'il y a , Minos ?

— Il a foutu une branlée à sa femme la nuit dernière. Un dérouillage systématique. Dans un bar en dehors de la ville, sur Pinhook Road. Vous voulez les détails ?

— Allez-y.

— Hier après-midi, ils ont commencé à se battre dans leur voiture devant le Winn Dixie, et trois heures plus tard, elle est en train de biberonner sec sur Pinhook en compagnie de deux Ritals de New York lorsque Mad Man Muntz[1] le fou débarque, en pleine crise, arrête sa Caddy en dérapage sur le parking, pousse la porte d'entrée comme une furie, et lui claque la figure du plat de la main à lui décrocher la tête. Il l'a alors étalée par terre avant de la tabasser à coups de pied dans le cul, puis il l'a soulevée et l'a balancée à travers la porte des toilettes pour hommes. L'un des gominés a essayé de l'arrê-

1. Muntz le fou, personnage des années 50 qui vendait des télévisions de camelote qui cessaient en général de fonctionner au bout d'un mois, ce qui correspondait à la durée de la garantie. Aujourd'hui, synonyme de fou, cinglé, givré.

ter, et Bubba lui a écrasé la gueule sur le mur comme un fruit mûr. Je déconne pas. Le barman a déclaré que Bubba a frappé le mec si fort qu'il lui a presque dévissé la tête du cou.

— Ça a l'air de vous faire plaisir, Minos.

— C'est quand même bien meilleur que d'assister à l'arrivée de ces enfoirés dans leurs bagnoles à vingt bâtons à l'hippodrome.

— Où est-il en ce moment ?

— Rentré chez lui, je suppose. Il a fallu qu'elle aille au Lourdes pour des points de suture, mais elle et le Rital ne portent pas plainte. On dirait qu'ils n'apprécient pas l'idée d'être partie prenante d'une procédure légale, pour une raison inconnue. Avez-vous une idée sur ce qui a déclenché chez Bubba ce virage de cuti ?

— Je me suis rendu chez lui, hier, à sa poissonnerie près d'Avery Island.

— Et alors ?

— Alors, j'ai versé un peu d'alcool iodé sur quelques terminaisons nerveuses à vif.

— Ha !

— On va régler toute l'histoire, ici, maintenant, Minos. Je crois que c'est Claudette Rocque qui a été derrière la mort de ma femme. Bubba est un enfant de salaud, mais je suis convaincu qu'il se serait attaqué à moi bille en tête. Il est bouffi d'orgueil, et il a toujours voulu m'étaler pour le compte depuis que nous sommes tout gosses. Jamais il n'accepterait à ses propres yeux d'avoir dû engager quelqu'un pour faire le travail. Je crois que Claudette a envoyé Romero et le Haïtien pour me tuer, et lorsqu'ils ont assassiné Annie à ma place, et que Romero m'a raté une seconde fois, elle s'est pointée chez moi en jouant de la chatte pour m'offrir un boulot à cent plaques l'année. Quand ça non plus n'a pas marché, elle a rendu Bubba jaloux et l'a lâché sur moi. De toute manière, je suis sûr qu'elle se trouvait dans l'appartement de Romero. Elle a laissé sur la table des taches qui provenaient de la Thermos de gin rickey qu'elle se trimbale toujours avec elle.

— Ainsi donc, c'était ça, l'histoire du jus de citron ?
— Oui.
— Et naturellement, c'est une preuve inutilisable.
— Oui.
— Alors vous avez décidé d'asticoter les joyeuses de Bubba à coups de fourchette à propos de sa chère et tendre ?
— C'est à peu près ça.
— Et maintenant, vous voulez l'absolution ?
— Ça va bien là-dessus, Minos.
— Arrêtez de vous tracasser pour ça. Ces deux-là, ce sont des cuvettes d'aisance. Je vous conseillerai à l'avenir de rester à l'écart de Bubba et de sa femme.
— Pourquoi ?
— Laissez les choses suivre leur cours.
Je restai silencieux.
— C'est un psychotique. Elle, elle fait collection de *cojones*, dit-il. Vous avez craché dans la soupe. Alors maintenant, à eux de l'avaler. Ça pourrait s'avérer intéressant. Simplement, ne laissez pas traîner vos miches dans le coin, c'est tout.
— Personne ne vous accusera jamais de parler par euphémismes.
— Vous voulez savoir quel est votre problème ? vous êtes deux individus sous la même enveloppe. Vous voulez rester moral dans une affaire immorale. En même temps, vous voulez les foutre en l'air comme nous tous. A chaque fois que je m'adresse à vous, je ne sais jamais quel nouveau diable va jaillir de sa boîte.
— A plus tard. Restez en contact.
— Ouais. Ne prenez pas la peine de me remercier pour mon coup de fil. C'est un truc qu'on fait pour tous les pieds-plats de la campagne.
Il raccrocha. J'essayai de le rappeler, mais sa ligne était occupée. Je rentrai à la maison et déjeunai avec Batist sur le ponton, sous l'auvent de toile. Il faisait chaud, tout était calme et le soleil était blanc dans le ciel.

Je ne réussis pas à dormir cette nuit-là. Il n'y avait pas un souffle, l'air était sec, et les ventilateurs de la fenêtre et du plafond paraissaient incapables de faire disparaître la chaleur qui s'était accumulée dans les boiseries de la maison tout au long de la journée. Les étoiles donnaient l'impression de brûler dans le ciel et sous le clair de lune, je voyais à l'extérieur les chevaux de mon voisin vautrés dans une mare boueuse. J'allai dans la cuisine en caleçon et mangeai un bol de glace et de fraises, et quelques instants plus tard, Robin apparut dans l'embrasure de la porte en culotte et nuisette, les yeux endormis s'accommodant à la lumière.

— C'est rien que la chaleur. Retourne te coucher, fillette, dis-je.

Elle sourit et repartit à tâtons dans le couloir sans répondre.

Mais ce n'était pas simplement la chaleur. J'éteignis la lumière et m'installai sur le perron à l'extérieur dans l'obscurité. Je voulais voir Claudette et Bubba Rocque sous les verrous plus que tout au monde ; non, je voulais bien pire pour eux. Ils personnifiaient la cupidité et l'égoïsme ; ils apportaient la misère et la mort dans les vies des autres afin de pouvoir vivre dans le luxe et le confort. Et tandis qu'ils dînaient de rascasse grillée à La Nouvelle-Orléans ou dormaient dans une maison ancienne restaurée qui surplombait hangar à voitures, parterres de fleurs, rivières et arbres, leurs émissaires avaient arraché ma porte de ses gonds et contemplé l'éveil de ma femme terrifiée, seule face aux canons de leurs fusils.

Mais je ne pouvais pas m'en débarrasser en provoquant un sociopathe afin qu'il aille agresser sa femme. L'attitude peut paraître noble, elle ne l'est pas. Le programme de réhabilitation des alcooliques, programme que j'avais suivi et pratiqué, ne m'autorisait ni à mentir, ni à manipuler, ni à imposer mes desseins et ma volonté aux autres, en particulier lorsque l'intention initiale visait de toute évidence à la destruction. Si je le faisais, j'allais régresser, j'allais recommencer à foirer ma propre existence tout autant que les existences de ceux qui m'étaient les plus proches, et finalement, je redeviendrais le même ivrogne que par le passé.

Je me préparai du café et le bus sous le porche d'entrée en contemplant le tout premier bandeau de lumière pâle toucher le ciel à l'est. Il faisait encore chaud, et le soleil perça, rouge au-dessus de la courbure de la terre, en changeant en flammes les quelques filaments de nuages bas sur l'horizon ; un marin y aurait vu sans nul doute un signe, mais ce matin allait être pour moi celui des conclusions finales et des nouveaux départs. Je cesserais de me flageller quotidiennement parce que j'étais incapable d'accomplir la vengeance que ma colère exigeait ; je cesserais d'essayer de maîtriser tout ce qui me tombait dans l'escarcelle ; et j'essaierais humblement d'accepter les projets de mon Tout-Puissant pour mon existence.

Et finalement, je refuserais d'être un facteur de plus du sordide et des violences qui marquaient les existences de Bubba et Claudette Rocque.

Comme à chaque fois que je m'en remettais, face à un problème ou un mécanisme d'intérêt purement égoïste, à mon Tout-Puissant, j'eus la sensation qu'on venait de m'ôter un poids de la poitrine. Je contemplai les rougeurs du soleil s'élever dans le ciel d'étain, je vis la bordure noire des arbres à l'extrémité du bayou d'abord se griser pour se faire plus verte et plus distincte, et j'entendis mon voisin qui mettait en marche son arroseur dans un crachotement d'eau. Il n'y avait pas un souffle de vent, et comme il n'avait pas plu depuis deux jours, les feuilles de pacaniers s'étaient chargées de poussière de la route, et les rais de lumière tourbillonnante entre les branches ressemblaient à du verre filé.

Mais j'avais appris depuis bien longtemps déjà que la résolution ne se suffit pas à elle-même ; nous sommes ce que nous faisons, et non ce que nous pensons et ressentons. Dans mon cas, cela signifiait que je ne voulais plus avoir sur la conscience l'idée que Claudette Rocque allait se faire encore démolir ; cela signifiait, fini de jouer au fouille-merde, finis les petits hameçons que j'insérais délicatement sous le crâne de Bubba ; la partie se jouait maintenant aux prolongations. Cela signifiait que j'allais leur dire tout cela à tous les deux, de vive voix.

Je me rasai et me douchai, enfilai mocassins et pantalon de coton, épinglai mon insigne et mon étui de ceinture et bus une autre tasse de café dans la cuisine, avant de prendre le chemin de terre vers New Iberia et la vieille route en direction de Lafayette. Le temps avait commencé à changer sans prévenir. Un long amoncellement de nuages lourds et gris qui couvrait tout l'horizon se déplaçait à partir du sud, et lorsque les premières ombres vinrent masquer le soleil, une brise se leva au-dessus des marais, agitant les barbes espagnoles des cyprès, en faisant trembler les feuilles poussiéreuses des chênes qui bordaient la route.

Je sentais le baromètre tomber. Les brèmes et les perches étaient déjà en chasse en bordure des nénuphars, ainsi qu'elles le faisaient toujours avant un changement de temps, les faucons et les grues qui planaient haut dans les courants chauds ascendants montant des marais tournoyaient maintenant de plus en plus bas sur le ciel obscurci. Main Street à New Iberia était pleine de poussière, et les grands bambous verts le long des berges du Bayou Teche ployaient sous le vent. Aux confins de la ville, le Nègre propriétaire d'un stand de fruits qui se tenait là depuis que j'étais enfant transportait ses cageots de fraises du bord de la route à l'ombre de l'arbre qui les abritait, jusqu'à l'intérieur de son étal.

Vingt minutes plus tard, j'approchais de la Vermilion River et du domicile de Bubba et de Claudette Rocque, leur maison d'avant la guerre de Sécession. L'air était frais maintenant, les nuages bleu-noir au-dessus de moi, les cannes à sucre vertes ondoyant de vagues dans les champs. Je sentais la pluie au sud, je sentais le vent chargé de terre humide. Devant moi, je voyais l'entrée gravillonnée qui menait à la maison de Bubba, les clôtures blanches où s'entrelaçaient les roses jaunes, les arroseurs qui tournoyaient en gazouillant sur sa pelouse, parmi les chênes, les mimosas, les citronniers et les orangers. Puis je vis sa Cadillac décapotable bordeaux, la capote d'un blanc immaculé rabattue sur les vitres teintées, tourner au sortir de l'allée dans un crépitement de gravier et prendre la route en vrombissant dans ma direction. Du fait de son poids et de sa vitesse, la Cadillac, par son déplacement d'air, secoua la camionnette lorsqu'elle passa près de moi, aspirée comme une flèche lâchée par un archet. Je la vis diminuer dans mon rétroviseur, puis les feux rouges des freins s'allumèrent près d'une station-service et d'un restaurant. Je tournai dans l'allée de Bubba.

Bien qu'il fît frais, les rideaux étaient tirés aux fenêtres et les soufflantes de la centrale de climatisation bourdonnaient sur le côté de la maison. Deux ventilateurs de fenêtre au premier tournaient à pleine allure, dégoulinant d'humidité. Je montai les marches du large perron de marbre et tournai la poignée en laiton de la sonnette, attendis et tournai à nouveau avant de frapper fort du poing contre la porte. Je n'entendais pas le moindre son à l'intérieur de la maison. Je fis le tour par le côté, longeant un parterre de géraniums fanés tout détrempé par un tuyau d'arrosage, et frappai à la vitre de la cuisine. Il n'y eut toujours pas de réponse, mais la MG et l'Oldsmobile étaient garées sous le hangar à voitures et je crus sentir une odeur de bacon frit. La lumière avait changé dans le ciel, l'air était humide et paraissait coloré de vert au travers des arbres, les feuilles mortes de chêne cliquetaient, emportées par le vent sur l'herbe de la pelouse, pareilles à des débris de vieux parchemin desséché.

Je mis les mains aux hanches et regardai en cercle autour de moi, le court de tennis en terre, le belvédère, les haies de myrte sur la rivière, les puits de pierre où étaient suspendus chaînes décoratives et baquets en laiton, et j'étais sur le point d'abandonner lorsque je vis le vent souffler fumée, poudre de cendres et braises encore rouges, en provenance d'un abri de jardin en aluminium au fond du jardin.

Je traversai la pelouse et fis le tour de l'abri pour me retrouver face à un vieux tas de déchets et de cendres au sommet duquel on apercevait les restes noircis et éventrés d'un matelas. La toile de couverture avait presque entièrement brûlé, et le bourrage intérieur se consumait en panaches de fumées noires sous le vent. Mais un côté du matelas n'avait pas entièrement brûlé, et j'y aperçus une tache rouge et sale qui bouillonnait de vapeur sous la chaleur. J'ouvris mon couteau Puma, m'agenouillai et découpai le morceau de tissu taché. Il était raide et chaud sous mes doigts lorsque je le pliai avant de le mettre dans la poche. Puis je trouvai un tuyau d'arrosage dans l'abri, le connectai à un robinet près du parterre de fleurs et aspergeai le matelas jusqu'à ce que toutes les braises soient éteintes. Une odeur âcre et rance se mêla à la vapeur.

Je traversai à nouveau la pelouse, descellai une brique de la bordure du parterre de géraniums et brisai un carreau de la porte de derrière. Je fis pivoter la poignée intérieure et entrai dans une cuisine de style colonial, marmites et casseroles en laiton suspendues à des crochets au-dessus d'un foyer en brique. L'odeur de bacon venait d'un poêlon posé sur le fourneau et d'une assiette unique barbouillée de gras sur la table de cuisine. Le climatiseur était monté si haut que je me sentis instantanément glacé, la peau comme morte, comme si la maison avait été réfrigérée à la glace sèche. Je traversai un salon de télévision lambrissé de pin avec des étagères sans livres et deux peaux d'ours noirs clouées de biais sur le mur, pour arriver à une salle à manger avec lustre dont les vitrines d'enfilades en noyer étaient remplies de verrerie en cristal brillant, et finalement, dans le hall d'entrée à sol de marbre près de l'escalier spiralé.

Je montai lentement les marches, une main sur la rampe. L'ameublement, les couleurs, les boiseries de l'étage avaient la même caractéristique bizarre que le rez-de-chaussée, comme autant d'éléments désassortis, pareils à l'image faussée d'un objectif incapable d'une mise au point correcte. La porte de la salle de bains était restée ouverte en haut des escaliers, révélant une moquette rose à longs poils, la robinetterie en or du lavabo et de la baignoire, et un papier peint rose à motif érotique argenté. Les anneaux plastique de la barre de douche étaient vides, à l'exception d'un seul qui tenait toujours un œillet déchiré et un petit morceau de rideau en vinyle.

Je trouvai la chambre principale au bout du couloir. A travers la porte-fenêtre qui ouvrait sur le balcon couvert, je voyais les sommets des chênes battus par le vent. J'allumai la lumière et regardai le lit à baldaquin placé au milieu d'un des murs. Draps, couvre-lit, oreillers et matelas avaient disparu. Seul restait le sommier dans son cadre en bois. Je fis le tour du lit et tâtai le tapis. Il était toujours humide à deux endroits et sentait encore le nettoyant à sec ou le détachant.

Je compris qu'il était temps pour moi d'appeler le bureau du shérif, paroisse de Lafayette. J'étais également hors de ma juridiction, à l'intérieur du domicile pour des raisons douteuses, et peut-être même au risque de fausser les preuves matérielles d'un homicide. Mais la légalité est souvent une chose qui se décide après coup, et je croyais sincèrement qu'on me devait bien encore dix minutes supplémentaires.

Je sortis par une porte latérale sur le patio dallé, longeai la piscine grillagée et le local coupe-vent où Bubba conservait haltères, banc de musculation et sacs de frappe, et découvris un râteau appuyé contre le hangar à voitures. Le vent soufflait maintenant avec plus de force, et les premières gouttes de pluie commençaient à tinter contre les fenêtres du premier.

Bien que le parterre de fleurs sur le côté de la maison fût détrempé à force d'arrosage, les feuilles des géraniums ressemblaient cependant à du papier vert passé. Je commençai à dégager la terre et les plantes du parterre à l'aide du râteau. La terre était riche et noire, à base de compost, et au fur et à mesure que je l'étalais sur le gravier, des flaques laiteuses se formaient dans les creux. A trente centimètres de profondeur, la tête du râteau toucha quelque chose de compact. Je ratissai la terre, les plantes arrachées et les paquets de racines en faisant passer le tout au-dessus de la bordure de briques et je créai ainsi une longue cavité de faible profondeur au milieu du parterre, jusqu'à ce que les dents du râteau touchent à nouveau quelque chose d'épais et résistant. Puis je vis le bord d'un rideau de douche en vinyle apparaître, accroché à l'une des dents du râteau, et un genou habillé d'un pyjama ressortir de la terre. Je raclai tout autour du corps, observai les pieds, les épaules, le front prendre forme, comme si j'en étais le démiurge, le sculpteur qui les faisait naître de la terre.

Je posai le râteau sur le gravier et coupai le tuyau d'arrosage à l'aide de mon couteau pour disposer d'un jet d'eau plus puissant. Puis je dégageai la terre molle, pareille à des grains de café noirs, du visage de Bubba à l'aide du jet. Il reposait sur le rideau de douche, les yeux gris-bleu ouverts, le visage, les mains, les pieds absolument exsangues. La poignée et le dos de lame de la machette qu'elle avait utilisée ressortaient du terreau près de la tête. La plaie qui lui entaillait tout le côté du cou s'enfonçait jusqu'à l'os.

J'entendis sonner le téléphone derrière moi. Je retournai à l'intérieur et décrochai le combiné.

— Allô, dis-je.

— Bubba ? c'est Kelly. Qu'est-ce que c'est qu'c't'histoire de service de blanchisserie rital ? dit une voix d'homme par-dessus le bourdonnement d'un appel à longue distance. Claudette me dit que j'dois engager ces mecs-là. Qu'est-ce qui se passe là-bas, bordel de merde ?

— Bubba est mort, collègue.

— Quoi ? qui est à l'appareil ?

— Je suis officier de police. Quel est votre nom ?

Il raccrocha.

Je repris l'allée gravillonnée en direction de la route, tandis que les membrures épaisses des chênes en surplomb battaient les uns contre les autres. Les nuages noirs à l'horizon, tout au sud, se veinaient d'éclairs. L'air était maintenant presque froid, et les jeunes cannes à sucre étaient couchées au sol sous la force du vent. Je remontai les vitres, mis les essuie-glaces et sentis le volant qui secouait sous mes mains. Des morceaux de carton et de journaux volaient au travers de la route, les fils du téléphone dansaient et rebondissaient entre les poteaux comme des rubans élastiques.

Je dépassai une cimenterie et des wagons de la Southern Pacific sur leur voie de garage avant de voir la décapotable bordeaux garée face à un relais routier avec petit salon adjacent. La pluie commença à dégringoler comme j'y pénétrai.

Le gérant nègre lavait le sol en remettant les tables en place ; il avait ouvert les rideaux et les lumières au plafond étaient allumées. Sous l'éclairage, on voyait les brûlures de cigarettes au sol, les déchirures des box réparées à l'adhésif, les caisses de bière empilées dans un coin au fond de la salle. Une barmaid obèse buvait son café en bavardant au comptoir avec deux ouvriers de forage. Les ouvriers avaient encore leur casque métallique et leurs chaussures à bout d'acier, les vêtements encore tout tachés de boues d'extraction. L'un d'eux faisait rouler une allumette entre ses lèvres et me dit quelque chose sur le temps qu'il faisait. Comme je ne répondais pas, lui, son ami et la femme continuèrent à me regarder, les yeux fixés sur l'insigne et l'arme à ma ceinture.

Claudette Rocque était assise à une table près de la porte du fond. La porte était ouverte et le vent soufflait la brume à l'intérieur de la pièce par la porte-moustiquaire. Au-dehors, sur la voie ferrée, je voyais les wagons de marchandises couleur de rouille de la SP qui luisaient sous la pluie. Claudette Rocque prit une gorgée de son gin rickey et me regarda par-dessus le bord de son verre. Le visage était meurtri et fatigué, et les yeux bruns, toujours chargés de cette étrange lueur rougeâtre, étaient vitreux et somnolents sous l'effet de l'alcool. Les points de suture du menton étaient entourés de morceaux de sparadrap, et la peau se plissait sur la crête de l'os. Mais sa robe bain-de-soleil jaune et le bandanna orange dans ses cheveux étaient propres et frais et paraissaient même séduisants sur elle. Et je devinai qu'elle s'était douchée et changée après avoir traîné Bubba au rez-de-chaussée dans son rideau de douche, creusé la terre, enterré le corps, replanté les géraniums et brûlé matelas, oreillers et draps. Elle tira profondément sur sa cigarette à bout filtre et souffla sa fumée dans ma direction.

— La nuit a été difficile, dis-je.

— J'en ai connu des pires.

— Vous auriez dû le transporter ailleurs. Vous vous en seriez peut-être tirée.

— De *quoi* parlez-vous ?

— Je l'ai déterré. La machette aussi.

Elle but une nouvelle gorgée avant de tirer sur sa cigarette. Une lueur vaguement amusée brillait dans son regard.

— Finissez votre verre, Claudette. Vous allez être au régime sec pendant un bon moment.

— Oh ! je n'y compterais pas trop, espèce d'andouille. Vous devriez regarder la télévision plus souvent. Les femmes battues sont à la mode ces temps-ci.

Je décrochai les menottes de l'arrière de mon ceinturon, lui ôtai de la bouche la cigarette que je laissai tomber au sol et emprisonnai ses poignets des bracelets à travers le dossier de la chaise.

— Oh ! notre grand officier de police, incorruptible entre tous, tellement noble et plein de sa sobriété d'AA. Je parierais pourtant que ça ne vous déplairait pas de tirer un coup avec une nana un peu abîmée. C'est votre dernière occasion, mon petit mignon, parce que demain matin, je serai sortie, libérée sous caution. Vous devriez réfléchir à ma proposition.

Je pris une chaise et m'installai face à elle à califourchon.

— Vous avez fait trois ans de prison et vous croyez être au parfum, la vraie taularde à la redresse, mais vous n'êtes qu'une cavette, dis-je. Laissez-moi vous expliquer le scénario. Vous ne serez pas condamnée pour avoir tranché la gorge de Bubba. Tout le monde s'en fiche quand quelqu'un comme Bubba se fait tuer, sauf peut-être les gens auxquels il doit de l'argent. Bien au contraire, un jury composé d'ouvriers du pétrole au chômage, d'imbéciles à principes et de Noirs vivant de l'aide sociale qui n'aiment pas les riches, va vous expédier derrière les barreaux parce que vous êtes une ancienne taularde et une lesbienne.

Naturellement, vous penserez que c'est injuste. Et vous aurez raison, ça l'est effectivement. Mais l'ironie de toute l'histoire, c'est que les gens qui vont vous réexpédier à St Gabriel n'entendront même pas prononcer le nom de l'innocente que vous avez assassinée. Certains pourraient qualifier ça de comédie. Ça fera une bonne histoire à raconter au placard.

Ses yeux marron rougeâtre s'étaient rétrécis, une lueur vicieuse dans le regard. L'hématome qu'elle portait au-dessus d'une paupière ressemblait à une petite souris bleue. J'allai jusqu'au téléphone public sur le mur près du bar et appelai le bureau du shérif. A l'instant précis où j'allais raccrocher, j'entendis un raclement de pieds de chaise sur le sol et vis Claudette se lever pour écraser le siège de tout son poids sur le mur. Elle cassa le dossier qui se détacha de l'assise puis, les poignets toujours menottés aux barreaux de la chaise brisée, elle poussa la porte-moustiquaire et sortit sous la pluie.

Je la suivis à travers un champ jusqu'à la voie ferrée. Le bas de sa robe jaune était constellé de boue, son bandanna avait glissé et ses cheveux mouillés lui collaient au visage. La pluie tombait maintenant plus drue, les gouttes plus grosses et plus épaisses, froides comme la grêle. Je l'attrapai par le bras et essayai de la faire revenir vers le relais routier, mais elle s'assit dans une flaque d'eau grisâtre, les bras toujours tordus dans le dos, noués de muscles.

Je me penchai vers elle et essayai de la remettre debout. Elle s'assit dans l'eau, jambes écartées, épaules voûtées, tête basse. Je la tirai par les bras, mais elle me glissait entre les mains, poids mort à la peau mouillée. Elle retomba dans l'eau sur le flanc, puis se mit à genoux et je crus qu'elle allait se remettre debout. Je me penchai à ses côtés et la soulevai par un bras. Elle leva les yeux sous la pluie battante comme si elle me voyait pour la première fois et me cracha au visage.

Je me reculai et sortis mon mouchoir pour m'essuyer avant de le jeter. Elle avait le regard perdu au-delà des champs, fixé sur la ligne verte d'arbres à l'horizon. L'eau dégoulinait en rigoles de ses cheveux trempés et inondait son visage. J'allai jusqu'à un wagon de marchandises vide sur la voie de garage et ramassai un vieux morceau de bâche sur le sol. La toile était raide et croûtée de terre, mais elle était sèche. Je l'étendis sur elle de sorte qu'on aurait cru qu'elle fixait l'horizon au sortir d'une maisonnette au toit pointu.

— C'est la manière mennonite de faire les choses, dis-je.

Mais elle se souciait peu de réflexions vagues tout en nuances. Elle observait les adjoints du shérif et Minos Dautrieve qui sortaient de leurs voitures sur le parc de stationnement du relais routier. Je restai debout auprès d'elle et les suivis du regard tandis qu'ils traversaient le champ noyé de pluie dans notre direction. Au travers des portes ouvertes du wagon, je voyais tournoyer la balle de canne sous le vent, et les bâtiments gris de la cimenterie dans le lointain ressemblaient sous la pluie à des silos à grain. Minos m'appelait au milieu des échos du tonnerre qui résonnaient sur les terres, et je songeai aux voix noyées perdues sur la grande salée et aux champs de blé sous l'orage. Je songeai aux vagues qui creusaient le golfe au large, leurs crêtes blanchies d'écume, je songeai aux tournesols et aux champs de blé sous l'orage.

Épilogue

Je travaillai encore deux semaines au service du shérif avant de raccrocher définitivement. Au mois d'août, le soleil se leva chaque matin tout blanc, et l'air chargé de brumes d'humidité collait les vêtements, légers fussent-ils, comme papier mouillé sur la peau. Je louai un bungalow aux murs en bardeaux près de la côte texane, et nous passâmes deux semaines, Robin, Alafair et moi, à pêcher le poisson-chat et la truite blanche et mouchetée. A l'aube, lorsque la marée basse avait dégagé les bancs de sable, les mouettes piaillaient en cercles dans le ciel avant de plonger du bec sur les mollusques prisonniers des trous d'eau, puis les longues étendues plates de sable humide se teintaient de rose et de violet, et le palmier de la cour attenante se dressait comme un métal noir gravé à la lumière du soleil.

Il faisait toujours frais lorsque nous sortions le bateau le matin ; le vent se levait du sud-est et nous sentions l'odeur des bancs de truites en chasse sous les nappes brillantes qu'elles dessinaient dans l'eau. Nous emmenions le bateau dans le lagon en demi-lune bordé de chaque côté de tas de sables, typhas et cyprès morts, et juste comme nous franchissions la dernière barre sableuse pour aborder la haute mer et pénétrer dans le golfe, nous voyions ces vastes nappes flottant en surface, pareilles aux fuites de pétrole d'un navire naufragé ; c'était le moment d'appâter nos lignes de crevettes vivantes avant de les lancer en bordure des flaques où le bouchon venait battre la surface au gré des vagues. Il nous arrivait de temps à autre d'accrocher un bagre, et nous savions toujours que c'était un poisson-chat à sa manière de piquer droit vers le fond sans chercher à venir sauter en surface jusqu'à ce qu'il soit ferré si fort, l'hameçon triple tellement enfoncé dans la gueule, qu'il ressortait par la tête lorsque nous l'obligions à remonter. Mais la truite de mer mouchetée prenait la fuite en dévidant le fil du moulinet et dépassait la poupe ou la proue pour venir à bâbord ou à tribord, plongeant sous le bateau si elle le pouvait, et même prise à l'épuisette, elle essayait encore de briser la canne contre le plat-bord.

Nous chargions la glacière de boissons froides et de sandwichs – saucisse, fromage et oignons – et, arrivé midi, une fois le déjeuner terminé, le soleil haut dans le ciel, la proue brûlante du bateau croûtée de sel, la glace était couverte de rangées de truites argentées, ouïes rouges tout ouvertes, la gueule béante montrant les dents, les yeux de verre noir.

Nous rentrâmes à New Iberia à la fin du mois d'août, et un matin, au réveil, je ne trouvai plus Robin. Elle était partie. Je lus la lettre en caleçon, à la table de cuisine alors que l'arrière-cour passait du bleu au gris aux premières lueurs du jour. Elle m'avait laissé du café sur le fourneau et un bol de céréales et de fraises sur la table.

J'ai demandé au taxi de s'arrêter sur la route pour ne pas te réveiller. Les au-revoir, les excuses, c'est bon pour le Rotary et les merdaillons, pas vrai ? Je t'aime, mon coco. C'est important que tu comprennes et que tu le croies. Tu m'as remise sur pied, tu t'es occupé de moi quand personne d'autre ne voulait. Et je dis bien, personne. T'es comme aucun mec que j'ai connu avant. Tu souffres pour les autres, et pour une raison inconnue, tu te sens coupable pour eux. Mais ça, c'est pas de l'amour, Dave. C'est quelque chose d'autre et je le comprends pas vraiment. Je crois peut-être bien que tu aimes encore Annie. Je suppose que c'est comme ça que va la vie. Mais je crois qu'y faut que tu trouves ça tout seul et que t'as pas besoin de moi dans les jambes pour le faire.

Hé, c'est pas si grave après tout. Je vais travailler comme caissière dans le restaurant de ton frère sur Dauphine, alors si jamais t'as envie de te trouver une chaude lapine, tu sais où aller. J'ai arrêté la picole et la came grâce à un Bon Samaritain que je connais. C'est pas une mauvaise chose à ajouter à ta liste de réussites.

Avec toute ma tendresse pour Alafair
Prends la vie du bon côté
Robin Belle-Mèche.

Cette dernière semaine d'août, je fis d'étranges choses. Un soir, au crépuscule, je traversai le campus désert de l'USL à Lafayette, où j'avais été étudiant dans les années cinquante. La cour carrée était peuplée d'ombres, la brise tiède soufflait dans les allées briquetées, et les chênes d'un vert sombre étaient remplis de cris d'oiseaux dans le soir tombant. Je m'installai dans un café encore ouvert près des entrepôts de la SP et j'écoutai je ne sais plus combien de fois un vieux disque de Jimmy Clanton de 1957 sur le juke-box, tandis que des cheminots, le torse luisant de sueur, démantelaient les rails à la lueur des feux de Bengale, dans le fracas des longues files de wagons de marchandises qui passaient dans l'obscurité. Je jouai aux dominos avec les vieux dans l'arrière-salle du billard de Tee Neg, allai déterrer quelques balles de mitraille dans les berges du ruisseau près de la plantation en ruine sur le bayou, et emmenai mon camion au fond des marais par la route de digue jusqu'à l'endroit où subsistaient les restes d'une communauté aujourd'hui abandonnée, rassemblements de cabanes sur pilotis, pourrissantes et grisâtres, sur fond de saules et de cyprès. Quarante ans auparavant, mon père et moi étions venus dans cet endroit pour un *fais dodo* un quatre juillet : les gens avaient fait cuire un mouton à la broche, bu du vin à la cruche de grès et dansé au son d'un orchestre d'accordéons sur une péniche jusqu'à ce que le soleil flamboie de rouge à l'horizon et que nos corps soient noirs de moustiques.

Comme je contemplais le spectacle par la fenêtre de ma camionnette, les sommets gris des arbres, les restes des cabanes sur pilotis, l'eau noire et immobile aux lueurs mourantes du jour, j'entendis une grenouille-taureau solitaire coasser et les bois inondés gémirent du bruit de ses plaintes. Trois hérons bleus volant très bas se découpèrent sur les restes de soleil, et le cœur lourd, plein d'un sentiment de naufrage, je compris que le monde qui m'avait vu grandir avait presque entièrement disparu et qu'il ne renaîtrait plus jamais.

Et peut-être bien, finalement, que Bubba Rocque et moi avions été plus semblables que je n'avais bien voulu l'admettre. Peut-être appartenions-nous tous deux au passé, ce passé aux étés de verdure passés en base-ball sur terrains en friche et crabes bouillis, sous la fumée des fritures de poisson du voisinage au travers des arbres. Chaque matin nous arrivait comme une fraise gorgée éclatant sous la langue. Nous posions casiers à crabes et lignes de fond dans la baie avec nos pères, appâtions les balances à écrevisses de morceaux saignants de viande de ragondin, nettoyions les cageots de poissons-chats au couteau et à la pince, sans jamais penser à voir en tout cela un quelconque travail. Dans la chaleur de l'après-midi, nous nous installions sur le pare-chocs du wagon à glace du dépôt, d'où nous observions les trains de troupes qui traversaient la ville, avant d'aller combattre des guerres imaginaires, armés de tiges de canne à sucre, sans avoir conscience que les bords de notre petit morceau de géographie cajun étaient en train de se consumer à jamais comme une vieille photographie au-dessus d'une flamme. Les trouées de feu dans les ciels du soir ne faisaient que marquer la fin d'un jour, non celle d'une saison ou d'une époque.

Mais l'âge m'a peut-être appris : la terre est jeune encore, le cœur en fusion mais toujours à se faire, les feuilles noires d'une forêt d'hiver grouilleront de vie au printemps, notre histoire est sans fin, toujours portée de l'avant, et c'est en vérité un crime que de permettre aux énergies du cœur de se dissiper avec la lumière qui s'évanouit à l'horizon. Je n'ai pas de certitudes. Je rumine et je médite sur la question et je dors un peu. J'attends, pareil à l'amant refusé, les lueurs bleutées de l'aurore.

RIVAGES/NOIR

1. Jim Thompson : *Liberté sous condition*
2. Charles Williams : *La Fille des collines*
3. Jonathan Latimer : *Gardénia rouge*
4. Joseph Hansen : *Par qui la mort arrive*
5. J. Van de Wetering : *Comme un rat mort*
6. Tony Hillerman : *Là où dansent les morts*
7. John P. Marquand : *Merci, Mister Moto*
8. John P. Marquand : *Bien joué, Mister Moto*
9. David Goodis : *La Blonde au coin de la rue*
10. Mildred Davis : *Dark Place*
11. Joan Aiken : *Mort un dimanche de pluie*
12. Jim Thompson : *Un nid de crotales*
13. Harry Whittington : *Des feux qui détruisent*
14. Stanley Ellin : *La Corrida des pendus*
15. William Irish : *Manhattan Love Song*
16. Tony Hillerman : *Le Vent sombre*
17. Hugues Pagan : *Les Eaux mortes*
18. John P. Marquand : *Mister Moto est désolé*
19. Donald Westlake : *Drôles de frères*
20. Jonathan Latimer : *Noir comme un souvenir*
21. John D. Mac Donald : *Réponse mortelle*
22. Jim Thompson : *Sang mêlé*
23. William McIlvanney : *Les Papiers de Tony Veitch*
24. William McIlvanney : *Laidlaw*
25. Diana Ramsay : *Approche des ténèbres*
26. Donald Westlake : *Levine*
27. James Ellroy : *Lune sanglante*
28. Harry Whittington : *Le diable a des ailes*
29. John D. Mac Donald : *Un temps pour mourir*
30. J. Van de Wetering : *Sale temps*
31. James Ellroy : *A cause de la nuit*
32. Jim Thompson : *Nuit de fureur*
33. J. Van de Wetering : *L'Autre Fils de Dieu*
34. J. Van de Wetering : *Le Babouin blond*
35. Tony Hillerman : *La Voie du fantôme*
36. W.R. Burnett : *Romelle*
37. David Goodis : *Beauté bleue*
38. Diana Ramsay : *Est-ce un meurtre ?*

39. Jim Thompson : *A deux pas du ciel*
40. James Ellroy : *La Colline aux suicidés*
41. Richard Stark : *La Demoiselle*
42. J. Van de Wetering : *Inspecteur Saito*
43. J. Van de Wetering : *Le Massacre du Maine*
44. Joseph Hansen : *Le petit chien riait*
45. John D. Mac Donald : *Un cadavre dans ses rêves*
46. Peter Corris : *La Plage vide*
47. Jim Thompson : *Rage noire*
48. Bill Pronzini : *Hidden Valley*
49. Joseph Hansen : *Un pied dans la tombe*
50. William Irish : *Valse dans les ténèbres*
51. John D. Mac Donald : *Le Combat pour l'île*
52. Jim Thompson : *La mort viendra, petite*
53. J. Van de Wetering : *Un vautour dans la ville*
54. James Ellroy : *Brown's Requiem*
55. Jim Thompson : *Les Alcooliques*
56. W.R. Burnett : *King Cole*
57. Peter Corris : *Des morts dans l'âme*
58. Jim Thompson : *Les Arnaqueurs*
59. J. Van de Wetering : *Mort d'un colporteur*
60. W.R. Burnett : *Fin de parcours*
61. Tony Hillerman : *Femme qui écoute*
62. Kinky Friedman : *Meurtre à Greenwich Village*
63. Jim Thompson : *Vaurien*
64. Robin Cook : *Cauchemar dans la rue*
65. Peter Corris : *Chair blanche*
66. David Goodis : *Rue Barbare*
67. David Goodis : *Retour à la vie*
68. Barry Gifford : *Port Tropique*
69. J. Van de Wetering : *Le Chat du sergent*
70. Joseph Hansen : *Obédience*
71. Roger Simon : *Le Clown blanc*
72. Robert Edmond Alter : *Attractions meurtres*
73. Charles Williams : *Go Home Stranger*
74. John D. Mac Donald : *L'Héritage de la haine*
75. David Goodis : *Obsession*
76. Joseph Hansen : *Le Noyé d'Arena Blanca*
77. Jim Thompson : *Une combine en or*
78. Bill Pronzini : *La nuit hurle*

79. Joseph Hansen : *Pente douce*
80. Peter Corris : *Le Garçon merveilleux*
81. J. Van de Wetering : *Cash-cash millions*
82. Charles Williams : *Et la mer profonde et bleue*
83. Jim Thompson : *Le Texas par la queue*
84. Jim Nisbet : *Les damnés ne meurent jamais*
85. Howard Fast : *Sylvia*
86. Charles Willeford : *Une fille facile*
87. John P. Marquand : *Rira bien, Mister Moto*
88. Chester Himes : *Qu'on lui jette la première pierre*
89. Dolores Hitchens : *La Victime expiatoire*
90. William McIlvanney : *Big Man*
91. Masako Togawa : *Le Baiser de feu*
92. James Crumley : *Putes*
93. Geoffrey Homes : *Pendez-moi haut et court*
94. Geoffrey Homes : *La Rue de la Femme qui pleure*
95. George Chesbro : *Une affaire de sorciers*
96. Tony Hillerman : *Porteurs-de-peau*
97. James Ellroy : *Clandestin*
98. Tony Hillerman : *La Voie de l'Ennemi*
99. Charles Willeford : *Hérésie*
100. James Ellroy : *Le Dahlia noir*
101. J. de Wetering : *Le Chasseur de papillons*
102. Peter Corris : *Héroïne Annie*
103. Jim Nisbet : *Injection mortelle*
104. Joseph Hansen : *Le Garçon enterré ce matin*
105. Helen McCloy : *La Somnambule*
106. Howard Fast : *L'Ange déchu*
107. Barry Gifford : *Sailor et Lula*
108. Kinky Friedman : *Quand le chat n'est pas là*
109. James Ellroy : *Un tueur sur la route*
110. Tony Hillerman : *Le Voleur de temps*
111. Peter Corris : *Escorte pour une mort douce*
112. James Ellroy : *Le Grand Nulle Part*
113. Tony Hillerman : *La Mouche sur le mur*
114. George V. Higgins : *Les Copains d'Eddie Coyle*
115. Charles Willeford : *Miami Blues*
116. Robin Cook : *J'étais Dora Suarez*
117. Daniel Woodrell : *Sous la lumière cruelle*
118. William Kotzwinkle : *Midnight Examiner*

119. Ted Lewis : *Le Retour de Jack*
120. James Ellroy : *L.A. Confidential*
121. Daniel Woodrell : *Battement d'Aile*
122. Tony Hillerman : *Dieu-qui-parle*
123. Charles Willeford : *Une seconde chance pour les morts*
124. Paco Ignacio Taibo II : *Ombre de l'ombre*
125. Ross Thomas : *Les Faisans des îles*
126. Armitage Trail : *Scarface*
127. Edward Bunker : *Aucune bête aussi féroce*
128. Peter Corris : *Le Fils perdu*
129. Andrew Coburn : *Toutes peines confondues*
130. Marc Villard : *Démons ordinaires*
131. Pieke Biermann : *Potsdamer Platz*
132. James Lee Burke : *Prisonniers du ciel*

RIVAGES/MYSTERE

1. Rex Stout : *Le Secret de la bande élastique*
2. William Kotzwinkle : *Fata Morgana*
3. Rex Stout : *La Cassette rouge*
4. John P. Marquand : *A votre tour, Mister Moto*
5. John Dickson Carr : *En dépit du tonnerre*
6. Rex Stout : *Meurtre au vestiaire*
7. Josephine Tey : *Le plus beau des anges*

Achevé d'imprimer le 27 avril 1992
sur les presses de l'Imprimerie «La Source d'Or»
63200 Marsat
Dépôt légal Avril 1992
Imprimeur N° 4312